JM045604

文化とアートのマーケティング

フランソワ・コルベール／フィリップ・ラヴァナス 編著
曽田修司／中尾知彦 訳

Marketing Culture and the Arts

FRANÇOIS COLBERT & PHILIPPE RAVANAS

with the collaboration of Johanne Brunet, Mariachiarra Restuccia, J. Dennis Rich & Yannik St-James

Translated by Shuji Sota, Tomohiko Nakao

素晴らしい芸術作品を生かすために
舞台裏で働くすべての人に

謝辞

フランソワ・コルベールは、共著者であるフィリップ・ラヴァナスと彼の協力者であるジョアン・ブルネ、マリアキアラ・レストゥッチア、J. デニス・リッチ、ヤニック・セント・ジェームスに感謝したいと思います。また、ナタリー・クルヴィルの参加にも感謝します。著者は、良いマーケティングの実践例を提供することに快く同意してくれた様々な国のすべての同僚に感謝の意を表します。

（アルファベット順）

ジョー・ボグダン
コロンビア大学シカゴ校

P. コレッティ
コロンビア・カレッジ
シカゴ

マヌエル・クアドラード＝ガルシア
バレンシア大学
スペイン

ケント・ドラモンド
ワイオミング大学ビジネス学部
准教授・准学部長
アメリカ

アレクサンドラ・フェルナンデス
ISCT
ポルトガル

ジェニファー・ラドボーン
ディーキン大学
オーストラリア

マヤ・シェリッチ
バレンシア大学
スペイン

アニック・シュラメ
アントワープ大学
ベルギー

ローズ・ギンター
マキューワン大学准学部長・
美術コミュニケーション学部
カナダ

ジュリー・グッドマン
ドレクセル大学
アメリカ

ジョアン・モントロ＝ポン
バレンシア大学
スペイン

トラビス・ニュートン
ルモインカレッジ
アメリカ

ザキア・オバイダーラへ
ESSCA スクール・オブ・マネジメント
フランス

スンマン・ツェン
香港教育大学

ルク・ヴァーヘイエン
アントワープ大学
ベルギー

ジェニファー・ウィギンズ
ケント州立大学
アメリカ

【凡例】

・本書において、原文における太字および（　）についてはそのままとしたが、イタリック体の箇所は〈　〉で括り、“ ”は「 」で記した。また、書名・作品名などは『　』を付して表示した。
・訳者補足や注記は［　］で括り表示した。
・原綴は、学習に役立つものを中心に初出のみ入れることとした。
・原書における明らかな間違いなどは、原著者に確認したうえ、訂正した。

・本書における訳語について、以下補足する。
経営用語は営利企業に関して使用されることが多いが、本書では営利組織に加え非営利組織についても論じているところから、営利にも非営利・公共の組織にもあてはまる訳語を採用したり、その箇所によって異なる訳し方をしたりしたところがある。

company　団体、会社
corporate, corporation　企業
enterprise　事業体、事業
firm　企業
competitor　競合他団体
customer, client, clientele　顧客
audience　観客、聴衆、オーディエンス
executive　執行役員
employee　被雇用者
producer　生産者、プロデューサー
promoter　プロモーター、興行主
presenter　主催者
agent　代理人、主体
practice　実務、実践、慣習行動、慣行
distinction　区別、卓越化
taste　嗜好、趣味
cultural goods　文化的財
cultural property　文化財
music recording　音楽レコーディング、音楽レコード、レコード
territory　領域、領土、土地［国あるいは領域］、準州

文化とアートのマーケティング

Contents

Chapter 1

Cultural Enterprises and Marketing

第1章
文化事業体とマーケティング

目 標

・ 文化のコンテクストにおけるマーケティングの機能を定義する
・ 文化事業体の特異性を理解する
・ 文化事業体におけるアーティストの役割を正確に指摘する
・ 製品中心の組織と市場中心の組織の違いを明確にする
・ 明確なマーケティング・モデルを特定する
・ マーケティング計画のプロセスを理解する
・ マーケティング・ミックスの4つの要素を紹介する

イントロダクション

本章では、文化のコンテクストにおいて鍵となるマーケティングの概念を紹介する。第1節では、マーケティングの概念、その進化、文化事業体（すなわち、主にアートや文化の活動に従事している組織[1]）との関連を定義する。そして、文化事業体の社会における位置づけやミッション、その中でのアーティストの役割を分析して、文化事業体を全体として捉える。そのあと、何が様々な文化事業体を他と異なるものにしているのか、そして、もっと特定して言えば、何がミッション［使命］中心の組織と市場に焦点を当てている組織とを分けているのかを決定する。次に、この違いに基づいて、2つの明確に異なるマーケティング・モデルを定義する。第2節では、マーケティング計画のプロセスについての概観を示し、第2章以降のテーマを提供する。すなわち、マーケティング・リサーチ、消費者分析、状況分析、戦略、そしてマーケティング・ミックスの4つの変数（製品 Product、価格 Price、流通 Place / Distribution、プロモーション Promotion）である。最後に、マーケティング・マネージャーの倫理的責任について探求してこの章を終える。

1.1　マーケティング、アーティスト、市場

1.1.1　マーケティング

定義

〈マーケティングとは、ビジネスとその顧客の相互関係を理解し最適化して、相互に満足を与えるプロセスのことである。〉マーケティングとは、何よりもまず、適切な問いを立てて非常に大きなことのように見える問題（例えば、新しいオーディエンスをどこで見つけるのか）を扱いやすいサイズにまで縮小し、論理的で創造的な解決法をもたらすことである[2]。マーケターは、一括してマーケティング・ミックスと呼ばれる4つの重要な変数を定義してこれらの解決法を実行する。すなわち、何を売るのか（製品）、いくらで（価格）、どこで売るのか（場所、流通）、そして、公衆がそれを買うようにいかに説得するのか（プロモーション、コミュニケー

ション）の4つである。

マーケティングの概念は本質的に次の3つの要素を意味する。（1）消費者のニーズ、（2）そのニーズを満足させようとする団体のもつ手段、（3）消費者と団体の間で情報と価値の交換を行うことである。商業的な事業体の場合、団体は利益を最適化するためにこの交換に関わり、非営利組織の場合は、団体は剰余を最適化するためにこの交換に関わるだろう。最適化と最大化の違いは重要である。最大化のプロセスは、可能な限り最大の利益（剰余）を生み出そうとする。最適化は、可能な最大の利益を得ようとするが、もう一方で、団体のミッションや被雇用者の福祉の確保、会社の安定したイメージの創造、顧客満足、環境保護、あるいは、団体がコミュニティーに受け入れられることのような組織や環境に関する要素も考慮に入れる。文化事業体にとっては、芸術上のミッションを満たすことは、利益あるいは剰余の目標を満たすことと同じか、ときには、それよりも重要でありうる。

このように、マーケティングは、組織が非営利であれ営利であれ、企業セクターであれ文化セクターであれ、組織のサービスにおけるツールである。組織のマネージャーの仕事は、このツールを組織のミッションを充足するために使うことである。マーケティングは、ある面では科学であり（例えば、消費者リサーチ）、他の面では芸術的でもある（とりわけ広告において）が、何よりもまずプロセスであることを覚えておくことが重要である。次の3つのことを心に留めておこう。

1. 第1に、市場は人間によって成り立っており、人間はその本性として進化する複雑な生き物であるから、何ごとであれ、およそ静的であったり黒か白かを明確に分けられるようなものであったりするわけではない。マーケティングの特徴のひとつは、マネージャーたちが必要とするすべての情報にアクセスすることができないため、しばしば不確かな状況の中で働くことを求められ、したがって、彼らが環境に関していかに体系的な分析を行っていようと、それと同じ程度に経験や本能に依存せざるを得ないということである。
2. 第2に、マーケティングにおいて成功するためには、マーケターは自分を消費者の立場に置くことができなければならない。ターゲット・グループの琴線に触れるために、マネージャーは消費者が何を考え、どのように意思決定をしているのかを知らなければならない。マネージャーは、彼あるいは彼女の個人的な嗜好や消費習慣がターゲット・グループのそれらを代表しているとは決して想定するべきではない。

3. 最後に、顧客は知覚に基づいて意思決定を行うものである。もたらされるメッセージについての知覚、あるいは企業によって提供される製品（物理的な財やサービスやアイデア）についての知覚が、顧客の心の中の現実となる。顧客は彼らが真実であると知覚するものに基づいて意思決定を行うだろう。

組織の中でこの機能に責任を持つ人たちにとって、これらの3つの特徴がマーケティングを非常に難しい仕事にしている。このような理由により、彼らがマーケティングのあらゆる相を十分に理解することが非常に重要なのである。

誕生と発展

学問分野としてのマーケティングは、産業化が進んだ世界の中で物質的な豊かさがもたらされるのと並行して、また、通商の発展の結果として展開してきた。

19世紀の間は、明らかに供給が需要を作り出していた。この時代は、平均的な消費者は十分な収入がなく、製造業者は人々の基本的なニーズをかろうじて満たすことができていた。財の生産と流通システムは、一方では職人や零細な製造業者によって、他方では零細な商店主によって成り立っていた。卸売業者や多様な中間業者がその両端の間をつなぐ役割をしていた。この時代は、まさしく、買い手市場ではなく売り手市場だったのである。

最初に北アメリカとヨーロッパで、その後、世界の他の地域においても、産業化がこれらの条件を劇的に変えた。20世紀の初めには、流れ作業のプロセスの導入によって製造コストが下がった。その結果、製造業者と店舗の規模が拡大した。いくつかの産業では企業クラスターが発達した。地方レベルと国際レベルの両方で競争が激しくなった。それと同時に、企業は製造コストに基づいて製品価格を決定するやり方をやめた。支出能力の上がった消費者が、基本的機能を満たすだけではなく、消費者の嗜好や熱望を満たす財を求めていることを製造業者は理解したのである。もはや顧客は必ずしも市場で最も安い価格をつけられた製品を買おうとはしなくなっていた。

市場と需要に関する問題を最も早く考えたのは経済学者たちだった。初期の頃には、マーケティングは経済学から多くのものを借りていた。バーテルスRobert Bartelsの『マーケティング学説の発展』[3]によると、「マーケティング」という言葉は、1910年頃には流通や通商という以上のことを意味するようになったが、最初のマーケティングの研究や教科書が出版されたのは1920年代になってからだった。それと同時に、小売、販売、広告の技術に関する刊行物も出始めた。

1950年代には、西洋諸国では、製品と販売の視点、すなわち、うまくプロモーションされ、価格が適正であれば製品は売れるという見方から、消費者の側に立ったマーケティング論に焦点が移った。この移行は、近代的なマーケティングの到来を告げるものであった。

1945年から1960年の間に、戦後のベビーブームと中流階級の増加が起こり、いまや巨大な購買力を持つに至った潜在消費者のニーズと欲求をマーケティングの専門家が調査することを促した。マーケティングのエキスパートは、顧客のことをよりよく理解するという目的を持って、個人や集団の消費者行動を理解するために、心理学や社会学のような社会科学を深く探求した。この広い主題は大量のデータを生み出した。そのデータは、1960年代には最新の定量的でコンピューター化されたメソッドによって生み出され始めた。このように、マーケティングは経済学の理論の応用として始まったのだが、後には他の諸科学からの知識を加えて学問的な豊かさを増し、別個の学問分野を作り出した。

1970年代に、マーケティングは、かなり一般的で標準化されたものから専門化されたものに変化した。いまや、参照資料は、中小規模のビジネス、非営利のサービス組織におけるマーケティングを産業セクターにおけるのと同じように扱った。次に挙げる2つの新しいコンセプトが現れた。

1. 〈ソーシャル・マーケティング〉(すなわち、マーケティングの原理と実践を企業のゴール達成というよりも社会的な変化を達成するために用いる)は、より大きな社会的善のために、個人やコミュニティーに便益を与える行動に影響を与えることが意図されている[4]。ソーシャル・マーケティングはマーケティングの技術をビジネスでないものや非営利ビジネスの領域に拡大した。公衆衛生キャンペーンはソーシャル・マーケティングの実例である。
2. 〈ソサイエタル・マーケティング〉(社会的な次元を持つマーケティング、または企業のゴールに加えて非経済的な規準を含むマーケティング)[5]は、これまでよりも社会的責任があり、道徳的、倫理的なマーケティング・モデルを促進するものである。このモデルでは、短期の欲求は消費者の長期的な利益を支えるものではなく、全体として社会にとってもよくないものであることを強調している[6]。

この時期は、これらの概念をアート・セクターの中に統合しようとする試みが初めて見られた時期でもあった。スタートは遅かったが、アーツ・マネジメントに関するアカデミックなプログラムの数は指数関数的に増加し始めた[7]。

過去20年以上の間に、情報テクノロジー革命(特に、インターネット、データベース・システム、コンピューター分析の組み合わせ)は、アートのマーケティング機能を変容させ、以前ならより資金力のある大きな産業だけが持っていたレベルの洗練をもたらした。それは、団体と顧客の関係も変えている。単に顧客〈に向けて〉マーケティングを行う(顧客をプロセスに対して受動的で外発的だと考える)だけでなく、いまや顧客〈とともに〉マーケティングを行うことができる。そのことは、顧客が価値の共創における内発的で能動的なパートナーであると示唆している。特にソーシャル・メディアのプラットフォームの利用を通じて、文化事業体は既存顧客に対して、新たな芸術上のプロジェクトをプロモーションし、テストし、資金を調達するために協力を求めることができる。顧客は、必要とされる時間、技能、方法を交換のプロセスにもたらす能動的な参加者である。このように、マーケティングとは、顧客と相互的に何かを行うプロセスである[8]。

アカデミックな専門分野としても、アーツ・マーケティングは比較的新しいものである。マーケティングの中の下位分野のひとつであるアーツ・マーケティングは、1960年代に始まった。最初は、社会学者と経済学者が知識形成に貢献した。その後、1970年代の後半から1990年代にかけて、マーケティングの著者がこれに加わった。2000年代に入って、ヨーロッパやオーストラリアの仲間たちが数の上で論文の公表を主導するようになった。現在では、マーケティング研究者によるアカデミックなリサーチが、消費者行動と伝統的なマーケティングの4P、すなわち、製品Product、(そしてブランド)、価格Price、場所・流通Place / distribution、プロモーション・コミュニケーションPromotion / communicationに関する探求の新たな分野を豊かにしている[9]。

なぜマーケティングを利用するのか

1967年に、フィリップ・コトラー Philip Kotlerが彼の入門的な教科書の中で、博物館、コンサート・ホール、図書館、大学などの文化組織が文化的財を生み出しているということを指摘したときに、文化事業体のマーケティングというアカデミックな主題が初めて出現した[10]。これらすべての組織は、消費者の注意を惹き、国内の資源を獲得するための競争に加わらなければいけないということを理解し始めた。言い換えれば、これらの組織は、マーケティングの課題に直面していた。

余暇セクターは、過去50年以上にわたって、特に文化領域で目覚ましく拡大した。この巨大な市場の成長は、膨大な数の団体による目覚ましい製品やサービスの供給を生み出した。消費者は、多くの選択肢を持っている。大都市では、1人の人間がすべてのものごとを見たり買ったりすることは予算と時間の制約があってとてもできない。したがって、団体は自分たちの製品に興味をもってくれそうなタイプの消費者を明確に特定し、消費者の可処分所得の一定割合を確実に受け取ることができるような戦略を工夫しなければならない。

近代社会においては、文化事業体や製品中心の事業体は、単に製品を〈提供〉するだけでは満足できず、それを〈販売〉しなければならない。言い換えれば、彼らは、現顧客や潜在顧客に確実に理解され、受け入れられなければならない。そして、団体自体にとってだけではなく、団体が代表しているアーティストにとって十分な収入を得るために彼らの顧客基盤を開発しなければならない。この状況は、すべての文化市場に当てはまる。

マーケティングとは、自分たちの創造の原理の究極の妥協を意味すると考えるアーティストもいる。これらのアーティストたちは、マーケティングとはオーディエンスの嗜好に迎合することだと信じている。この考えは、マーケティング原理の狭い間違った解釈に由来している。実際、適切で洞察力に優れたマーケティングの主体的取り組みは、アーティストが活躍する助けとなりうる。アート組織がそれぞれの芸術面の努力に対して適切なオーディエンスを発見し誘引しているときは、より多くのアーティストが、自分たちの個々の才能やアイデアを評価し価値を置くオーディエンスと結びつくことができる[11]。

1.1.2 アーティストと文化事業体

アーティストの役割

アメリカの詩人、故ラングストン・ヒューズ Langston Hughesによれば、アーティストは多様な役割を持っている。彼らは、祝福者であり、エンタテイナーであり、予言者である[12]。彼らは、私たちの集合的な過去の中から、何が祝福され記憶されるべきかを特定し、オーディエンスにとって楽しく記憶に残る経験を作り出し、社会の変容を予測し、待ち望む。

アーティストは、

1. 自己表出の形態として、自分自身に対して、
2. プロとしての認知を得るために、自分たちの仲間に対して、
3. 社会に受容され、成功を勝ち取り、自分たちの才能から生活の糧を得る手段を獲得するために、社会全般に対して[13]、創造することができる。

アーティストは、上記の3つに分類されたオーディエンスのうちのどれかひとつ、あるいは、それら3つのすべてのオーディエンスに同時に到達させようと願って創造する。実際、それぞれの種類のオーディエンスに対して別々の製品をつくることを選ぶかもしれない。どの場合であろうと、アーティストはその仕事において満足を追求すべきである。(図1.1を参照のこと)

図 1.1　ハーシュマンの3つのマーケティング・セグメント

自分自身に向けた創造性	アーティスト仲間に向けた創造性	商業的な創造性
主要なオーディエンス：自分自身	主要なオーディエンス：アーティスト仲間、業界のプロたち	主要なオーディエンス：社会全般
追求される主要な目標：自己表出	追求される主要な目標：認知、賞賛	追求される主要な目標：お金

出典：Adapted from Hirschman, E.C. 1983. "Aesthetics, Ideologies and the Limits of the Marketing Concept." *Journal of Marketing*, Vol. 47 (Summer), p. 49. Use authorized by the American Marketing Association.

すべての文化的製品はアーティストの仕事に拠っている。アーティストがいなければ、文化事業体は存在しないだろう。文化活動の伝統的な定義には当てはまらない産業のためにもアーティストの活動はやはり不可欠である。例えば、広告の場合、アーティストはキャンペーンを行うときの基礎的な戦力である。実際、コマーシャル映像を撮影するときには、プロデューサー、音楽家、俳優、セットデザイナーなどが関わっている。しばしば、俳優は、舞台でも、テレビでも、映画でも同じ顔ぶれである。

文化事業体と社会

文化事業体とは、アーティストとアーティストの仕事とオーディエンスをつなぐものである。文化事業体という概念は、狭くも広くも解釈できるだろう。狭義には、生産、流通、プロモーションを行う団体のことである。これらの団体は、パフォーミング・アーツの場合は演劇、音楽、オペラ、ダンスなどの専門団体であり、ビジュアル・アーツの場合ならギャラリーや博物館、その他には、歴史的遺跡や図書館がある。より広義には、文化事業体という概念は、文化産業（映画、サウンド・レコーディング、出版、工芸・デザイン）、そして、メディア（ラジオ、テレビ、新聞、定期刊行物、インターネット）が含まれる。他の著者はラグジュアリー製品（宝石、時計製造、オートクチュール、高級料理、ほか）の産業までもアートの定義に含める場合もあるが、この本の扱う範囲ではそれらの団体については含めない[14]。

文化事業体は社会において重要な役割を担っている。文化事業体が作り出す財やサービスがその国の人々――すなわち、人々の歴史、慣習、価値、矛盾、熱望、変容――を定義し反映する限りにおいて、文化事業体はその国の文化アイデンティティを定義し反映する。一方、作品を創造するアーティストは、自分たちの文化的伝統にしっかりと根ざしている。それに加えて、文化事業体は、その作り出す仕事と国のGNP（国民総生産）への寄与によって、重要な経済的戦力を構成している。文化事業体は、（劇場、博物館、テレビ・ネットワーク、映画スタジオなどのように）法人化されていることもあれば、法人化されていないこともありうる。独立のアーティストも同じようにエージェント、マネージャー、パブリシスト、ブッカー、ギャラリー・オーナーのような独立の専門家のサービスを依頼することができ、彼らはともに文化事業体と似たエコシステム［生態系］を形作っている。多くのフリーランスのアーティストが自分自身のプロモーションと流通を担い、創造とオーディエンスの間のバリュー・チェーンをコントロールしている。これらの個人事業主もまた文化事業体である。

文化事業体はまた、他の文化の現実を提示することで、世界を見る窓を市民のために開いている。実際、文化輸出は、その国の「ソフトパワー」の主要な通貨である。ソフトパワーとは、強圧によってではなく、文化的な魅力や誘引力によって他の国民の選好を形作る能力のことである[15]。

文化事業体の焦点

すべての文化事業体は、2つの特徴を共有している。(1)文化事業体は、アーティストに重要な役割を与える。そして、(2)文化事業体は、創造的行為による製品を扱っている。しばしば、この芸術的な行為はいかなる組織や企業にも属していない。特に、通常アーティストが1人で仕事をするビジュアル・アーツや文学のような分野においてはそうである[16]。さらに、もし製品が1つの芸術分野とその他の芸術分野で本質的に異なっているなら、文化事業体は製品ごとに非常に異なった役割を果たすだろう。役割とは、製品のデザイン、生産、再生産から、製品の流通、保存などに広がりうる(図1.2を参照のこと)。文化事業体は、そのミッションによって、上記のうちの1つないしいくつかの機能に焦点を当てるだろう。いろいろな組み合わせが可能だが、組織のミッションによって、実行される機能の数は決まってくる。

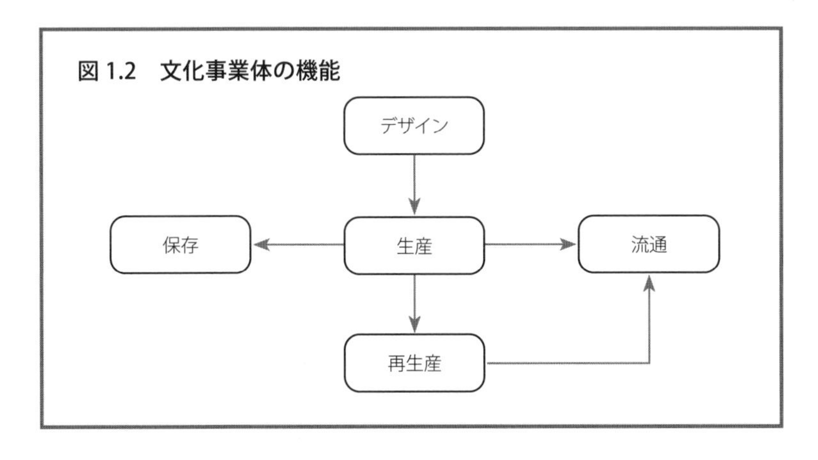
図 1.2　文化事業体の機能

パフォーミング・アーツにおいては、自ら作品を創造し、生産し、流通・上演を行う劇団がある。一方、自分たちが創造・生産した製品について専門家に上演を任せるところもある。ツアー・カンパニーはこの特徴を持つひとつの例である。ある文化事業体は、舞台公演の主催だけを行い、作品の創造や上演にまったく関わらない。同じパターンはビジュアル・アーツでも見られ、展示ホールは単に作品を見せるだけであるのに対し、博物館はそれに加えて作品の保存も行う。

これもやはり、文化産業においてどのようにものごとが作用しているかを示している。例えば、映画製作会社は、ドキュメンタリーやドラマ・シリーズを開発・製作し、それらは次にテレビのネットワークで放送される。同じように、長編映画を製作する会社は、典型的なやり方として、地方、国内、国際的な市場での流通に責任を持つ流通業者に業務を任せる。

文化事業体間の差異

昔からハリウッドの格言では、「ビジネスとしての映画の問題点は、それがアートであることであり、アートとしての映画の問題点はそれがビジネスであることである」[17]と言われている。どの文化事業体も、その創造的なミッションとビジネスにおける義務との間の緊張を調整する必要がある。文化事業体は、その規模、構造、分野、機能がかなり多様である。したがって、国立の博物館、世界的なレコーディング会社、小規模のモダンダンスの団体について、それらはみな文化事業体ではあっても、ひとまとまりとして語ることは難しい。おそらく、一番良いやり方だと思われるのは、文化事業体を区別し、特定の基準にしたがって再カテゴリー化することである。

まず、〈第1〉の基準は、事業体のミッションの志向に関わるものである。ミッションの志向は、製品に対する焦点と市場に対する焦点とを両端として持つ連続体上にポジションを置くことができる。製品を志向する（に中心を置く）事業体は、製品を自分たちの中核的なミッションとしてそれに焦点を当てるだろう。例としては、室内楽アンサンブル、子ども演劇フェスティバル、現代美術館が含まれる。連続体のもう一方の端には、市場志向、あるいは市場中心の事業体がある。その事業体は、自分たちを支えてくれる市場に集中する。これらの2つの端の間には、広い範囲の可能性がある。

〈第2〉の基準は、アート作品が生産される方法に関係している。アート作品の生産は、モデルやプロトタイプの構築に似ている。アウトカム[成果]を保証するレシピや一連の指示があるわけではない。したがって、それがショーであれ、絵画であれ、彫刻であれ、それらの製品を集めてみると、そこには健全な一定量の秘密が存在している。これに対して、芸術分野や製品のタイプによっては、同時に多くの複製を産出するため、大量生産がなされるようにプロトタイプが特別に設計される。映画、音楽レコード、書籍などの場合がそうである。明らかに、再生産されるいかなる製品に対しても、手稿、マスター、プロトタイプ、モデルといったオリジナルが存在していなければならない。1つ、あるいは、いくつかの団体は、オリジナルの生産も再生産も手がけていることがある。この2番目の基準は、再生産するように設計されていないユニークな製品（プロトタイプ産業）と、多くの複製が同時に出現するようにプロトタイプを使い、大量に生産される製品とを明確に区別している。

図1.3に示すように、これらの2つの基準を組み合わせることによって、文化産業とアートセクターの事業体とを区別することがより容易になる。

図1.3の第1象限は、製品中心の事業体で、それらのミッションはユニークな製品かプロトタイプを作ることである。これらの事業体は、グループとして、いわゆ

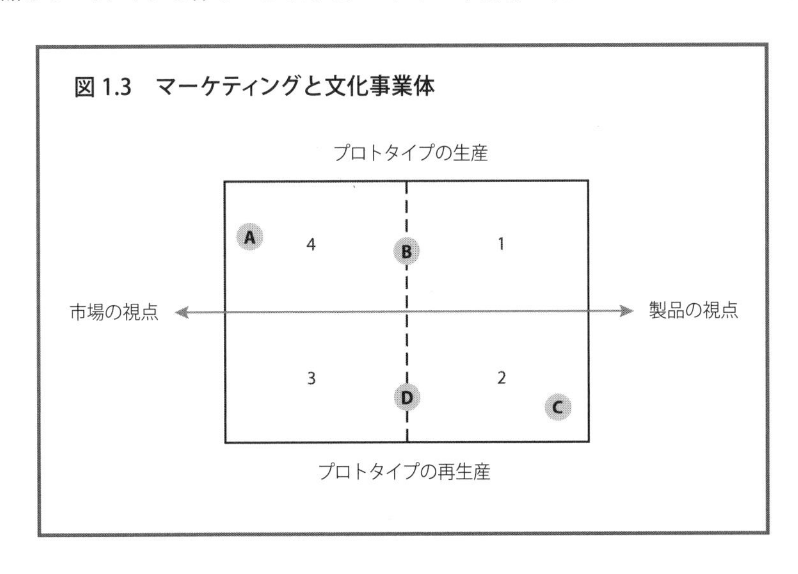

図1.3　マーケティングと文化事業体

る「アート・セクター」を形作っている。それらの多くは小規模の非営利のグループである。

対角線上の反対側にある第3象限は、市場中心の事業体で、製品を再生産する。もちろん、これらは利益を生み出す企業であり、ほとんどの文化産業がこれに含まれる。このグループには、作品の生産者、放送事業者、流通業者が含まれる。

第2象限と第4象限は、混合的な事例である。第4象限は、『シカゴ』、『ハミルトン』、『ウィキッド』のようなブロードウェイ・プロダクションを含む。これらの団体は、プロトタイプに似たユニークな作品を作るが、何よりもまず、市場中心の企業である。これらが文化産業である。第2象限には、製品中心の事業体があり、それにも関わらず1つの作品について多くの複製を生産している。多くの詩集を印刷している非営利の出版社はこの第2象限に当てはまるだろう。

他の2つの基準、すなわち、法人格と事業体の規模とが、次のような追加的なニュアンスを与える。

1. 事業体の法人格（営利・商業的か、非営利・協同的か）によって、市場中心か製品中心かがほぼ決定づけられる。この一般的なルールには、例外がある。例として、エンタテインメント・プログラムを通して少数言語のグループに奉仕することをミッションとする文化センターを取り上げよう。このセンターが非営利の組織であり、かつ市場中心でもあるという状況は十分にありうる。
2. 規模はここで取り上げる最後の基準である。明らかに、文化産業の中には多国籍の企業が見られる。だが、通常それらは非営利のアート・セクターの中にいることはほとんどない。アート・セクターの事業体の法人格と、とりわけ、そのミッションは、多国籍事業体のコンセプトそのものを意味する活動の拡大としばしば性格が異なるからである。したがって、アート・セクターの企業の平均的な規模は、文化産業の企業の規模よりもずっと小さい。ただし、このルールにもいくつかの例外がある。例えば、グッゲンハイムやルーブルのような博物館は、大きく国際的な規模の拡大を図っているが、それらのミッションには忠実である。

この分類のシステムは、あとに続く各章でも有用だろう。というのも、文化とアートのマーケティングに特有のアプローチは、あるタイプの事業体に対してのみ当てはまるからである。他のタイプの事業体は、伝統的なマーケティングのアプローチを使う傾向がある。伝統的なマーケティングと文化とアートのマーケティングの違いについてのどんな詳しい議論にも、まずはこれらのアプローチを視野に入れるべきである。

1.1.3 マーケティング・モデル

事業体のミッションの志向性（市場中心か製品中心か）は、2つの異なるマーケティング・モデルにつながる。

市場中心の組織のマーケティング・モデル

商工業の企業の現実を説明する伝統的なモデルにおいては、マーケティングの各構成要素は、「市場」という四角い枠（図1.4を参照のこと）から始まる連続的な進行の中で考えられなければならない。このモデルが維持しているのは、団体が消費者の間に存在しているニーズを満たそうとしているということである。その団体のマーケティング・リサーチによって提供されるデータを用い、現在の資源と企業のミッションとを考えて、団体は現存するニーズとそのニーズを満たす自らの能力を評価する。団体は、それから、マーケティング・ミックスの4つの要素を用い、潜在的消費者に対して望ましい効果を生み出せるようにそれらを

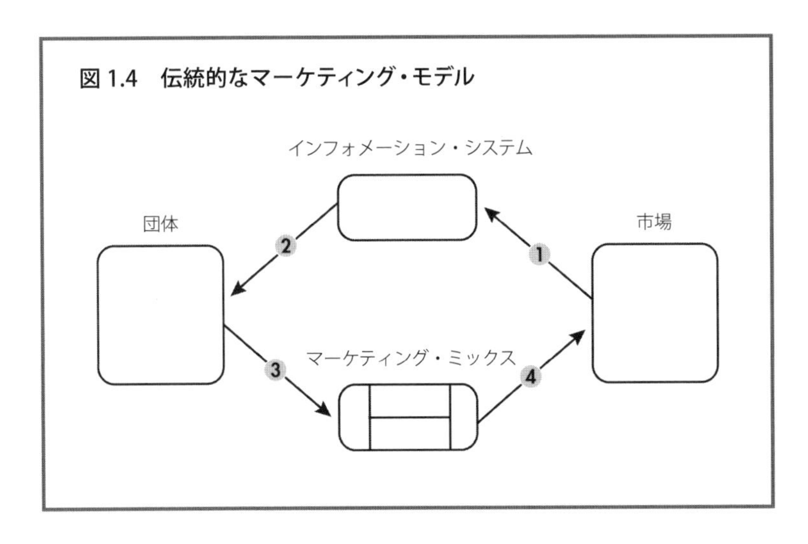

調整する。ここでの連続する順序は以下の通りである。市場－マーケティング・リサーチを目的とする情報システム－団体－顧客サービスを含むマーケティング・ミックス－市場。市場は、このようにして、このプロセスの出発点であり帰着点である。ほとんどのテレビ放送網は主に広告料によってまかなわれ、視聴率によって動かされており、このモデルに当てはまっている。

製品中心の組織のマーケティング・モデル

製品中心の文化事業体のマーケティング・プロセスは、市場中心の組織のそれとは異なっている。図1.5が示す通り、その定義の中に示されているように、プロセスは事業体の中、製品そのものの中で出発する。事業体は、市場のどの部分がその製品に関心を持ちそうかを決めようとする。潜在的な顧客が特定されると、団体は、この顧客のための他の3つの要素、すなわち（1）価格、（2）場所・流通、（3）プロモーション、コミュニケーションとともに消費者サービスのレベルを決定しようとする。このタイプの団体では、プロセスの順序は、次のようになる。団体と製品－（マーケティング・リサーチのための）情報システム－市場－情報システム－団体－残りのマーケティング・ミックスと顧客サービス－市場、という順である。出発点は製品であり、目的地は市場である。ほとんどの博物館は、そのコレクション（収蔵品）の保存と公開を中核的なミッションとしており、このカテゴリーに属する。

このモデルは、他のタイプの団体の現実も説明できるだろう。例えば、工業や商業では、新製品の発見と応用により、製品が導入されうる市場の探索に至る。したがって、特にこのケースにおいては、文化ベンチャーの場合のように、出発点は団体と製品の中にある。しかしながら、これらの2つの状況の間には、やはりかなりの違いがある。本質的に、目標が違うのである。というのは、商業的な企業においては、利益が最適となる市場を探求する。あるいは、消費者の関心が欠けていれば製品調査はやめてしまうだろう。それに対して、製品中心の文化事業体は、利益というよりはアートを究極の目標として持つ。財務的なプロジェクトというよりも芸術的なプロジェクトを遂行している団体にとっては、芸術上のゴールに到達することの方がより真実に適う成功の基準である。

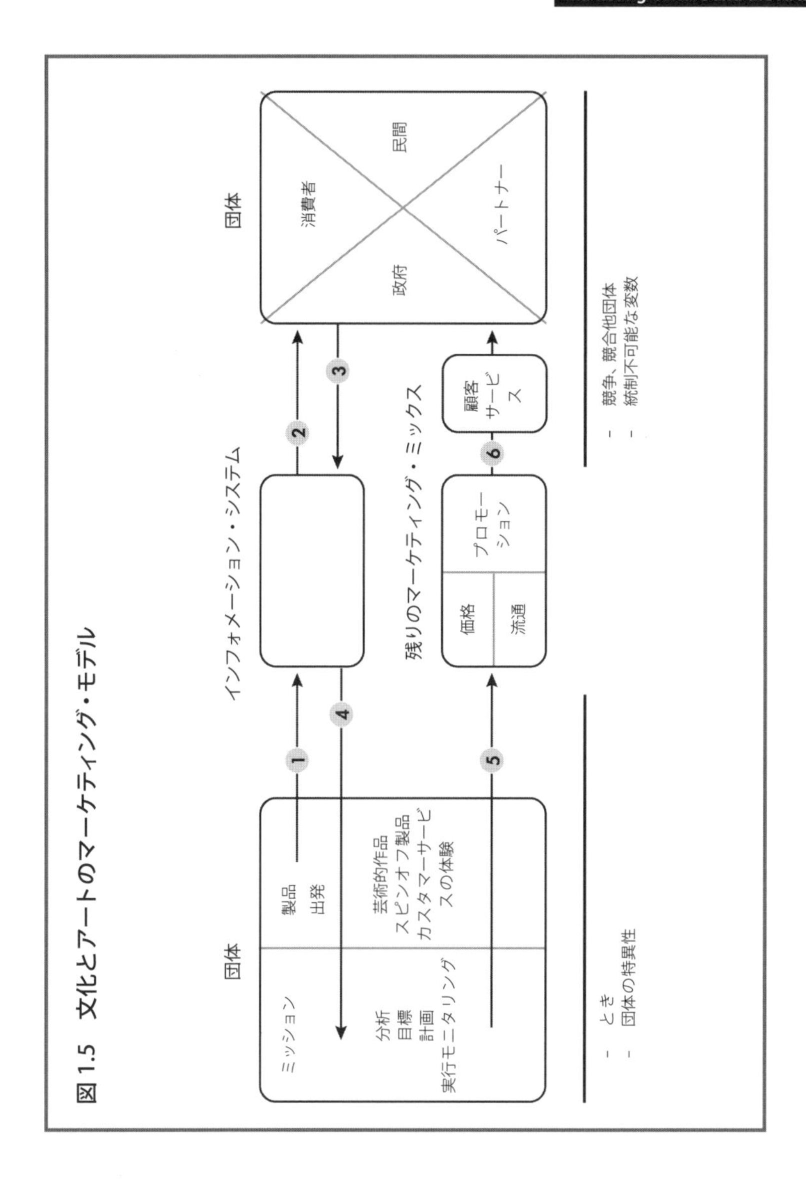

図 1.5　文化とアートのマーケティング・モデル

顧客体験の重要性

製品中心であれ、市場中心であれ、どの文化組織も顧客に提供する体験の質に焦点を当てるべきである。音楽の会場、複合映画館、博物館、あるいは劇場のマネージャーは、オーディエンスの中核的な芸術的体験の前、間、後に起こるすべてのサービスと顧客の相互作用を考慮に入れる必要がある。第6章（製品）で見るように、どのようなものであれ、顧客サービスの失敗は、アート製品についての公衆の知覚にネガティブに影響しうる。ライブ・エンタテインメントやパフォーミング・アーツの場合、オーディエンスの全体的な熱狂――またはその欠如――も観客ひとりひとりに影響を与える。実際、同じ文化的製品を楽しむ何人かの人たちと交流するという体験が、人が高画質テレビやスマートフォンで映画やコンサートを観る代わりに、映画館やコンサートに出かけていくことを選ぶ主要な理由である。ライブの体験は、文化的製品の純粋な楽しみ以上の何かをもたらさなければならない。

マーケティングと文化事業体

図1.3で示したモデルをもう一度見ると、私たちは、アート・セクターの事業体と文化産業であると定義された事業体とを区別できるだけではなく、どちらのマーケティング・モデルが最も適切かを明確に知ることもできる。

図1.3の第3象限と第4象限は、市場中心の団体を含み、これらは本質的に、それに対応する伝統的なマーケティング・モデルを採用するべきだろう。他方、第1象限と第2象限では、団体は基本的に製品中心であり、マーケティングのアプローチは文化とアートのマーケティング・モデルに対応するだろう。

これらの2つの対立する状況を超えて、程度は様々だが、事業体はひとつのアプローチ、あるいはその逆のアプローチに向けて移動することがある。例えば、企業A（図1.3を参照のこと）は、ブロードウェイ・タイプのショーのように、たとえその製品がユニークであるとしても、明確な市場志向を持っているだろう。企業Bは、市場の条件を考慮するが、企業Aよりも厳密ではないだろう。この違いによって、企業Bは第1象限にある団体から区別されるだろう。同じように、企業Cと企業Dは、芸術的な作品を再生産する団体である。企業Cは明確な製品志向をもっているが、企業Dはそれほど明白な製品志向がない。これは、企業Dと第3象限にある団体との間の違いでもある。

これらの事例は、3つのマーケティングの状況を明らかにする。

1. 「純粋な」伝統的マーケティング・アプローチを使用する企業（第3と第4象限）

2. 「純粋な」文化マーケティング・アプローチを取る企業（第1と第2象限）
3. 混合的なアプローチを取り、消費者の選好に応じて製品にある程度の妥協や調整を加えることを考慮に入れる第3のカテゴリー（BとD）

製品志向の芸術的なミッションを持っている団体が、ある特定の業務の局面で伝統的なマーケティング・アプローチを用いる決定をする場合もあることは留意されるべきである。例えば、スポンサーを探す際に、団体が伝統的アプローチを選んで、アート事業体がプロモーションのよいビークル［特定の媒体］となるようなセグメントを特定しようと試みることもありうる。このようにして、団体はスポンサーのニーズを満たそうと努める。同じように、団体は、真正面からオーディエンスを満足させようとするビジョンを採用し、利益を生み出すためにスピンオフ製品を生産することを選ぶ場合もある[18, 19]。それらと同じように、文化セクターの営利団体が純粋な市場志向のアプローチを行っても、それが常にうまくいくとは限らない[20]。

1.2 マーケティング計画

1.2.1 マーケティング計画のプロセス

マーケティング計画は、組織のミッション、ビジョン、目標に基づいて、また、市場の需要と消費者行動に従って、マーケティング・プログラムを開発し、実行し、統制するプロセスである。マーケティング計画は、幅広いリサーチによって情報を得、組織の環境、競争、能力を考慮に入れるものである。

マーケティング計画（表1.1を参照のこと）はマーケティング・モデルの構成要素に関連する一連の質問を含んでいる。これらの鍵となる質問に答えることで、マーケティング・マネージャーはマーケティング計画が十分な根拠を持つことを確実なものにすることができる。

A. 私たちはどこにいて、どこに行くのか。
B. 私たちはどこに行きたいのか。
C. 私たちはどれくらい労力を費やすのか。

D.　私たちは誰に到達したいのか、どのように知覚されたいのか。

E.　私たちはどのようにそこに到達したいのか。

F.　私たちはどうしたらそれができるのか。

G.　私たちが正しい方向に向かっていることがどうやってわかるのだろうか。

表 1.1　マーケティング計画のプロセス

A. 状況分析 私たちはどこにいて、どこに行くのか。	市場 　消費者または顧客の組織、需要、セグメント 競争と環境 団体 　ミッションと目標 　強みと弱み 　明確な優位性
B. 目標の設定 私たちはどこに行きたいのか。	マーケティングの目標 　売上、マーケットシェア（市場占有率）と利益への貢献
C. 資源の割当 私たちはどれくらい労力を費やすのか。	予算 人的資源
D. ターゲット・セグメントとポジショニングの特定 私たちは誰に到達したいのか、どのように知覚されたいのか。	目標と戦略 マーケティング戦略 　ターゲット・セグメント、望まれるポジショニング、差別化とイノベーション
E. マーケティング・ミックスの定義 私たちはどのようにそこに到達したいのか。	製品、価格設定、流通、コミュニケーション、顧客サービス戦略の決定
F. 実行 私たちはどうしたらそれができるのか。	マーケティング・ミックスのそれぞれの変数の活動プログラム マーケティング・チームのメンバーのそれぞれの責任の定義 運用の調整 活動のスケジュール
G. コントロール 私たちが正しい方向に向かっていることがどうやってわかるのだろうか。	代替計画 統制基準の説明 バランスト・スコアカード

　これらの質問の中に示唆されている手順は、過去、現在、未来を見ることを含んでいる。団体の今日の振る舞いの仕方は、多くは過去の行動の帰結である。同様に、団体の将来の振る舞いの仕方は今日の行動を反映するだろう。これら

の質問は、マーケティング・マネージャーが継続性を心に留めて計画することを奨励するだろう。マーケティング計画は、この努力を書き留めるものである。これは、設定された一定の期間にわたるすべてのマーケティング活動の総合的なガイドである。注意深く作られた計画に従うことで、組織がゴールを達成するための軌道から逸れないようになるだろう。簡潔に言うと、マーケティング計画は組織のマーケティングのゴールへの到達に至る道程にわかりやすい指標を配置したロードマップである。良いマーケティング計画は、簡潔で、ごく少数の厳選された言葉の中に封入された多くの思考を反映しているものである。それは、十分なリサーチに基づいたものであり現実的であるべきである。何よりも、それは柔軟で、市場の避けがたい変化に適応可能であるべきである[21]。

マーケティング計画は、事実上いろいろな段階を行き来しない限り作成することができない。マーケティング計画は、環境と競合他団体の反応の変化を反映するために、常に進化しなければならない反復的なプロセスである。文化事業体が暫定的な結果に基づき、一年中マーケティング計画を改訂しなければならないことはめずらしいことではない。長期計画は、通常、毎年改訂されなければならない。長期計画は、マネージャーを計画の最終期限まで縛り付けることを意図したものではない。長期計画は、それが作成されるときには予見できなかった団体の結果および新しい出来事を何であれ考慮に入れて、定期的に改訂されなければならない。

マーケティング計画の実行には、関係する人たちすべての間をうまく調整することと企業のすべての部局の参加が必要である。例えば、資源が利用可能かどうかについて保証するためには生産部門が入っていなければならない。資金を調達するには財務部門が参加していなければならない。追加のスタッフや人的な資格要件あるいはその両方が必要な場合には人事部門が助言を受けなければならない。モニタリング部門は、団体の結果と目標を比較し、必要なら、是正措置によってどんな食い違いにも対応しなければならない。

いかなるマーケティング計画も、予見できないものを考慮し、団体の目標が達成されたかどうかを決定することができなければならない。マネージャーは、自らに対して次のことを問う必要がある。どのように自分の進歩を測定し、自分が目標への道から外れていないかを決定できるのか。自分が最悪の事態に向かっているのかどうかをどの時点で考え始めるべきなのか。情報を得続けるためにどうすべきか。目的を修正するためにどのようなメソッドを用いるべきか。

1.2.2 マーケティング・リサーチ

〈マーケティング・リサーチとは、ある特定の市場について、データを系統的に集め、記録し、分析することである[22]。〉組織は、現顧客と潜在顧客をよりよく特定するため、そして、より良いマーケティングの決定をするために、マーケティング・リサーチを行うだろう。

市場とは、財やサービスやアイデアに関心を表明し、それを獲得する手段を持っている経済主体（例えば、消費者やスポンサー）の集まりである。経済主体は、ニーズ（第3章〔3.2〕のマズローの欲求段階説を参照のこと）を表出し、団体はある範囲の製品を通じてそれらのニーズを満たそうとする。商業的な組織は、製品を設計する前にこれらのニーズを研究するだろう。他方、文化事業体は、生産される作品によって満たされる可能性の高いニーズを持っている顧客を探し出そうとするだろう。

文化事業体は、4つまでの異なる市場をターゲットにできる。

1. 最終消費者 —— 一般のオーディエンスのことである
2. 政府機関 —— 文化省とその他のアートを支援する可能性がある（あるいはアートの表現を制限する）政府機関
3. パートナー —— メディア、共同生産者・共同製作者、流通業者、プロモーターなど
4. 民間セクターの寄付者（財団あるいは個人）、あるいはスポンサー

これらの市場のそれぞれに対して、特定のマーケティング計画が作成されなければならない。マーケティングの技術は、政府職員に影響を与えるためのロビー活動で使われる。同様な技術は、個人、民間セクターの寄付者、政府機関から寄付を求めるファンドレイジング（「development」という言葉でも知られる）に使われる。

消費者が製品を買う際、消費者は経済学者がいうところの「需要」を生み出す。需要とは、経済主体が所定の市場で獲得する一定量の財やサービスやアイデアのことである。

団体は、消費者のデータを集めるために、3つの主要な構成要素を当てにすることができる。それらは、内部データ、民間企業や政府の部局が公表する2次データ、そして、団体自体が直接収集する1次データである。

1. 「内部データ」は、企業自体の内部から利用できるすべての情報を意味する。企業の会計システムは、実際には財務分析以上のものを提供する。というのは、マーケティングの専門家にとっては、それは内部データの宝庫であるからである。定期会員とその他のパトロン、寄付者、スポンサーのデータベースは、内部データのもう1つの出所である。
2. 「2次データ」という用語は、統計局やアーツ・カウンシル、文化省のような公的セクターの部局や、調査リポートの作成を専門とする民間セクターの企業が公表するデータのことを説明するために使われる。この用語は、例えばインターネットのような他の出所から取り出されたデータにも適用される。市場研究が実施される前に、提案されている調査がすでに行われていないかどうかの確認を取るために、2次データの主要な出所が参照されなければならない。
3. 意思決定のプロセスにおいて必要となる情報がすべての「内部データ」からも「2次データ」からも提供されない場合は、1次データを集めるのが有用だろう。言い換えれば、消費者に対して直接質問をしなければならない。これは一般には、「市場研究」と呼ばれる。そのゴールは、消費者の購買習慣、嗜好、選好を決定することかもしれないし、ポスター広告や映画の様々な結末に対する公衆の反応をテストすることかもしれない。

1.2.3 消費者分析

現在のオーディエンス、および潜在的なオーディエンスをよりよく理解するために、団体は、共通のニーズや欲求、選好のような特定の基準に従って消費者市場を均質なサブグループあるいはセグメントに分けることができる。このプロセスは、**セグメンテーション**（第3章を参照のこと）と呼ばれる。市場中心の事業体は、特定のセグメントを心に思い描いて製品を設計する。製品中心の事業体は、その製品の特徴をよく理解すると想定される個人が集まってできているセグメントを特定する。どのセグメントも、マーケティング・ミックスの1つか2つ以上の変数の調整を必要とする。もし、少なくとも1つの変数の調整ができないのであれば、ただ、1つのセグメントが存在するのであって、それは2つではない。

セグメントを分ける基準は、人口統計学的（年齢、教育、収入）、地理的（地域、都市、近隣）、心理的（ライフスタイル、パーソナリティ、自己像）なものであるか、あるいは、ある特定の文化的製品（啓発、娯楽、社会的相互作用）を購入する際に求められる便益に基づくものである可能性がある。

団体が特定の消費者セグメントを同定するとき、消費者がどのように製品を同定し、選定し、購入するのかについての特定の行動を研究する。消費者行動は、情動や態度、選好、家族、グループ・アイデンティティがどのように購買パターンに影響しうるのかを精査するために、心理学、社会学、社会人類学、マーケティング、経済学（とりわけ行動経済学）の要素を混合させている[23]。

1.2.4 状況分析

マーケティング計画は何もないところから起こるのではない。市場と企業に影響を与えている多くの外部的または内部的な制約がある。団体が現状を把握して、もし何も変化が起こらなければ結果がどうなるかを理解することが不可欠である。そうすれば、その情報に基づいて、適切な目標を設定することができる。

環境とは、団体と市場とをどちらも含んでいるが、すべての組織に常に影響を与える3つの要素から成っている。その3つとは、「統制不可能な変数」としても知られるマクロ環境変数、団体がある程度統制を及ぼす競合他団体、団体がしばしば選択することができるステークホルダーである。

1. マクロ環境変数は、どの組織の寿命にも絶えざる影響を与える。どの組織も、根本的な変化に適合しなくてはならないかもしれないが、これらの変化の原因に影響を及ぼす力をいまだ持ったことがない。マクロ環境には、5つの主要な変数がある。すなわち、人口統計学的変数、文化的変数、経済的変数、政治・法的変数、テクノロジー変数である。
2. 競争はしばしば半統制可能な変数と定義される。というのは、たとえ競合他団体の戦略に対して直接に影響を与えられなくても、多様な方法で反応することができるからである。例えば、価格を下げることによって、あるいは、よく目立つ広告のキャンペーンに対して同じようによく目立つプロモーションのキャンペーンで対抗することによって競争相手の先行を追いかけるなどである。企業は、半統制可能な変数に向かうときには、マクロ環境変数に直面するときほどに力を持たないわけではない。

3. ステークホルダーとは、団体のビジネスに関心を持つすべての存在や個人のことである。被雇用者、株主、共同生産者、供給者、流通業者、中間業者、スポンサー、パートナーが考えられる。

団体にはまた、そのマーケティング能力を制約したり、後押ししたりする特有の内的な特徴（ミッション、組織構造、イメージ、資源、能力、現在・過去の業績、トレンド）がある。ある企業にとっては素晴らしいマーケティング戦略であるものが、他社にとっては絶望的に不適切であることがわかるかもしれない。製品もマーケット・シェアも、必ずしも同じでなくてもよい。

1.2.5　戦略

団体がいったん現在の状況について明確に把握し、その状況を変えるために何も行わなければどこに行き着くのかを理解すると、いよいよマーケティング目標を設定して目標を達成するための戦略を開発する段階である。これらの目標は団体のミッションに基づいているとはいえ、団体は財務的、人的、技術的資源も考慮に入れなくてはならない。

目標とは、一般的に、短期、中期、長期について定義される。「期間」の定義は、組織によって様々である。ある団体の「短期」は1年であるかもしれないのに対して、他団体の「短期」ではたった3か月かもしれない。同じように、「長期」はある団体にとっては10年間のことかもしれないし、他団体にとっては5年間かもしれない。期間内のある時点で、団体の状況に最も合う地平［範囲］を判断するのはマネージャー次第である。測定可能な目標を設定することが団体にとって不可欠である。「売上増」は、その期の終わりに簡単に測定できる目標ではない。目標が数字として示されていれば、例えば、「20%の売上増」が目標であれば、目標が達成されたかどうかを判断しやすくなるだろう。

団体が、消費者市場の全体に対して自社の製品を買うように説得するだけの十分な時間やお金を持つことは決してないので、団体は、望ましい特徴を持つセグメントを決定して、そこにマーケティングの努力を注ぐだろう。このプロセスは、**ターゲティング**と呼ばれる（第5章を参照のこと）。

消費者は、通常、多くの製品の選択肢を持ち、また、常に、何も買わないことを選ぶこともできる。製品は単に良いというだけでは済まない。団体にとっての競合他団体の製品よりもより良いか、より安いか、より早く届けられなければならない。信頼できる、目立つ競争優位を開発することは、どんなマーケティング戦略でもその中核にあるものである。

〈**ポジショニング**とは、競合他団体の製品との比較において、製品が消費者の意識の中に占めている場所のことだと定義することができる。〉「ポジショニング」は、製品の競争優位（第5章を参照のこと）を直接的に反映するものである。競争優位とは、いかなるものであれ、競合他団体が容易に打ち負かせない企業の持つ特徴のことである（例として、優れた製品、より低い生産コスト、より効率的な流通チャネル）。

明らかなコストの優位性を持つ団体は、価格に基づいたポジショニングを使うことを決定するかもしれない。そうでなければ、団体は、価格以外の製品の属性（革新的な特徴、デザイン、機能性、など）を特定し、自らの提供物と競合他団体の提供物とを差別化するためにそれを使おうとするだろう。このプロセスは〈差別化〉と呼ばれる。

〈**リポジショニング**は、製品のポジショニングを修正しようとする努力のことである。〉これはしばしば難しい仕事である。なぜなら、消費者は、製品についてすでに自分が知っていること、すなわち、新しいポジショニングではなく古いポジショニングについて言及する傾向があるからである。

ブランドは、団体によって提供される便益を凝縮した形式で示すものである。顧客は、ブランドによって製品のポジショニングを記憶している。ブランドの目的は、ある団体の製品を特定し、他団体の製品から差別化すること、あるいは、単にある団体を特定し、競合他団体から差別化することである。ブランドは、消費者の期待に対する応答となりうる。例えば、セリーヌ・ディオンのファンたちが彼女のCDやダウンロード版をひとつ買うとき、ファンたちは何を期待しているかを正確に知っている。例えば、洋服についていうと、意識的にせよ無意識的にせよ、自分たちが特定のグループの一員であることを明らかにするためにブランドを身につける人たちもいるだろう。ブランドは名前やロゴ以上のものであり、名前やロゴが消費者の心の中に呼び起こすものである。製品のポジショニングを反映している重要なブランドを開発することは、**ブランディング**と呼ばれている。

戦略と戦術

戦略と戦術の間には違いがある。〈**戦略**とは、もともとは最終的な目標を達成するために利用される手段の全体像のことである（例えば、新しい製品ラインを開発し起動させるためにスタッフを雇用することである）。〉〈**戦術**とはある時点で戦略の1つの要素に対して特定の調整を行うことである（例えば、世界中にブローシャーを送ってその後に電話で接触を試みるやり方の代わりに、重要な見本市に参加することである）。〉マネージャーは、団体の戦略目標の達成を支援するために、戦略自体にいかなる変更もせずに、いくつかの戦術を工夫し実行することができる。結局同じ事柄を表すことができるので、ときには「戦術」の代わりに「手段」という言葉を用いることもある。

繰り返しになるが、戦略と戦術は、団体全体とマーケティング機能のどちらかあるいは両方のために決定される。しかしながら、すべてのマーケティングの戦略と戦術は、団体の全体的な戦略に基づくことになるだろう。

1.2.6 マーケティング・ミックス

マーケティング戦略は、当然、マーケティング・ミックスの開発に結びつく。マーケティング・ミックスは、団体の統制可能な変数であり、しばしば4Pと呼ばれる[24]。4Pとは、製品Product、価格Price、場所・流通Placeまたはdistribution、プロモーションPromotion（コミュニケーションcommunicationを含む）である。

これら4つの要素は1つの全体を形作っているが、それらを定義する際の論理的な順序がある。商業セクターにおいてすら、マーケターは、製品の価格設定をする前やその流通を計画する前に、販売中の製品についてまずは知らなければならない。同じように、製品の提供、価格、売場についての知識がなければ、コミュニケーション・キャンペーンは不可能であろう。最初に、確立された順序にしたがって決定がなされる。後に、組織は経験によってそれらの構成要素をどのように組み合わせるかを学ぶだろう。

製品

本書においては、「製品」という言葉は、広義には有形財、サービス、体験、コード[社会的大義]、アイデアを意味するために用いられる。「製品」はいかなる創造的な行為の結果——例えば、公演、フェスティバル、展覧会、絵画、CD、音楽ダウンロード、書籍、映画、あるいは、テレビ番組——にも関連している。同様に重要なのは、製品は次の3つの追加的な要素をも含むことである。その3つとは、(1)アート作品と触れた個人の体験、(2)補助的製品・スピンオフ製品、(3)顧客サービスである。

非常に競争が激しい環境において、良い顧客サービスは不可欠の検討課題である。どのセクターにおいても、消費者はますます要求が高くなっている。さらに、不親切な被雇用者や不十分なサービスに起因する不満を経験している観客は、提供されているアート作品を評価する可能性も少ない。消費者のアート作品の評価にとって必要な条件を保証するために、マーケティング・ミックスのそれぞれの要素を顧客サービスのレンズを通して点検しなければならないのは、それが理由である。

価格

あらゆる製品には価格がある。価格は、通常、製品に属する金銭的な価値として表される。価格は、製品の消費に関わる様々な費用(交通費、レストラン、ベビーシッターなど)、消費者が製品を買うという行為の中で費やす労力、製品を消費しながら費やされる時間、製品が不十分なものであるという知覚リスクをも含んでいる。このように、製品が無料のときでさえ、製品には常に支払うべき価格がある。

製品に対して支払われる金額は、必ずしもその製造コストに比例していない。同じことは、製品に属する価値についても言えるかもしれない。映画館の入場料金は、映画の製作コストと何の関係もない。実際、対象となるもののユニークさ、名声、象徴的な価値は顧客が進んで支払おうとする金額[WTP]を増大させる。アート作品は、それを創造するコストとは何の関係もない高値をもたらすことがある。

したがって、最も公正な価格とは、消費者が支払う用意がある価格である。団体がその戦略を開発するときに用いるべきなのはこの価格である。

場所・流通

場所・流通はいくつかの要素を含んでいる。主要なものは流通チャネル、物流、商業的なロケーション[立地]である。いかなる流通チャネル(あるいはネットワーク)も管理されていなければならない。そのことは、ネットワークの中の様々な中間業者の間の関係、より具体的には、アーティスト、生産者、流通業者間の関係を監督することを意味している。物流は、製品を流通することに関係するロジスティクスを含む。物流は、本を出版社から最終消費者に移動させたり、映画を劇場に流通させたり、公演のチケットを流通させることである。最後に、ロケーションは消費者に対して直接販売を行なっている団体にとって、ビジネスの成否を決める重要な要素である。書店、映画館、コンサートホール、ミュージアムのロケーションは、注意深く選定されなければならない。

プロモーション

プロモーションのキャンペーンを準備する際に、団体は、どの製品が提供されているか、価格がいくらか、どこで販売されているのかを知らなければならない。また、団体は、ターゲットとなる消費者の主要な特徴、特にそれらの消費者に対して最も説得力のある販売の論拠を知らなければならない。コミュニケーション計画は、人的販売、広告、ダイレクト・マーケティングとeマーケティング、セールス・プロモーション、パブリック・リレーション[広報]、メディア・リレーション、ソーシャル・メディア、スポンサーシップのようないくつかのツールを含む。

1.3 マーケティングの倫理

マーケティング戦略は、成功すると消費者と社会に強力なインパクトを与える。マーケティング戦略は、消費者のニーズに適応させるだけでなく、〈消費者自身についての消費者の思考や感覚を変え〉、さらに、様々な市場の提供物について、また、購入や利用の背景にある理由や状況についての消費者の思考や感覚も変える。これは、マーケティングが非倫理的で不適切な活動だということではない。しかしながら、マーケティングの力と消費者行動に関する洞察を生み出す消費者リサーチと分析の能力は、それを軽視したり、不適切に利用したりするべきではない[25]。

消費者がますます企業倫理の問題について関心を持つようになってきているので、文化事業体は必ず行動規範を採択し、組織の全メンバーに周知しなければならない。文化セクターはマーケティングの倫理の問題や倫理一般について敏感であるとはいえ、マーケティングの倫理に関する原理の重要性については強調されすぎることはない。

いくつかのよく知られた金銭スキャンダルだけでなく、欺瞞的または非倫理的と知覚される慣行に関する消費者の多くの苦情に応じて、アメリカマーケティング協会は、その会員向けに、総合的な倫理規範を策定した。また、多くの広告主は、カナダ広告基準が運営する行動規範も採択している[26]。

マーケティングにおける倫理的な行動規則は、マーケティング・ミックスのそれぞれの変数についてカバーしている。製品は安全でなくてはならない。価格設定の慣行は公正でなくてはならない。そして、マーケターは価格操作に関わってはならない。流通業者、生産者、小売業者は、他の流通ネットワークの成員に対して不当に制限された条件を課すために自分たちの強い立場を利用してはならない。広告主は嘘をついたり誤解を与えたり、騙したりする言葉を発してはならない。

現顧客および潜在顧客に関するこれまで以上に詳細な情報を集めることは、とりわけ、金銭、医療、またはその他の個人情報を組織が収集しようとするときには、プライバシーに関する懸念をも生じさせる。オンラインでこの情報を集めることは、インターネットの公的でオープンな性格が秘密保持を保証しないために、特に問題がある。インターネットによるコミュニケーションはそれを使う人たちに関する情報を取り出し、保存し、まとめ、伝達させる固有の能力を持っている――それを彼らに知られることなく――。「いずれにせよ、あなたはインターネット上でプライバシーを持たない。それを克服しなさい」とサン・マイクロシステムズのCEOであるスコット・マクニーリー Scott McNealy（1954–）は警告している[27]。

さらに、インターネット・ユーザーは、承認されていない情報開示（事前に暗号化せずに送信する時に、要注意の取引情報を横取りすること）、データの改変（顧客情報を団体のデータベースに送信する間に改変すること）、「フィッシング」（社会保障番号やクレジットカードの番号、銀行の口座番号のような情報を引き出す目的で、デジタル・コミュニケーションを使って合法の取引であると偽装すること）のような犯罪の餌食になりかねない。

多くの国では、これらの懸念から、消費者のプライバシー、特に未成年者のそれを保護するためにそれらの収集プロセスを規制する法制化が進められてきた。

新しい情報テクノロジーをマーケティングの機能に応用する可能性を十分に探求するために、組織はすでに存在している規則を遵守するだけではなく、倫理規定を定義し公表して、顧客を安心させなければならない。すべての消費者は以下の権利を有しているべきである。すなわち、自分に関するどのようなタイプの情報が集められているかを知る権利、団体がその情報を利用して何をしようと計画しているのかを知る権利、その情報を他のどんな組織とも共有することを拒否する権利、情報に完全にアクセスする権利、情報を修正することができる権利である。もし、ある組織が倫理規定を破ったら、その組織は顧客の信頼を失う。

顧客の信頼を失えば、すべてが失われる[28]。

要約

文化事業体は、社会において必要不可欠な役割を担い、社会を形作るのに貢献してもいる。文化事業体の製品や活動は、芸術的創造という行為を巡って起こり、あるいは、そこから生まれる。アーティストは、このようにして、文化事業体の中で重要な位置を占め、生産、創作、拡散の多くの異なった段階でその存在が見られる。

文化事業体の間には、多くの差異がある。これらの事業体は、2つの性質によって区分される。その性質とは、製品がユニーク（プロトタイプ）なものであるか、あるいは、大量生産されるものかという製品の性質によって、そして、事業体のミッションが市場志向か製品志向かという違いによってである。事業体の志向性の違いは、組織の規模や法人格の違い（営利か非営利か）に影響を与える。

ミッションの違いは、2つの異なるマーケティング·モデルに行き着く。2つのモデルの構成要素は同じであるが、その順序は異なっている。製品主導の組織にとっては、製品はマーケティング·ミックスにおける単なる変数以上のものである。なぜなら、市場のニーズに関わらず、それが団体の存在理由だからである。市場主導の組織にとっては、製品は市場の嗜好に合うように修正されることがありうる。

マネジメントの領域の1つとしてのマーケティングは、20世紀の初めに出現した。それは、今では、他のどの科学とも違う知識の集合体を成している。マーケティングの知識は不断に拡大しており、特定のセクターでの応用が増加しつつある。ちょうど、文化とアートのマーケティングの場合がそうであるように。

全体として、マーケティングは注意深い計画を通じて団体と消費者を結びつけるプロセスであると見られるようにならなければならない。止むことのないマーケティング·リサーチ、深い消費者分析、客観的な状況分析が求められる。その後には、明確で実現可能、かつ測定可能な戦略目標の開発と、マーケティング·ミックスにおける4つの変数、すなわち、製品、価格、場所·流通、プロモーションの展開が続かなければならない。

問題

1. マーケティングとは何か。
2. 前世紀を通じてそれはどのように発展したか。
3. なぜマーケティングは文化事業体にとって意味があるのか。
4. ソーシャル·マーケティングとソサイエタル·マーケティングの違いは何か。
5. 社会の中でのアーティストの役割は何か。
6. アーティストがどの文化事業体においてもマーケティング戦略の礎石であるのはなぜか。
7. アートセクターと文化産業を区別することを可能にする2つの基準とは何か。
8. アートセクターにおいて明らかに市場志向の団体と明確に製品志向の団体の例を挙げよ。
9. この章で示された2つのマーケティング·モデルの主要な違いは何か。
10. マーケティング計画における鍵となるステップは何か。
11. マーケティング·ミックスにおける4つの変数とは何か。
12. マーケティング·ミックスの4つの要素のそれぞれを、なぜ「統制可能」と呼ぶのか。

注

1. Aiello, L. 2014. *Handbook of Research on Management of Cultural Products: E-Relationship Marketing and Accessibility Perspectives*. Hershey, PA: IGI Global, p. 4.
2. http://namp.americansforthearts.org/sites/default/files/documents/practical-lessons/lesson_1.pdf
3. Bartels, R. 1976. *The History of Marketing Thought*, 2nd ed. Columbus, OH: Grid.［＝ロバート・バーテルズ『マーケティング学説の発展』（山中豊国訳）、ミネルヴァ書房、1993年］
4. International Social Marketing Association, European Social Marketing Association, and Australian Association of Social Marketing. 2013. A Consensus Definition of Social Marketing. http://socialmarketing.blogs. com/r_craiig_lefebvres_social/2013/10/a-consensus-definition-of-social-marketing.html.
5. Handelman, J.M., and S.J. Arnold. 1999. "The Role of Marketing Actions with a Social Dimension: Appeals to the Institutional Environment." *Journal of Marketing* 63(3), 33–48.
6. Kotler, P. 1972. "What Consumerism Means for Marketers." *Harvard Business Review* 50(3), 48–57.
7. Evrard, Y., and F. Colbert. 2000. "Arts Management: A New Discipline Entering the Millennium?"

International Journal of Arts Management 2(2), 4–13.

8. Lusch, R. 2007. "Marketing's Evolving Identity: Defining Our Future." *Journal of Public Policy and Marketing* 26(2), 261–268.
9. Colbert, F., and Y. St-James. 2014. "Research in Arts Marketing: Evolutions and Future Directions." *Psychology and Marketing* 31(8), 566–575. [2] Colbert, F. 2017., "A Brief History of Arts Marketing Thought in North America", *Journal of Arts Management, Law and Society* 47(3), 167–177.
10. Kotler, P. 1967. *Marketing Management: Analysis, Planning and Control*. Englewood Cliffs, NJ: Prentice Hall. ［＝フィリップ・コトラー『コトラー＆ケラーのマーケティング・マネジメント［12版］』（恩蔵直人監修、月谷真紀訳）、丸善出版、2014年］
11. http://namp.americansforthearts.org/sites/default/files/documents/practical-lessons/lesson_3.pdf
12. Hughes, L. 1988. *Voices and Visions*. St. Louis, MO: Annenberg/CPB Collection.
13. Hirschman, E.C. 1983. "Aesthetics, Ideologies and the Limits of the Marketing Concept." *Journal of Marketing* 47, 40–55.
14. Slavich, B., R. Cappetta, and S. Salvemini. 2011. "Can Italian Haute Cuisine Become a Real Industry? Some Lessons from the Nearby Cultural Industries." In *Proceedings of the 11th International Conference on Arts and Cultural Management*, Universiteit Antwerpen, Antwerp, Belgium, 3–6 July.
15. Nye, J. 2004. *Soft Power: The Means to Success in World Politics*. New York: Public Affairs. ［＝ジョセフ・S・ナイ『ソフト・パワー：21世紀国際政治を制する見えざる力』（山岡洋一訳）、日本経済新聞出版、2004年］
16. O'Reilly, D. 2005. "The Marketing/Creativity Interface: A Case Study of a Visual Artist." *International Journal of Non-Profit and Voluntary Sector Marketing* 10, 263–274.
17. Gust, S.J. 2001. "A Dictionary of Cinema Quotations from Filmmakers and Critics." *Reference and User Services Quarterly* 40(3), 31.
18. Voss, G., and Z. Voss. 2000. "Strategic Orientation and Firm Performance in an Artistic Environment." *Journal of Marketing* 64, 67–83.
19. Harrison, P. 2009. "Evaluating Artistic Work: Balancing Competing Perspectives." *Consumption Markets and Culture* 12(3), 265–274.
20. Gebhardt, G., G. Carpenter, and J. Sherry. 2006. "Creating a Market Orientation: A Longitudinal, Multi-Firm, Grounded Analysis of Cultural Transformation." *Journal of Marketing* 70(4), 37–55.
21. http://namp.americansforthearts.org/sites/default/files/documents/practical-lessons/lesson_1.pdf
22. American Marketing Association. Dictionary. https://www.ama.org/resources/Pages/Dictionary.aspx?dLetter=M
23. Kahle, L.R., and A.G. Close. 2011. *Consumer Behavior Knowledge for Effective Sports and Event Marketing*. New York: Routledge, p. 110.
24. McCarthy, E.J. 1960. *Basic Marketing: A Managerial Approach*. Homewood, IL: R.D. Irwin, p. 55. ［＝E.J.マッカーシー『ベーシック・マーケティング』（粟屋義純監訳、浦郷義郎ほか訳）、東京教学社、1978年］
25. Paul, P.J., and J.C. Olson. 2009. *Consumer Behavior and Marketing Strategy*, 9th ed. Columbus, OH: McGraw-Hill Education.
26. The Canadian Code of Advertising Standards. http://www.adstandards.com/en/.
27. Sprenger, P. 1999. "Sun on Privacy: 'Get Over It'." *Wired*, January 26.
28. Peppers, D., and M. Rogers. 2011. *Managing Customer Relationships: A Strategic Framework*, 2nd ed. Hoboken, NJ: John Wiley, p. 81.

Chapter 2

Marketing Research

第2章
マーケティング・リサーチ

目 標

- 文化事業体に開かれた4つの市場を提示する
- データ収集の主要な方法について議論する
- データの内部的、1次的、2次的な出所を定義する
- リサーチ計画において従うステップの概略を述べる
- 団体が経験する異なるレベルの需要を指摘する

イントロダクション

マーケティング・リサーチは、需要を評価し、多くの情報に基づいてマーケティングの意思決定をすることによって、組織の市場についてよりよく理解するための機能である（カプセル2.1を参照のこと）。この情報は、特定の市場に関するデータの体系的な収集、記録、分析を通してまとめられる[1]。マーケティング・インフォメーション・システム（MIS）は、内部の出所あるいは外部の出所から継続的に集められたデータを管理するためのプロセスである。ほとんどのマーケティング・インフォメーション・システムはコンピューターを利用したものである。受け取って、蓄積し、分類し、回復しなければならないデータの分量のためと[2]、データは定期的に更新される必要があるために、コンピューターを利用することになる。現顧客と潜在顧客をより効果的に特定するため、そしてより良いマーケティングの決定を下すために、組織はそのようなリサーチを実施する。経験と良い判断力に完全に取って代わるものはないけれども、効果的なマーケティング計画は、健全で客観的なリサーチに根ざしていなければならない。

利用可能なすべての市場のデータを取り込み、統合し、活用するには、文書化されたルールに加えて、堅固なプロセスが欠かせず、それらを効果的に使用するための訓練も必要となる。しかし、一貫性があって定量化できるクリーンなデータを実行可能なマーケティング・インテリジェンスに容易に変換できることなども含め、得るところは大きい。第10章で学ぶように、インフォメーション・テクノロジーと消費者行動をオンラインで追跡する能力は、マーケティング・リサーチを変容させてきた。この章では、最初に文化事業体が考慮すべき種々の市場を探求し、データを集めるいくつかの技法とリサーチの技法を示し、市場需要の概念を探求する。

カプセル 2.1

定義：

マーケティング・インフォメーション・システムすなわち**MIS**とは、〈**マーケティング**〉の意思決定の際に使用する、定期的に計画された情報の収集、分析、提示のための一連の手順と方法である。

マーケティング・リサーチとは、情報を通じて消費者と顧客と公衆とをマーケターに結びつける機能である。情報は、マーケティングの機会と問題を特定して定義し、マーケティングの行動を発生させ、洗練させ、評価し、マーケティングの業績を監視し、プロセスとしてのマーケティングの理解を向上させるために使用される。マーケティング・リサーチは、これらの論点を述べるのに必要とされる情報を特定し、情報を収集するための方法を設計し、データ収集のプロセスを管理して実行し、結果を分析し、調査結果とそれらの意味するところを伝達するものである。

出典：American Marketing Association, Dictionary:
www.ama.org/AboutAMA/Pages/Definition-of-Marketing.asp

2.1　市場の定義

〈マーケティングにおいて、「市場」という語は、特定の製品を消費する意志と手段と能力（法的、物理的あるいは別な方法）を有するすべての既存顧客と潜在顧客（個人あるいは組織）のことを言う。〉文化事業体は、最終消費者（あるいは消費者市場）、国や地方自治体［後述の state］、民間セクター、パートナーといった4つの異なる市場に奉仕することがある。これらの市場それぞれは、異なるモチベーションによって主導され、異なる便益を期待している。それゆえに組織は、その市場に対して特別に設計されたマーケティング戦略を開発することで、それぞれの市場の意思決定者に特別な注意を払わなければならない。

2.1.1 消費者市場

消費者市場は、すべての既存の個人や潜在的な個人といった最終ユーザーで構成される。消費者市場は、いくつかの特徴（年齢、場所、教育など。第3章〔3.3〕セグメンテーションを参照のこと）を共有する個人のサブグループ（あるいはマーケット・セグメント）に分割することができる。ひとつの特定の製品が人口全体の関心を引くことはめったにない。このことはとりわけ文化的製品には真実である。文化セクターは極端に細分化されているので、いくらか違いはある。例えば、セクターを全体として見るならば、人口のほぼ100％があるタイプの文化的製品を消費していることがわかる。実際に、最も広い意味での文化セクターには、パフォーミング・アーツ、ライブ・エンタテインメント、博物館、レコーディングされた音楽、映画、書籍、雑誌、ラジオ、（NetflixやSpotifyのようなサービスも含んだ）テレビもその中に含み、それぞれのディシプリンあるいはネットワークがグローバルな需要のシェアを獲得しようとしている。過去10年以上にわたり、テクノロジーはほとんどすべての文化的製品の生産、流通、消費を深く変容させ、顧客体験を再定義してきた。この本の次章では、主に消費者市場に焦点をあてる。

2.1.2 市場としてのステート

「ステートstate」という語はここでは、様々な方法で文化事業体を支援し、あるいは制限を加える連邦federal、州provincial（regional）、市municipal（local）といった異なるレベルの政府を表すのに使われる。多くの国で、ステート［国や地方自治体］は文化セクターに直接的にも間接的にも支配的な役割を果たす。国や地方自治体はときには消費者として行動し、または、単なるパートナーとしての奉仕からパトロンとしての行動に至るまで、様々な度合いで介入する場合があり、その国の文化セクター全体をコントロールする。明示的または暗示的な文化政策を通じて、政府の部局は様々な形態の財政的な援助により文化組織・文化団体を支援することができるし、あるいはセンサーシップを通じてそれらを制限することができる。

いくつかの国は明示的な形で文化への公的支援を義務づけている。例えばフランスでは、文化省の予算は国家予算の1％を示している[3]。アートや文化は国家の遺産であって、それゆえ政府によって支援されるに値するし、インフラストラクチャーへの支出、委託、直接的な補助金を通してむしろ支援されなければならないということが、この政策を形作る主な信条である[4]。また、政府が支出をすることで、ファンドレイジングをすることへ芸術機関のニーズが除去されるか、あるいは少なくとも、ニーズが低くなるということも、一般に信じられていることである。煩わしいことから解放され、消費者市場の圧力から守られるので、アート組織とアーティストは自由に芸術的な追及をするのである[5]。

実際に、補助金提供者としてのステートと、市場としてのステートの概念が示唆するのは、文化事業体の活動のパートナーになるよう政府の意思決定者を説得するために、文化事業体が自身の戦略を定義しなければならないということである。文化事業体それぞれは同じ分野の他団体との競争に直面しており、政府の支援をより多く得ようという努力は、特定の市場でのより大きいシェアを獲得するために不可欠な努力である。政府のアートへの予算は通常は文化セクター全体のニーズを満たすためには不十分であるので、新しい団体が現れたり現存の団体が成功したりすることは、ある1つの団体に配分された資金が他のもう1つ団体の便益のために再配分されるということを意味する。

2.1.3 民間セクターの市場

ここで説明する場合は、民間セクターには個人と企業の寄付者、財団、企業スポンサーを含むこととする。支援は、寄付とスポンサーシップという2つの形をとることができる。

アメリカ合衆国のようないくつかの国は、文化における政府の役割について相反する意見があり、〈暗示的で間接的な〉支援を好む傾向にある。全米芸術基金National Endowment for the Arts（アメリカ合衆国連邦政府のアートの部局）は、定期的に解散の危機にさらされているのだが、その予算はアメリカの連邦予算の0.005%以下を示している[6]。しかし、「芸術、文化、人文科学」のカテゴリーにおける民間からの寄付は、おおよそ連邦予算の0.5%と同程度である。このよく寄付をするという寛大さは、しっかりとした免税のシステムによって少なからず助長されている。このシステムは、個人が芸術組織に寄付をしたいかなるお金でも28%から37%（税率区分による）を所得税から控除することを可能にし、非営利機関に遺贈されたお金に関して税金を払わなくてよいようにするものである。このシステムはビジネス［企業］がお金をアートに（あるいはいかなる非営利機関にでも）

寄付したときに、総収入の5%まで控除することができるようにしている。非営利機関にとっても、利点がいくつかある中でも、補助金を非課税で受け取ったり、税金を支払わず運営したり、通常より安い郵便料金といった恩恵に浴することを、このシステムは非営利機関に認めている。この免税と間接的な支援のシステムを通して、アメリカ政府はアートを支援するために大きな財政的な犠牲を払っている。それは、フィランソロピーのための望ましい環境を創り出し、国の最も重要なアートへの補助金を提供していることになる。しかし、どのアート組織を支援するかという選択肢は、個人の納税者に任されている。

そのような環境で、民間からの寄付は非営利の文化事業体にとって不可欠な財源であり、非営利文化事業体はファンドレイジングの目的のために特定のマーケティング戦略を開発しなければならない。

スポンサーシップは、スポンサー(通常は企業)と財産(典型的なものとしては、スポーツやアートやエンタテインメントのイベント)の間の関係性であり、財産に関連する開拓可能な商業的潜在性へアクセスするのと引き換えに、スポンサーが現金や現物による報酬を支払うものである[7]。フィランソロピーの動機を通常は持ってその組織のミッションと製品をサポートしたいと思う政府や民間の寄付者とは違い、スポンサーは主としてその組織のイメージやオーディエンスに関心を持つ。スポンサーシップは予め算出されるプロモーションの便益に基づいて与えられる。企業スポンサーは次に、可視性、トップ・オブ・マインドの認識[ある製品ブランドにおいて最初に思い浮かぶブランド名のこと]、リーチすなわちメッセージを受け取る消費者数の点から、その投資の達成目標を評価する。組織の魅力をスポンサーになる可能性のある会社に説得するには、特定のマーケティング戦略が必要となる。

スポンサーシップは、ファンドレイジングと同じくらいにプロモーションのツールなのである。プロモーションについては第9章で詳細に扱う。

2.1.4 パートナー市場

パートナーとは、究極的には消費者市場に対して意図された事業のリスクと成功を様々な程度で共有すると同時に、特定の目的のために企業が関係する組織である。文化組織には4つの主なタイプのパートナーがいる。すなわち、流通の中間業者、共同生産者、流通のパートナー、メディアである。それぞれのタイプは、それ自体1つの市場、あるいは全体のパートナー市場のうちの1つのセグメントと考えることができる。(より詳しい議論は第8章を参照のこと)

2.2 リサーチ

どんなマーケティング・リサーチの活動も市場のデータの収集から始まる。マーケターは市場をよりよく理解するために、内部データ、2次データ、1次データという3つのタイプのデータを使用することができる。内部データとは、販売報告書や財務報告書のような団体内から入手できるすべての情報を意味する。2次データは、出版のための組織やインターネットやライブラリー・システムを通して、公共あるいは民間の組織によって公衆が利用できる報告書の形で公開されるものである。1次データは消費者から直接得られるものである。この情報は通常は市場研究market study、世論調査poll、調査survey、ビジネス・リサーチbusiness researchを通じて集められる。団体は自身でその作業を行うかもしれないし、あるいはこの目的のための専門の企業に依頼するかもしれない。この章では、このプロセスのすべての側面、とりわけその出所と2次データと1次データを集めるために使用される収集技術について考察する。

2.2.1 データのカテゴリー

内部データ

「内部データ」という用語はここでは、団体内で見いだされる意思決定プロセスに有用なあらゆる情報を意味するのに使用される。内部データは通常は6つの出所に由来する。すなわち、会計システム、販売報告書、顧客リスト、ウェブサイトとソーシャル・メディア「ヒット数」リポート(データ・マイニング)、団体のスタッフ、先行研究である。第10章で見られるように、これらの出所はすべてある単一の顧客関係管理のソフトウェアに統合される。団体が実施する調査や研究は1次データを得るための手段と見なされるが、結果として生ずる報告書が内部データの一部になるということは指摘しておくべきであろう。これらはすべて文化組織の業績を測る価値のあるツールである。

会計システムはたくさんの興味深い情報──例えば損益分岐点（すなわち、すべての固定費と変動費を賄うために団体が売る必要がある製品の数）──を提供することができる。会計システムによって、マーケティングの活動がどのくらい利益につながるかをマーケティング・マネージャーは測定できるようにもなる。会計システムによって供給されたデータの分析により、企業の方向性と1次データと2次データの収集の方向性も定めることができる。

団体は、ボックス・オフィスや顧客への請求により作られる販売報告書から取り出したデータを使用することもできる。マーケティング・マネージャーは、ボックス・オフィスのデータを使って特定のイベントの販売曲線を描き、それを前年の売上と比較し、もし必要ならどのような測り方をするか決めることができる。これらの測り方はマーケティング・ミックスにおける1つかいくつかの変数に影響を与える可能性がある。例えば、もしイベントの開始後2～3週間でいつも売上が落ち込むのなら、入場者数を維持するか増加させるためにこの期間のプロモーションの予算を増やす価値はあるかもしれない。

そのようなデータは、得られた結果に基づき団体に戦略を訂正することを可能ならしめる。何年か経って、団体のスタンダードは、販売数を分析して予測するためだけではなく、マーケティング計画のプロセスを向上させるためのガイドラインとして発展するかもしれない。

組織の顧客や定期会員や寄付者のリストは、商業的な組織であっても非営利組織であっても、興味深い情報の宝庫である。例えば、顧客の地理的な位置は、実際には団体の商圏（詳細は第8章を参照のこと）である。特定の地域や近隣地区における団体の浸透度を測るのにその情報を使用することができる。

団体のデータベースは、顧客と購買パターンについて価値のある情報を提供するだけでなく、団体が顧客により良く対応をするのに役立つ。文化的製品（と多くの他のタイプの製品）の有名なオンライン流通業者であるAmazonは、顧客サービスを向上させるためにソフトウェアの力を利用する団体の好例である。例えば、もしあなたがバロック・オペラのCDをAmazonから購入するのなら、次にサイトを訪れたときに、これまでに聞いたこともないようなCDや、あなたが興味を持つ可能性があるバロック・オペラについての本のおすすめを見つけるかもしれない。これは、バロック･オペラに凝っている人にはありがたいタイプの注意喚起である（第10章〔10.10.4〕を参照のこと）。

他の有用な情報を得るためには、マーケティング･マネージャーは顧客と直接コンタクトがあるスタッフを探せば十分である。これらのスタッフとは、電話のオペレーター、チケット･エージェント、会場係、警備員、ガイド、通訳、レストランやバーの店員などである。コミュニケーション部門や販売部門の被雇用者は、最終的な意思決定をしている人にとって非常に関連性の高いデータを集めることができる。

もちろんのこと、すべての分析者は先行する研究や調査を熟知していなければならない。その情報は最新のものではないかもしれないが、現在の状況をどのように分析するかということに対して手掛かりを与えてくれる。新しいデータを古いデータと比較する実験を繰り返すことも価値があるだろう。

最後になったが、ウェブサイトが急増したおかげで、団体が特定の産業の情報を得ることは比較的容易である。例えば、アートや文化のセクターにおけるすべての職業的な協会はウェブサイトを持っており、そのウェブサイトの多くは協会の会員組織のリンクを提供している。

1次データ

1次データは、市場研究や調査、世論調査の形でのデータ収集技術を通して、ターゲット･マーケット［標的市場］を直接調べることにより、得られる場合がある。マーケティング･マネージャーは直接データを収集することもあるし、あるいはその仕事をするために専門の会社を雇うこともある。その手順として、事前に定義された問題に直接関係するデータを収集することや、データを分析すること、そして意思決定をするためにデータを解釈することなどがある。

1次データを収集するコストは、求められる情報の価値を常に反映すべきである。言葉を換えれば、担当マネージャーはその研究が労力に値するか否かを計算しなければならない。もし得られる情報によって団体が最低でも5,000ドルを節約できるか、あるいは最低でも5,000ドルを余分に獲得できないならば、調査に5,000ドル費やすのは無駄であろう。もしその決定による財務上の成果がいくらかでも低いのならば、そのプロジェクト全体は手間をかけるまでもないものかもしれない。1次データに関して、3つのタイプのリサーチがある。それらはすなわち、探索型リサーチ、実態記述型リサーチ、因果型リサーチである（詳しくは後述する）。

2次データ

2次データは政府や民間組織により公表されたものである。この種のデータは、製品の需要の規模と進展、製品の市場の規模と構成、そして産業自体の構造をも測定するのに必要な情報を提供してくれるので、マーケティング・マネージャーには特に有用である。

このタイプのデータを使用する主な利点は、時間とお金の両方の面で、コストが低いことである。市場研究から同種の情報を収集し対照するには数週間から数か月も必要とされる可能性があるのに対し、それらの文書類へのアクセスには支出がほとんどかからず、比較的短い期間でデータを収集できる。

2次データは、1次データのリサーチへつながる疑問と仮説も生みだす。

2次データは、特定の目的のために収集されたすべての情報を含むものであり、その特定の目的とは、団体の設定したリサーチの問題が示す目的とは視点の違ったものも含まれている。データは時にはリサーチの問題や疑問に対する部分的な回答を提供してくれる。しかしまた別の時には、団体が設定した特定の論点や問題に関して、利用できる適切な情報は存在しないこともある。現在ある情報は古くなっているかもしれない。この場合には、データを相互関連させるために過去に使用されてきた方法論は、研究を繰り返してアップデートすることを願っている調査者にとっては貴重なツールである。

その問題のセットがその団体特有のものであるほど、そして関心の領域がより限定されるほど、2次データが提供する情報はより少なくなっていくということは、指摘しておくべきであろう。問題のセットがその団体に極めて特有のものであって、関心の領域が非常に限定される場合には、1次データが使用されなければならない（詳しくは後述する）。

2.2.2　2次データのリサーチ

2次データは、民間セクターあるいは公共セクターのいずれかからくることがある。様々な公共の組織によって公表された文書中に、そういったデータを見つけることができる。それら公共の組織とは、例を挙げれば、政府の省や局や庁、研究所、協会である。多くの世論調査の会社や定期刊行物でも研究結果を公表している。

2次データのこれらの2つの出所は、表2.1に示されるように、強みと弱みを持っている。実際には、2つの出所は相互に補完をしている。

それぞれの強みと弱みを比較するために、カナダ統計局の例を用いよう。カナダ統計局は、データ収集と処理の分野で国際的に素晴らしい名声を得ている。話題となるその特徴は、広く他の国の統計局にも応用されている。

公共のデータ

国の統計局

どんな国にとっても、2次データの主な出所は、そして最も信頼性の高くて利用しやすい出所は、疑いなくその国の統計局 national statistical bureau（NSB）である。NSBは種々のトピックに関して多量の文書を公表している。枠組みや論点が何であれ、たいていNSBは適切なものを公表している。

各国のNSBは幅広い範囲の主題について、例えば国勢調査のような一般的な文書類から、また例えばパフォーミング・アーツに関する研究のような高度に特化した題材まで、両方を公表している。特定の国についての文書類を探しているマーケティング・マネージャーや調査者は、最も適切な研究のある場所を捜し当てるためには、NSBの刊行物の総目録一覧を最初に調べるべきである（アメリカ www.census.gov あるいは www.data.gov、カナダ www.statcan.ca、オーストラリア

表 2.1　公共のデータと民間のデータの強みと弱み

	公共のデータ	民間のデータ
科学的な方法論	＋	−
データの標準化	＋	−
経時的に実施されている研究の可能性	＋	−
アクセシビリティー	＋	±
集約性	−	＋
最新性	−	＋

www.abs.gov.au、フランス www.insee.fr、中国 www.stats.gov.cn)。

カナダ統計局が自国の家計支出について2年毎に実施している膨大な調査は、カナダでは特に興味深いものである(カテゴリー62-555)。同様の調査はアメリカ合衆国(労働統計局によるもの:www.bls.gov)や他の多くの国でも実施されている。例えば、このタイプの調査の結果は、平均の世帯出費額と、映画館で見た映画、舞台のショー、博物館やギャラリーのような文化施設の入場料についての家計申告支出のパーセンテージを明らかにしている。

他の政府機関

様々な省庁により発行される刊行物は、公共の2次データの更なる出所である。

カナダでは、カナダ・アーツ・カウンシル Canada Council for the Art のリサーチ部門(www.canadacouncil.ca)、カナダ文化遺産省 Department of Canadian Heritage (www.pch.gc.ca)、グローバル連携省 Global Affair Canada (www.internationa.gc.ca)、加えて種々の州や準州のアーツ・カウンシルと文化部門もデータの優れた出所である。

アメリカ合衆国における全米芸術基金 National Endowment for the Art (www.nea.gov)、オーストラリア・カウンシル・フォー・ジ・アーツ Australia Council for the Arts (www.ozco.gov.au)、アーツ・カウンシル・イングランド Arts Council England (www.artscouncil.org.uk)、フランスの文化省(www.culture.gouv.fr)も毎年いくつかの研究を公表している。欧州連合 European Union: ec.europa.eu/Eurostat と欧州評議会 Council of Europe (www.coe.int) は、文化に関するその他のデータの出所である。

それ以外の国の他の政府組織や部門も、文化的環境にいる人々が関心を持つ可能性を有する研究結果や文書類を公表している。

民間のデータ

データベースとインデックス

無料で調べられる様々な市場に関するデータベースもある。これらの多くはオンラインでアクセスできる。民間企業により刊行されたリサーチ報告書は、通常は膨大な量の様々なデータを要約している。データの統合は市場の分析者の仕事をずっと単純化するので、これが民間のデータの主要な利点のひとつである。

民間組織による刊行

その民間組織の主たる焦点がアートであろうとなかろうと、文化事業体あるいは芸術事業体は、民間の組織から有用な情報を得ることができる。カナダのCouncil for Business and the Arts（www.businessforarts.org）とアメリカのフォード財団Ford Foundation（www.fordfound.org）は間接的に文化や芸術に関与しており、アーツ・マネジメントに関連する参考資料を刊行している。

ウェブサイトの急増によって、団体は特定の産業についての豊富な基礎情報に容易にアクセスできるようになった。例えば、芸術や文化のセクターのあらゆる職業的な協会はウェブサイトを持っており、そのウェブサイトの多くは会員組織のサイトへのリンクを提供している。アメリカでは、Americans for the Arts（www.americanforthearts.org）、Theatre Communications Group（circle.tcg.org）、アメリカ映画協会Motion Picture Association of America（www.mpaa.org）、アメリカ博物館協会American Association of Museums（www.aam-us.org）、その他多くの組織が各分野の非常に貴重で洞察に満ちた情報を提供している。Nielsen（www.nielsen）やIpsos（www.ipsos.com）のような団体は、メディアの格付けやオーディエンス測定の情報を収集するのに専門化したものである。

国際組織は外国のデータの貴重な出所である。学問分野の大半は国際的な協会によって代表され、その協会は他の国々でのその学問分野の活動の情報を提供している。国際連合教育科学文化機関United Nations Educational, Scientific and Cultural Organization (UNESCO: www.uis.unesco.org) はとりわけ豊富な情報源であり、特に国際博物館会議International Council of Museum（www.icom.museum）を通じて情報が得られる。

マーケティング・マネージャーは、『Journal of Marketing』のようなマネジメント関係の雑誌や、『International Journal of Arts Management』（www.hec.ca/ijam）、『Journal of Cultural Economics』、『International Journal of Cultural Policy Research』、『Journal of Arts Management, Law and Society』のような文化の問題に専門的に取り組む学術雑誌、『Variety』（www.variety.com）のような業界誌を見たいと思うこともあるだろう。

2.2.3 探索型リサーチ

探索型リサーチExploratory Researchは質的[定性]データ(すなわち簡単には定量化されないデータ)を提供するものである。探索型リサーチは仮説あるいは予想される考えに基づくものではなく、数は少ないが代表性のある母集団からの標本に頼って行われる。

このタイプのリサーチはいくつかの目的に役立つ。問題を定義し、検証されるべき仮説を示し、新しい製品のためのアイデアを生み出し、新しいコンセプトに対する消費者の最初の反応を捉え、質問用紙のプリテストをし、ショーや映画の中からどれか1つを選択するためにどの基準が役割を果たすのかを決定するには、有用な場合がある。

探索型リサーチは消費者のボキャブラリー[語彙]や関心領域を明らかにすることができ、それと共に調査者やマーケターが未知の領域と思われるものを知る手助けになる。探索型リサーチは、組織内の顧客サービスのレベルを査定するのに使用することもできる。これは博物館の「ミステリー・ビジター」の手法の使用の背後にある原理である。ミステリー・ビジターとは、訓練を受けた調査員が1館以上の博物館を訪問して自分の観察結果を報告し、その調査結果はその後分析をされ、重要な改善につなげることができるものである。いくつかの技法が利用可能である。これらの技法には、フォーカス・グループ(数がより多い母集団からの予想されうる回答を決定するため、〔新製品のような〕何かへの反応が研究の対象とされる少数の人々のグループ[8])、個人へのインデプス・インタビュー、ケース・スタディー、観察法、投影法が含まれる。

2.2.4 実態記述型リサーチ

実態記述型リサーチDescriptive Researchは与えられたトピックについて特定の情報を探求するものである。実態記述型リサーチは、通常は仮説から始まり、仮説は検証され、確かめられるか反証される。このタイプのリサーチは、情報の必要性と準拠枠[評価基準]と変数とが絞られてはっきりしていて、状況が極めて明確なときにのみ用いられる。探索型リサーチは、リサーチ仮説と関係するパラメーターをより明確に定義できるように、しばしば実態記述型リサーチに先立って行われる。

探索型リサーチは質的［定性的］なものであり、少数の回答者を使用するのに対し、実態記述型リサーチは、研究対象となる母集団からの代表性のあるサンプリングより定量分析［量的分析］へと調査者が進めることができるような結果を生む。

例えば、実態記述型リサーチは、特定の母集団の中で、劇場のチケット購入の意思決定プロセスにどの要因が介在するのかを決めるかもしれない。実態記述型リサーチは、博物館の入館者の社会人口統計学的なプロファイルを提供することもあるし、所定の地域におけるポピュラー音楽ファンの特性のあらましを述べることもある。

データ収集の技法

実態記述型リサーチで使用される鍵となるデータ収集の技法は3つある。すなわち、インターネット／郵送、電話、個人面接法 personal interviewing である。どの技法を選択するかは、研究の目的や目標によるし、利用できる資源にもよる。収集されるデータの広さと精度、必要とされる時間と労力、尋ねられる質問のタイプ（オープン・エンド型対クローズド・エンド型）、別の技法に関わるコスト、必要とされる事務、これらはみな影響を受ける要因である。他のデータ収集方法が使用される可能性もあるが（観察法、投影法）、この章ではインターネット／郵送、電話、個人面接法に焦点をあてる。これらは世論調査の会社で最もよく使用される3つの技法だからである。

オンライン調査／郵送調査

オンライン調査や郵送調査には、主に2つの利点がある。1つ目の利点は、到達できる人の数の多さを考慮すれば、他の2つの技法に比べて費用が安価なことである。そして2つ目の利点は、匿名にしたいという回答者の希望を尊重することであり、またそのことはインタビュアーに起こりうるバイアス、あるいはインタビュアーに相対した回答者に起こりうるバイアスを減少させ、調査者は個人的な情報をより多く獲得することができるようになる。オンライン調査と郵送調査は特に定量データ［量的データ］の収集に適している。欠点も3つある。1つ目は、回答者の本人確認の統制がきかないこと。回答者は返事をするときに第三者に相談するかもしれない。2つ目は、(郵送調査では)質問に答える順番の統制が欠如すること。3つ目は、言葉の誤解がおこりうることである。

大量消費の製品に関しては、調査の回答率は2%から5%の範囲である。文化的な事柄に関して実行される研究では、だいたい25%から40%の間の回答率を得られると言って差し支えないだろう。施設に関係のある消費者の標本で実行される研究では、この率は有意に上昇する。例えば、「博物館友の会」の人は、自分が支援するかパトロンとなっている博物館からくる調査票ならば、喜んでそれに書き込んで回答するであろう。職業的な協会のメンバーの間でも同じ行動を観察できる。Survey MonkeyやSurvey Gizmoのようなオンライン調査のプラットフォームによって、オンラインの調査票を開発して処理する業務は容易にできるようになった。

電話調査あるいは世論調査

電話調査は消費者や見込み客の詳細な情報を得るのに効果的な方法である。

回答率は一般的には、およそ80%から90%と極めて高い。しかし、ひとつの地域でのこの技法の使い過ぎは高率の拒否につながる可能性がある。

電話調査ではインタビュアーは、回答者が質問を理解していない場合に質問を明確化することができる。電話調査は、インタビュアーがインタビューを実施するために移動する必要がないので、日常的な使用ではより生産的であることもわかる。ウェブや郵送調査よりも費用が高くつくけれども、電話調査は1対1のインタビューよりは高くはない。

電話インタビューの1つの欠点は、明らかに視覚によるコンタクトがないことである。多肢選択式質問を使うのも、電話インタビューでは不可能ではないにしても困難であろう。実際に、尋ねられる質問は比較的簡単でなければならない。さらに、調査の主題が特に興味を引くものでなければ、回答者は15分以上電話口にいないので、質問はすぐに答えられるものでなければならない。

個人面接法

マーケターが、消費者の態度、信念、選好のような、相当に複雑な定性データを得たいのなら、個人面接法は効果的である。この方法を使うと、インタビュアーは視覚的な材料を用いることができ、質問を明確化したり繰り返したりすることができる。この技法では、質問を理解しなかった回答者に追加の情報を求めることができるし、インタビュアーは特定の答えをより深く掘り下げることができる。

個人面接法は、他の2つの技法よりも時間とお金の面でずっとコストがかかるし、統計的な適切さをほとんど有しない。インタビュアーの存在が原因となって起こされるバイアスがあることが、より複雑であり未解決な問題でもある。個人面接法は予備調査には最も適している。

実態記述型リサーチに関係するステップ

実態記述型リサーチは、リサーチの問題が定義された後に、設定された目標を満たそうとするものである。これらの目標は、可能な限り安価に、正確に（低い誤差の範囲で）、速く満たされるべきである。マーケティング・マネージャーは、問題のすべての側面を完全に研究するよりむしろ、目標のいくつかをカバーして一連のプロジェクトを進める決定をするかもしれない。

表2.2はどんなリサーチ活動にも基礎となるべき一連の14のステップを列挙している。これらのステップは2つの部分に分割できる。最初の4つはすべてのリサーチに共通のものである。質問に答えることによってのみ、マネージャーや調

表 2.2　リサーチ・プロジェクトの14のステップ

ステップ 1	問題を定義すること
ステップ 2	リサーチの目標を定義すること
ステップ 3	必要とされる人的資源、財源を決定すること
ステップ 4	スケジュールを定めること
ステップ 5	適切なツールと技法を選ぶこと
ステップ 6	標本を決定すること
ステップ 7	調査票の設計をすること
ステップ 8	調査票のテストをすること
ステップ 9	回答をコーディングすること
ステップ10	データを収集すること
ステップ11	インタビュアーをモニタリングすること
ステップ12	データを編集すること
ステップ13	結果を分析すること
ステップ14	報告書を書くこと

査者は、問題を解決しデータ収集に最も適切な形を選ぶための、適切な技法や方法を選択することができる。

ここでは実態記述型リサーチの枠組内で述べられるけれども、他の10のステップは、状況によって探索型リサーチあるいは因果型リサーチにも応用されることがある。しかし、いくつかのステップの内容は異なっているか、あるいは応用が不可能な場合もある。

バイアスと誤差の原因

使用される技法にかかわらず、すべての調査者はデータ収集のプロセスに忍び込んでくるバイアスと誤差の原因を最小限にとどめようとしなければならない。言葉遣いと質問の順番はとりわけ重要である。もし中立の調子と構造で草案が作られなければ、調査票はインタビュイー［インタビューを受ける人］を特定の答えに導き、不当に影響を与えてしまう。黙従バイアス acquiescence bias（すべての質問に同意する傾向）[9]、極端反応 extreme responding（得られる中で最も極端な選択肢や答えのみを選択する傾向）[10]、社会的期待迎合バイアス social desirability bias（他から好ましいと見られるやり方で質問に答える傾向）のような、いくつか共通して見られる回答者のバイアスを考慮に入れることもマーケターには必要である。社会的期待迎合バイアスは、文化的消費がしばしば社会的地位と結びついているがゆえに、文化関係の調査票に特有のリスクである。

誤差には4つの主要な原因がある。すなわち、回答拒否、標本誤差、曖昧あるいは不正確な回答、インタビュアーにより起こされるヒューマン・エラーである。調査者は常に起こりうる誤差の原因を心に留めておかなければならないし、その影響を最小限にとどめようとしなければならない。

もし標本中のいく人かが回答を拒否するなら、深刻な誤差の原因が起こる。拒否率が高ければ高いほど、その統計はバイアスのかかった現実風景を語っている可能性がより高くなる。調査者はこれらの人たちが何を考えているかわからないので、調査結果は正確でないかもしれない。拒否率はなくせるものではないけれども、十分な評価ツールを用いて、最小限に保たなければならない。

標本誤差も研究される母集団全体の代表とはならない結果を生み出しうる。これらの誤差は、標本抽出法が不適当なときか、あるいは標本のサイズが不十分なときに起こる。

実態記述型リサーチにおける3つ目の誤差は、曖昧な答えあるいは不正確な答えを得ることである。この誤差は、愚かに見えるよりはどんな答えでも出してしまう回答者や、あるいは特定の論点について知覚されたコンセンサスによって答える回答者など、回答者側の全くの無知により起こってしまうかもしれない。もし分析されるべき事実が起こってからずっと後にデータ収集が行われるのなら、その誤差は忘却と関係があるかもしれない。回答者は様々な個人的な理由のために自発的に回答にバイアスをかける可能性があるので、態度も原因となる場合がある。よくある理由としては、時間がないこと、一般的な疲労、プライバシーが侵害されているという感覚、社会的に受け入れられやすい回答を出すという自然な傾向（例：年間の本の購入数を膨らませること、もしその活動が良いことと理解されているのならば）、インタビュアーを喜ばせようという願望である。いく人かの回答者は、実際にはたとえ完全に意見が合わなくても、インタビュアーに丁重に同意するかもしれない。

誤差の原因で最後にあげるのはインタビュアーである。インタビュアーは無意識のうちにボディ・ランゲージや話し方を通じて回答者に影響を与えている。良いインタビュアーのトレーニングは、この潜在的なバイアスを最小限に減らすことができるものである。

2.2.5 因果型リサーチ

「説明型リサーチexplanatory research」とも呼ばれる因果型リサーチcausal researchは、2変数間あるいはいくつかの変数間に存在する可能性がある原因と結果の関係性[11]の探究である。特定の演劇の無料チケットを流通させることによるチケット販売へのインパクトの研究は、この技法の一例であろう。ある人が経時的な2つのデータ・セット（配布された無料チケットとチケット販売）を収集し、2つの変数間の変化を観察し、それらの正か負の相関関係を特定しようとする。因果関係に影響を与える可能性がある他の要因（例えば、この演劇の上演中の天候）は考慮に入れなくてはならない。

第10章で学ぶように、因果型リサーチは顧客モデリングや販売予測で広く使われる。それにはしばしば、効果的なソフトウェアを使用することが必要である。

回帰分析のような洗練された統計的なモデルに基づくことになるからである。回帰分析とは、変数間の関係（例えば、チケット販売と天候）を予測するための数学的なプロセスである。

2.3 需要

マーケティング・リサーチの活動の第1のゴールは、特定の製品の需要を評価することである。ニーズとデータの入手可能性とに従って、需要は単位（量）で定量的に、あるいは貨幣単位で表されることがある。文化事業体のそれぞれの市場に対する需要を計算することは可能である。この節では例として消費者市場の需要を用いるが、同じロジックが文化事業体の他の市場（政府、民間セクター、パートナー）にも応用できる。

量で表される需要は、その結果が価格の上昇によって膨張することはないので、しばしば市場のより現実的な姿を提供する。比較の基が同じなので、それゆえにある年からその翌年のデータを比較するのはより簡単である。実質市場の水準は同じ状態であるのに、ドル[金額]の需要が増大するのは、単に価格がより高くなった結果（インフレ要因）の場合もある。価格に対する調整なしにドルの需要が示されるときには、その測定は名目ドルであると見なされる。マーケティング・アナリストが同じ参照年を用いてインフレ要因を取り除くときには、測定は恒常ドルであると言われる。もし量のデータが利用できないならば、価格の変化を中立の状態にして真実の状況の姿を提供するために、需要は恒常ドルで計算されなければならない。

量の視点で需要を表すことは、特にどのように需要が変化するかを見るためには有用であるけれども、ときどき困難を伴うことがある。データ自体が存在しないかもしれないし、あるいは製品がある範囲の多様な要素を含むかもしれない。例えば、余暇市場では、需要は量の点で評価することはできない。具体例を挙げて説明すると、劇場の席と旅行と書籍の購入のように、製品のカテゴリーが、本来は合計されないものを組み合わせているからである。ことわざにあるようなりんごとオレンジ[比較できない違うカテゴリーや性質のものであること]を組み合わせているカテゴリーということになる。

市場需要 market demand (MD) と企業需要 corporate demand (CD) は通常は別のものと考えられる。企業需要は、特定の団体が製造したある製品から生まれる購買の量あるいはドル[金額]での表現である。市場需要はすべての企業需要を含むものである。

CD＝団体によって売られる単位数

$MD = \sum CD_i$

1つの製品に対する市場需要(MD)はすべての個々の企業需要(CD)からなるので、総需要は1つのトレンドを示すかもしれないが、CDは逆の傾向を示すかもしれない。例えば、1年間の劇場のチケットの総需要は上がる一方、特定の劇団のチケットに対する需要は急に下がるかもしれない。余暇活動のような特定の産業の総需要は、ショーやスポーツ・イベントのような部分の需要との関連において、同様のことがおこりうる。

創造から生産、流通、消費までの連鎖に沿って、需要を異なるポイントで測ることは可能である。この場合、特定のつながりに対する需要は、つながりの中で活動しているすべての人々によってなされる購買の単位あるいはドル[金額]に等しい。

いくつかの組織、つまり「プレイヤー」は、総市場需要を刺激するために力を合わせることがある。総需要の増加は可能であり、それぞれの組織は市場における重要度に比例して恩恵を受けると、これらの組織は考える。例えばカナダでは、モントリオール・ミュージアム・デーは、ケベック博物館協会 Société des musées québécois により提供された祝祭博物館フェスティバル festival Musées en fête の一部として、モントリオール博物館館長会議 Board of Montreal Museum Directors によって毎年計画されているオープン・ハウスである。これらの2つのイベントは、UNESCOにより開始された国際博物館の日 International Museum Day (www.museesmontreal/site/idmmhtm.org) の影響を受けている。モントリオール・ミュージアム・デーには、公衆は入場無料で市の博物館の貴重品な収蔵品を発見することができる。

同様の主体的な取り組みが大小の地域レベルで起こることがある。アメリカでは、何館かの博物館が、特定の地域内での総需要を増加させる目的で計画される共同プロモーション・キャンペーンのための協会を作っている。

2.3.1 マーケット・シェア

先に定義されたように、市場には製品を消費するための意志と手段と能力を持つすべての個人あるいは組織を含む。競合している企業それぞれは、一定割合の需要を獲得するため、自分の特定の製品を消費するよう市場に促す。現在のマーケティングの用語では、これは「マーケット・シェア[市場占有率]」と呼ばれ、製品を買っている消費者ではなく、ある団体に属する需要の割合のことを言っている。市場占有率よりむしろ「需要占有率」と言うのがより正確であろうが、受け入れられている用語はマーケット・シェア[市場占有率]である。この用語は需要の占有率も意味しており、ここではそのような意味で使用される。

団体のマーケット・シェアは以下のように計算される。

$$\text{マーケット・シェア［市場占有率］} = \frac{CD}{MD}$$

他の団体と共有する極めて特定される100万ドルの市場において、40万ドルの売上がある団体は、40％（400,000ドル÷1,000,000ドル）のマーケット・シェアを持つと言われる。この情報は、他団体と比較すると共に競争に関するポジションを決定することを組織に可能ならしめるので、極めて有用である。市場それぞれにおける団体のマーケット・シェアを計算することが可能である。しかし非営利のアート・セクターでは、ほとんどの組織は非常に小規模なので、意思決定の観点の目的には、この基準はほとんど役に立たない。実際に、マーケット・シェアが0.03％であり、競合他団体のマーケット・シェアが同じくらい小さいとき、どんな意味のある結論を導き出すことできるのか。

2.3.2 需要の状態

製品に対する需要は、実質需要と潜在需要という2つの視点から考えることができる。2つの側面それぞれに対して、3つの時期、すなわち過去の需要、現在の需要、予測の需要がある。

実質需要

団体の実質需要は、特定の時の売上の量に対応している。同じことが市場需要にもあてはまる。市場需要は、現在であれ過去であれ、特定の瞬間の需要の尺度である。過去からの需要の変化を測ることによって、セクター、産業、団体の変遷を記録に留める歴史的背景を得ることは可能である。同時に、需要の未来のレベルは、一般的な言葉では、団体あるいは市場に対する予測である。

潜在需要

潜在需要とは、所与のコンテクストで製品が理論的に到達することができる最大の消費レベルまたは売上のことである。特定の製品を消費することができるが、まだしていない人々のことを潜在顧客と言う。マーケターは売上を増加させるために自分たちの製品を採用するよう勧めるべく仕事をする。(牛乳のような)基本的な消費財、あるいは(公共交通機関のような)サービスはしばしばとても広い到達範囲を持つわけだが、提供されたすべての製品をすべての潜在顧客が最終的に買うわけではない。

しかし、どんな需要にも限界がある。この限界は、マーケティング戦略と環境を受け入れる力にもよるし、消費者の手段、嗜好、選好にも左右される。マーケティング・マネージャーのタスクは、まかされたどんなときにでも市場需要の最大レベル、別の言葉で言うならば潜在市場需要、を予測することである。同じように、団体の潜在需要をそのマネージャーは予測することができる。

実質需要の場合のように、潜在需要は過去もしくは現在における時点で計算される場合があり、または未来に対して予測することができる。

異なる状況での市場需要

実質需要が潜在需要より低い。このような場合には、団体は売上かあるいはマーケット・シェアを増加させたいと思うかもしれない。もし実質需要と潜在需要が等しいならば、市場は飽和点に達していると言われる。飽和点の後は、その製品はライフサイクルの成熟段階に入る。

それゆえ、販売の計画は、予見できる競争行動と、予想される潜在需要の変化を考慮に入れなければならない。マーケティング・マネージャーは潜在需要の増加と団体の売上数の増加を期待するかもしれない。他方、市場の潜在需要が落ち込むとき、団体は現在のレベルの需要とマーケット・シェアを維持するのにより大きな困難があることを予期しなければならない（図2.1を参照のこと）。

これらの概念は、需要だけではなく、市場にもあてはまる。市場も実質市場と潜在市場とが考えられ、過去、現在、未来で測定されることがある。

ここでこれらの概念の具体的な例を挙げよう。巡業の劇団一行は特定の地域の主催者にショーを提供している。そのエリアの劇団に対する現在の潜在市場は、ショーを買いたい会場または主催者の総数に一致する。劇団側はその年にどのホールや劇場で演じたかを知っているので、実質市場は知られていることになる。予想される市場は翌年の購入者の予測数より成っている。2つの異なるエリア、要するに、市場における主催者の数（潜在市場）と、ショーを買おうと思う主催者の数（実質予測市場）を考慮に入れることで、この予測はなされる。

図 2.1　異なる状況での市場需要

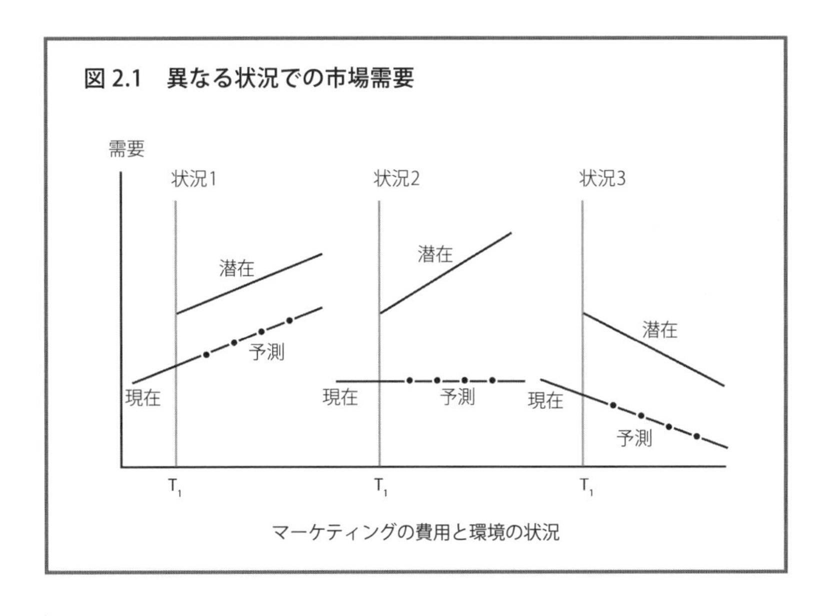

要約

文化市場は4つの主なグループに更に分割できる。消費者市場、政府市場、パートナー市場、民間セクター市場である。これらの市場それぞれは、異なるモチベーションに反応し、製品の特定の側面を扱っている。それゆえ、それぞれに対し異なるマーケティング戦略を開発する価値はある。

市場のトレンドを理解しようと努力する中で、マーケターは3つのタイプのデータを収集する可能性がある。内部データ、1次データ、2次データである。内部データは通常は団体の会計システムから提供される。例えば被雇用者あるいは顧客といった、他の人たちが役に立ってくれることがあるかもしれない。

2次データの2つの主な出所は、公共セクターと民間セクターの刊行物である。公共のデータの主な出所は、国の統計局である。その他の政府の省庁もマネージャーや執行役員が興味を持つ可能性がある文書類を公表している。民間のデータはデータベースを通じてアクセスできる。公共と民間のデータはそれぞれ強みと弱みがある。実際には、それらは多かれ少なかれお互いに補完し合っている。公共のデータの主な強みは、データの標準化、方法論的予防策、経時的な比較研究、アクセスの容易さである。民間のデータの強みは、情報の集約、最新性にある。

1次データは調査や市場研究を通して収集される。リサーチには、探索型リサーチ、実態記述型リサーチ、因果型リサーチがある。第1のリサーチのケースでは、たとえ仮説がはっきり示されていなくても、適当な変数が求められる。第2のケースでは、調査者は仮説で始め、それを証明するかまたは反証するかを述べる。第3のケースでは、1つの変数と他の変数の間の因果関係が検証される。

探索型リサーチではいくつかの技法が使用される(グループ·インタビュー、個人面接法、ケース·スタディー、観察法、予測、投影法)。グループ·インタビューは新製品や計画案をテストするのにしばしば使用される。

実態記述型リサーチと因果型リサーチでは、リサーチ計画は通常は14のステップからなる。すなわち、問題を定義すること、目標を定義すること、財源と人的資源を決定すること、スケジュールを定めること、方法あるいはツールを選ぶこと、標本のサイズを決定すること、調査票を書くこと、調査票のプレテストをすること、コーディングすること、データを収集すること、インタビュアーをモニタリングすること、データを編集すること、結果を分析すること、報告書を書くことである。

需要は市場内でなされた購買の量あるいはドル[金銭]で表されたものである。需要の概念は、ある市場の過去、現在、未来のいずれかにおける、団体の競争的なポジションを正確に判断する際に使用される。

問題

1. 文化事業体に開かれている4つの市場とはどういうものか。
2. データを収集する主要な方法は何か。
3. 「内部データ」とは何を意味するか。内部データの主な出所はどこか。
4. データの1次的な出所と2次的な出所の違いは何か。
5. 市場研究を始める前に様々な2次データの出所を調べることはなぜ賢明なのか。
6. 公共データと民間データの強みと弱みは何か。
7. 市場研究を始める前にリサーチの問題を定義することはなぜ重要なのか。
8. リサーチ計画の際に準拠するステップは何か。
9. 研究される母集団によって標本のサイズは変わるのか。もし変わるのなら、なぜ変わるのか。
10. 需要の概念と市場の概念の違いは何か。
11. 実質需要と潜在需要を比較する際にどんな違いが分かるか。
12. 1960年以来の余暇市場において需要がどのように変化したか説明することができるか。

注

1. Pride, W., R. Hughes, and J. Kapoor. 2013. *Business. Boston: Cengage*, p. 344.
2. Ibid.
3. Roussel, F. 2016. "Budget 2017: la culture particulièrement choyée." *Liberation*, September 28.
4. Ravanas, P., with J. D. Rich. 2007. An American Paradox: How Can the Arts Flourish in a Country with No Formal Cultural Policy and Virtually No Public Funding for the Arts? *Research paper presented at the 9th International Conference on Arts and Cultural Management* (AIMAC), Valencia, July 8.
5. Ibid.
6. Ibid.
7. IEG Network: www.sponsorship.com/Resources/IEG-Lexicon-and-Glossary.aspx
8. www.merriam-webster.com/dictionary/focus%20group
9. Watson, D. 1992. "Correcting for Acquiescent Response Bias in the Absence of a Balanced Scale: An Application to Class Consciousness." *Sociological Methods and Research* 21(1), 52–88.
10. Furnham, A. 1986. "Response Bias, Social Desirability and Dissimulation." *Personality and Individual Differences* 7(3), 385–400.
11. Brains, C., L. Willnat, J. Manheim, and R. Rich. 2011. *Empirical Political Analysis*, 8th ed. Boston: Longman, p. 76.

Chapter 3

Consumer Analysis

第3章
消費者の分析

目 標

- マズローの欲求段階説［自己実現論］とそのマーケティングの目的のための用い方について紹介する
- 消費者のニーズとウォンツを区別する
- セグメンテーションの概念と文化事業体への応用を十分に理解する
- セグメンテーションの基礎とディスクリプターを区別する
- 文化的活動への消費者の参加の方向性、強度、モード［遂行様式］を形作る重要な影響を認識する
- 意思決定プロセス、体験に基づいたエンゲージメント、消費後の活動も含めた文化的消費の慣習行動の性質を理解する
- 消費者行動と文化組織のマーケティングの意思決定との関連を探求する

イントロダクション

この章は消費者市場の分析に焦点をあてる。セグメントを定義するために、マーケティング・アナリストは、市場を構成する個々人の異なる行動と、それらの個々人を作業する上でのサブグループに分割する方法を理解しなければならない。まず、市場における消費者の基本的な差異の例である欲求段階説［自己実現論］と呼ばれるモデルを説明する。読者がセグメンテーション・マーケティングの概念を理解するために、このモデルは役立つであろう。この章の第3節では、消費者行動の異なる側面をより深く掘り下げていく。誰が消費者であるのかを定義したので（第2章）、これらの人々が特定の文化的な提供物になぜ興味を持ったり持たなかったりし、どのように意思決定をするのかを問う。

3.1　消費者市場の概観

消費者市場の特徴と規模は時や場所によって変わっていく。市場はオピニオン・リーダー、トレンド、嗜好、社会的な変化の影響を反映する。市場は社会構造の違いにより国によっても変わる。

3.1.1　特徴

過去50年以上にわたり、ほとんどすべての産業化された国において、文化的製品の消費者の社会人口統計学的なプロファイルに焦点をあてた様々な調査が行われてきた。調査は1970年代、2000年代、2010年代のどの時期に行われたかに関わらず、それらの調査がすべて、同様の入場率で同様の社会人口統計学的なプロファイルとなっているのは興味深いことである[1]。フォーマットの違い（各セクターに対する異なる名前のつけ方、違った表現をされた質問等）は、国ごとの比較を困難にするはずである。にもかかわらずこれらの研究は、過去40年以上にわたってすべての国でアートとエンタテインメントの間に聴衆の強い両極化を一貫して体系立って見いだしている。それぞれの相対的な比重に従えば、エンタテインメントの製品はすべての社会経済的なグループをひき付けるのに対し、芸術的製品 Artistic Product は高学歴の消費者を惹き付ける傾向がある。大学教育を受けた文化的な消費者は、アートとエンタテインメントの両方に興味を持つことを意味する文化的「オムニボア」として特徴づけられている[2]。実際にはこの社会階級はファイン・アートの消費によって差異化［差異］を示すわけではないし、それどころか人口１人あたりではこの階級のファイン・アートの消費は次第に減少傾向にある。しかしながら、ファイン・アートへの来場は、下流階級に対する差異化のしるしとしての働きをし続けている。例えば、カナダのオーディエンスを構成する大学卒の割合は、エンタテインメント（ポピュラー音楽、歴史的公園等）では10％から25％の範囲なのに比して、芸術的製品（交響楽団、アート・フェスティバル、美術館等）では50％から70％の範囲となる。比較のために言うと、カナダの大学卒の全体のパーセンテージは30％である。同様の結果が他の国でも見受けられる。

平均収入（エンタテインメントの消費者よりもアートの消費者の方が高い）や職種（ホワイト・カラーの労働者がアートの消費者の多くの割合を占め、より多くのブルーカラーの労働者はエンタテインメントによりひき付けられる傾向にある）も含め、他の社会人口統計学的な変数も来場との関連がある。この概観は平均値に基づくということは指摘しておくべきであろう。例えば学生の場合のように、比較的低い学歴で低収入の個人が文化の際立った消費者ということはあるかもしれない。アートの活動に身を入れる多くの人は高学歴であるが、貧困線よりようやく上にいくくらいの低賃金であることは、実際にはよく知られている。その一方で、非常に高収入でなおかつ非常に高学歴であるが、アートに興味を示さず、好んで距離を置く人たちがいる。

複雑な文化的製品に対する個人の好みに影響を与えることで知られるのは４つの要因である。１つ目の要因はハイ・アートを奨励したり逆に阻んだりする家庭の価値[3]、２つ目はハイ・アートを重んずる教育環境と価値、３つ目は子どものころに舞台の公演や博物館に行っていること、４つ目はアマチュアとしてのアート活動の実践である。両親の教育レベルと子どもたちのハイ・アートへの来場には直接的な相関関係があり、母親は父親よりも大きな影響を与える。たとえ子どもがハイ・アートに価値を置く家族の出でなくても、学校教育を通じてアートのレッスンや、博物館や舞台の公演に行くことは、子どもたちに手渡される文化的な手荷物にポジティブな影響を与え、その結果として子どもたちが将来において文化を消費するのを促進する。このことは重要で注目に値する。このように、親によってハイ・アートに親しむ機会を与えられない子どもたちは、学校による博物館や舞台公演への訪問、とりわけ教員のアートへの情熱によって、ハイ・アートに親しむことが可能となる[4]。子どもたちにプライベートや学校でアートのレッスンの機会を提供すると、未来の文化の消費に影響があるばかりでなく、プロのアーティストになりたいという願望をも引き起こす可能性がある[5]。

とはいえ、同じ家庭の2人の子どもが、1人はアートに情熱を燃やすが、もう1人はまったく興味がないというように、なぜアートへの興味の点で大幅に異なるのかは不思議なことである。その子どもたちは同じ社会的なバックグラウンドを共有するので、同じ価値観を共有し、同じ嗜好や選好を持つと予期するだろう。この例は、消費者行動を分析する際に必然的に伴う複雑さと、消費と非消費のパターンを努力して説明しようとしてもなお残るグレーゾーンを示している[6]。

アートの消費者の間の嗜好の発展に関する議論に対し、典型的な文化的消費者の特性についてより詳細な分析を行うと、芸術分野の違いに基づく他の差異が明らかになる。例えば、ダンスの観客はその構成においては、他のパフォーミング・アーツの観客よりも若く、女性が多い。同じように、大部分の男性は日刊の新聞は読むが、小説を読むのは男性より女性の方が多い。映画セクターにおいては、熱心な映画ファンには3つの異なったセグメントがある。1つ目のセグメントは家族向け映画を好む小さな子どもがいる家族で構成される。2つ目は超大作アクション・ムービーやコメディーを好むティーンエイジャーが含まれる。3つ目は独立系映画を好む大学卒の成人を含む。たいていの映画ファンはこれら3つのセグメントのうち1つに属する。

このように、アート事業体や文化産業に属するいくつかの組織(それらは「アート・ハウス」や「コンテンポラリー」と分類される製品を提供している)は、かなり限定された市場をターゲットにしている。それらの組織のオーディエンスには高い割合の大学卒が含まれていて、これらの人々は文化的製品の重要な消費者であるとしても、ターゲットは限定される。エンタテインメントはずっと大きい市場に向けたものである。

3.1.2 余暇市場における需要の展開

アートも含んだ世界の余暇市場は、1960年代以来おびただしい成長を経験した。実際に、需要の増加はほとんどすべての文化セクターに恩恵を与えてきた。

5つの要因によりこの需要の急増を説明することができる。とりわけ産業化された国々においては、それが当てはまる。すなわち、(1) 人口の増加、(2) 余暇時間の増大、(3) 恒常ドルでの可処分個人所得の増加、(4) 教育レベルの向上、(5) 労働人口における女性の参加の増大である。

これらの強力な5つの要因が組み合わさって、余暇市場における需要の急増を推し進めた。しかし、それらの需要への有益な効果は、過去20年以上にわたりいくらか衰えてきている。例えば、全体的な教育レベルがわずかに向上しているにもかかわらず、人口はたいていの産業化された国々では非常に遅いペースで増加している。利用できる余暇時間の量は上限に達し(いくつかの職業のカテゴリーでは減少さえしている)、恒常ドルでの可処分個人所得は頭打ちになるかあるいはほんのわずかだけ上昇し、新しい世代の女性が長い間かけて労働力に組み込まれてきている。

文化的製品に対する需要の増加に貢献した要因の中で、マーケティング・マネージャーが特に注目する2つの要因は、女性の存在と人口の増加である。文化的な余暇活動への参加のめざましい増加は、部分的には主に女性の顧客のためとされる。1960年代の女性解放運動と労働市場での女性の出現は、教育を受けており余暇時間があって金銭的にも心配がなく、男性の消費者とは異なった嗜好を持つ女性という消費者の新しいグループを生み出した。自ら決定をし、夫から独立して、家の外での余暇活動を求めて、女性は多数がアートや文化に向かった。そのとき、彼女たちは消費者の新しいセグメントになった。多くの分野での消費者の大多数が女性であることを考慮すると、マーケティング・マネージャーはこの現象を心に留めておくのがよいだろう。

1960年代以来見られる需要の増加は、主にベビーブーマー世代があらわれたためとされる。この消費者のグループは、数十年もの間、文化的な行動に支配的な位置を占め、方向づけをした。そのうえその世代は、後の人生で子どもを持とうとはするが、子どもの数は少数にすることを選ぶ世代である。このことは出産適齢期の女性1人あたりの子どもの数の漸減の原因となり、それに続くのが1980

年に始まる出生率の増加である。この出生率の増加は、現在20代の人口の増加と言い換えることができる。この新しい世代は、しばしば「エコー世代」と呼ばれるのだが、ひとつ前の世代よりも数は多いが、ベビーブーマーのコーホートよりは少なく、この後の10年以内か15年以内に重要なマーケット・セグメントを構成することが期待される。

文化事業体の市場の2大セグメントは、現在は年齢ピラミッドの反対の端に位置している。それらはつまり、60歳以上のベビーブーマーと、18歳から40歳までの年齢の子世代のことである。これらの2つのセグメントそれぞれは、40歳から60歳の年齢のグループで構成される3番目のセグメントより規模が大きい。この現象によってわきおこる主な疑問は、2つの消費者のグループが類似した選好を持っているのか、あるいは、異なる文化的製品に惹き付けられるのか、ということである。もし異なる製品に惹き付けられるのならば、企業は2つのセグメントの間でどちらかを選ばなければならないか、それとも同時に両立しない可能性がある2つのセグメントに到達するために製品の調整をするかというジレンマに直面する。いくつかの種類の公演や展覧会からなるプログラムを提供する団体にとっては、達成するのは容易ではないかもしれないけれども調整の余地がよりある一方で、単一の製品だけを提供する団体にとっては、このジレンマは絶対的なものである。

ベビーブーマーが退職期に突入したとき、それより前のどの世代よりも（平均余命がだんだんと長くなっているために）文化的な活動に費やす時間が長くなり、（年金プランのために）可処分所得が更に多くなる。彼らは来たる何年間かに文化団体の中核の利害関係者になるであろう。しかし、多くのアート組織にとって鍵となるような難題は、相変わらずオーディエンスの高齢化である。どうやったらこれらの組織はより若い世代のために実際的な意味を持つことができるのだろうか。若い人たちの選好、モチベーション、アートに関する心配な点を理解することは、どんなアウトリーチの計画にも不可欠である[7]。

3.2 マズローの欲求段階説

3.2.1 原理

ウィスコンシン大学にいたアメリカの心理学者アブラハム・マズロー Abraham Maslow が1943年に「人間のモチベーションの理論 A Theory of Human Motivation」[8]と題する影響力の大きい論文を発表した。そこでは、人間には5セットのニーズ［欲求］があり、特定の順番で現れ、それぞれのレベルのニーズが満足させられたときに次のレベルを満たそうという欲求が引き起こされる[9]。この段階説［ヒエラルキー］はマネジメントのトレーニングと実務に[10]、とりわけマーケティングの領域に大きなインパクトを及ぼした。

生理的ニーズ

生理的ニーズは人間の生存のための肉体的な要求である。生理的ニーズは最も重要であり、最初に満たされるべきであるということが信じられている。空気、水、食べ物は、人間も含めすべての動物の生存のための〈代謝〉の要求である。衣と住は〈自然〉からの必要な保護を提供する。十分な出生率を維持するということが人間の強い性的な本能を形作るとともに、〈性的な競争関係〉もこの本能を形作ることがある[11]。

安全のニーズ

いったん人の生理的ニーズが満たされると、環境から自らを守ろうとするニーズが優先する。人々は個人の安全、金銭の安心、健康、安寧を通して恐怖から免れることを目指すだろう。これらのニーズは、人混みや公共の場所を避けることや交通機関を選択することなどにおいて現れることがある。

社会的ニーズ

人間のニーズの3番目のレベルは社会文化的なものである。これは所属の感情、友情、愛などを含む。人間は、大小を問わず社会的なグループ内での所属と、受け入れられているという感覚を持つことが必要である。これらのグループ

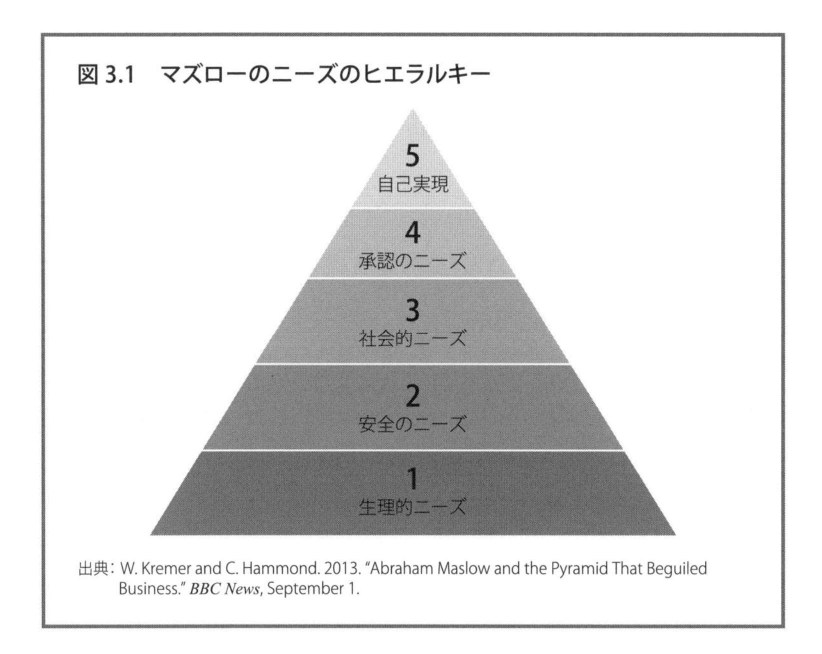

図 3.1　マズローのニーズのヒエラルキー

出典：W. Kremer and C. Hammond. 2013. "Abraham Maslow and the Pyramid That Beguiled Business." *BBC News*, September 1.

は家族、友人、同僚からなることがある。これらには、読書クラブ、アート・クラブ、スポーツ・チーム、宗教のグループを含む。

承認のニーズ

この情動的なニーズは他から受け入れられ、尊敬され、評価されるという欲求を表す。これは、認識、貢献、価値、名声、栄光の感覚を得るために人が選ぶ職業、芸術的な実践、趣味、社会的活動に影響を与える。

自己実現のニーズ

マズローにとって「人はなることができるものにならねばならない」[12]。この知的で精神的なニーズは、人の最大限の潜在能力が何かということと、その潜在能力の実現のことを言っている。このレベルのニーズは、人がなることができる最も良いものになるため、自分ができるすべてのことを達成する欲求とマズローは説明している[13]。個々人はこのニーズのことを非常にはっきりと気づいている。例えば、運動やアートや精神的なものや哲学的な実践を通じて、あるいは他の形の自己表現を通じて、人は自分自身を表現する強い欲求を持っているだろう。

マズローの欲求段階説は通常は、最も根本的なニーズを底辺にして、自己実現のニーズを頂点とするピラミッド型で表現される(図3.1)[14]。そのピラミッドの4つの基本的なレベルは、マズローが「欠乏のニーズ」と呼ぶものを表している。それぞれのレベルは、個人が次のより高いレベルのニーズを満たす強い欲求を経験する前に、満たされていなければならない。対照的に、自己実現のニーズは、基本的なニーズを超えて動き、真、善、美、意味あること、完成、変容を追求することで不断の改善を求めるときに生ずる傾向のある「存在のニーズ」を表している。異なるレベルのニーズは相互に関係し、人間の心にいつでも現れることができる。

3.2.2 マーケティングへの応用

マズローによれば、すべての人間はこれらの根本的なニーズを共通に持っている。人間の行動の究極のゴールは、それらを満たすことにある。一般に信じられていることとは反対で、マーケターはニーズを創造しない。マーケターは、ニーズを満足させることができ、あるいはそのように知覚されうるウォンツと呼ばれる特定の形の消費を開発する。マズローのヒエラルキーは消費者行動の理解のためには有用なツールであり、マーケティングの計画や製品開発の際には使用されるべきである。

文化的製品は主として自己実現のニーズを充足するのに役に立つとしばしば想定されている。ダラス交響楽団が実施した実験で示されるように、現実はもっと複雑な可能性がある[15]。ダラス交響楽団が実施した顧客調査によれば、コンサートへ人々を誘引するということは、クラシック音楽の通にアピールする以上のものである。実際に、その通のグループの構成員は、ダラス交響楽団の顧客の大多数を形成してさえいなかった。調査されたダラス交響楽団のチケット購入者のうちで、

- 25%は「ロマンティックな夜の外出」のためにシンフォニー・コンサートに来場した。(社会的ニーズを満たすこと)
- 21%は「社会的なディスプレイ[誇示]」のために来場した。コンサートに行くことは社会的なステータスを映し出しているとその人たちは信じている。

（承認のニーズを満たすこと）

・16％は音楽のためのみに来場する。これは3番目のランクである。（自己実現のニーズを満たすこと）

何が真に聴衆の動機づけをするかを探求するのは、現実に気づかされる体験ではあるが、団体の顧客をどのように維持するか理解するためには不可欠なことである。

3.3 セグメンテーション

3.3.1 定義

〈マーケット・セグメンテーションは、同じように行動する顧客または同様のニーズを持つ顧客の市場を、異なるサブセット（セグメント）に更に分割するプロセスである[16]。〉

セグメンテーションは、すべての人が等しくすべてのアート作品にひき付けられるわけではないという認識から出発する。オーディエンスのセグメンテーション分析の目的は、問題となる特定のアートを最もよく鑑賞して価値をおきそうな人たちを、全人口の中から識別することである。そうすれば、マーケターはそれらの人たちに直接その作品をプロモーションすることができる。言い換えれば、アーツ・マーケティングにおいて、セグメンテーションのゴールは、提供される芸術的製品に最も満足しそうなオーディエンスを見つけることである。マーケット・セグメンテーションは、漠然とした集団である潜在的オーディエンスのニーズと嗜好に合わせて作品を作ろうとするプレッシャーから、アーティストを守ることなのである[17]。

例えば、書籍市場は、同じように読書への関心を共有する消費者で構成されている市場と見なすことができる。この関心は本を購入することにより示される。こういう説明は、正確であるかもしれないが、マーケティング・マネージャーにとってさほど手助けになるわけではない。確かに、この市場を形作るサブグループは、探した本の類型（伝記、歴史小説、科学小説）とか購入の理由（勉強、余暇、自己啓発、贈り物として、社会的な注目度）を含んだ、多くの異なった変数を使って説明することも可能であるだろう。

雑誌、新聞、オンライン出版は同じ顧客をターゲットとしていないが、それらはすべて類似したニーズ（情報あるいはエンタテインメント）を満たそうとしている。これらの出版のための共通の特性、すなわち共通の分母は、人口の中の特定のセグメントのニーズへの適応である。この簡略な肖像は、「マーケット・セグメンテーション」が意味するものをはっきりさせるのに役立つ。

例えば、ミュージカル、オペラ、バレエ、演劇、コメディーのようなステージ・プロダクションの市場は、ジャンルによって分割することもできる。この分類は生産者の視点からは正当かもしれないが、ターゲット・セグメントの点からすれば根拠があるわけではない。ヴェルディの『椿姫』は、おそらく『ヴォツェック』のようなオペラよりも、『ロミオとジュリエット』のような劇の方がより近いものであると、消費者は感じるであろう。言葉を換えて言えば、『椿姫』と『ロミオとジュリエット』は同じセグメントをターゲットとし、『ヴォツェック』がターゲットとするセグメントとは異なるかもしれない。

簡単に定義するとしたら、マーケット・セグメントは、同様の嗜好、選好、ニーズを有し、それゆえ市場の残りの部分とは区別され単一のマーケティング戦略を必要とするサブグループを形成する消費者のグループである。

誰も簡単には市場を「細分化する」のを決定することはできない。あらゆるビジネス事業体ができるすべてのことは、市場が実際に細分化されるかどうか見ることくらいである。つまり、違ったタイプの消費者がいるか否かである。マーケティング・マネージャーが団体の市場構造をよく把握してからのみ、適切なマーケティング戦略についての決定がされうるのである。この点において、不十分な分析によって団体は次に挙げる2つタイプの間違いをいとも簡単に犯してしまうので、市場構造の正確な読みは極めて重大である。その2つの間違いは、もし戦略に応用されてしまうならば、団体を大失敗に導く可能性がある。

第1の間違いは、市場が現実には細分化されないときに、細分化されると仮定することである。この状況の読みは、もともとあった製品が十分なものであり、そのため人的資源や財源を動かす必要がないときでも、組織に新製品を開発するように促すかもしれない。

第2の間違いは、現実には市場が様々なセグメントでできているときに、均一であると考えることである。このように思ってしまうと、団体はすべての人が気に入るようにデザインされたけれども誰も気に入らないような製品を提供するかもしれない。その製品は実際には誰にも合っていないので、個々のセグメントの特定のニーズにもっと合った製品の中に埋没して、失敗に終わるだろう。

反対に、的確なターゲット・マーケットの構造の定義は、マネージャーが団体のマーケティング戦略を作る手助けになるであろう。

セグメントを定義する際に満たすべき5つの不可欠な条件がある。セグメントは、識別可能であり、到達可能であり、一定以上の規模があり、利益率が一定以上あり、一定期間は相対的に安定していなければならない。

3.3.2 技法

セグメンテーションの技法には、「アプリオリ」と「クラスター・ベースト」という2つの広いカテゴリーがある。

アプリオリ・セグメンテーション

アプリオリ・セグメンテーションの技法は、経験的な観察よりもむしろ理論的な仮説に基づいている。マネージャーが仮定するのは、1人あるいはいく人かの顧客のディスクリプター(後述の節を参照のこと)と呼ばれる特徴が、ニーズ、選好、行動の変化を十分に説明するということである。これらの仮定の背後にある仮説は、経験、直観、2次的な出典、フォーカス・グループを含む、ある範囲の源泉から生ずる。マーケティング・マネージャーはこの第1段階の間に集められた結果を使用し、市場が細分化されるか否かと、識別される特徴を使ってセグメントを説明することができるかどうかを決めるであろう。市場が選択される変数に従って分割されたとき、マーケティング・マネージャーは異なるレベルの需要が本当にあるのかどうかを知ることができる。もしこれが本当だとしたら、マネージャーはどのセグメントをターゲットにするか決めることができる(第5章を参照のこと)。

セグメンテーションへのこのアプローチの利点は、分析の面で簡単だということである。実際に、このアプローチは特定の仮説のみをテストする。例えば、ある市の新設交響楽団に対する需要のレベルが、年齢、芸術的な実践、提供されるレパートリーの新奇性によって変わると思うのなら、その団体は実行する前に仮説をテストすることができる。このアプローチに本来ある欠点は、異なるレベルの需要が認識されるかもしれないが、マーケティング・マネージャーが選んだ変数で説明されないかもしれないということである。いずれのケースにおいても、マネージャーはこれらの違いを説明できるディスクリプターに関して新しい仮説を開発しなければならない。結果として生ずる仮説は、前の仮説と同じようにテストされなければならないだろう。

クラスター・ベースト・セグメンテーション

このアプローチでは、次節で述べられるセグメンテーションの変数の大部分も含め、多くの側面について消費者を調査するために市場研究が行われる。次に、需要レベルの点で一定の内的な同質性を示し、他のグループと比較して一定の異質性を示すグループ（クラスターと呼ばれる）に、個人の消費者が集められる。そして次に、これらのニーズと行動とが本当に異なっているかどうかをマーケティング・マネージャーが確かめられるいくつかのグループの比較に関する分析が続く。もし違いがあるのならば、市場研究で使用されるディスクリプターのいくつかが、これらのニーズと行動を更に記述するために再び使われる。このアプローチの利点は、あらかじめ決められたパターンに制限されずに、マーケティング・マネージャーがセグメントを定義する革新的な方法を見つけることができることである。欠点は、初期の段階から説得力のある結果をもたらす可能性がある最初のアプローチ（アプリオリ・セグメンテーション）に比べ、その期間の長さとコストにある。にもかかわらず、クラスター・ベースト・アプローチは、後述されるサイコグラフィック［心理的］・ディスクリプターとベネフィット・ディスクリプターによってセグメンテーションをあてはめるときには、とりわけ有用である。

3.3.3 ディスクリプター

ディスクリプターはセグメントを本質的に特徴づける変数である。その第1の目的は、誰となぜという、次のようなキー・クエスチョンに答えることである。すなわち、誰が劇場に行って誰が行かないか、そしてそれはなぜなのか。誰が定期的にオペラの定期会員券を買い、誰がほんの時折1回券［シングル・チケット］を買うのか、そしてそれはなぜなのか。なぜ幾人かの人々は劇場にしばしば行き、他の人々はごくまれに行くのか。どの消費者が前衛的な作品を観るリスクをとる用意があり、どの消費者にはそれがないのか。

手短に言えば、ディスクリプターはセグメントを特徴づけ、定量化するのに役立つ。辞書の形容詞とほとんど同じくらい多くのディスクリプターがあるが、調査者は効果的で意味のあるものに限定する傾向がある。これらのディスクリプターは、ジオグラフィック［地理的］、デモグラフィック［社会人口統計学的］、サイコグラフィック［心理的］、消費者によって求められるベネフィット［便益］に関するものに分類されることがある。

ジオグラフィック・ディスクリプター

ジオグラフィック［地理的］・ディスクリプターは市場を構成するセグメントを定義し、見積もるために適したツールであり、特にライブ・エンタテインメントやパフォーミング・アーツには適していることがある。文化的消費のパターンは、都市の密集した環境と、郊外や、まばらに人口が点在している田園地方とでは異なるので、大都市とその周辺の地域の間の違いが共通して用いられる。

地理的な相違は、文化的な、気候上の、または環境の相違をしばしば映し出す。

ソシオデモグラフィック・ディスクリプター

ソシオデモグラフィック［社会人口統計学的］・ディスクリプターは、ジェンダー、年齢、世代、教育レベル、職業、収入、民族的背景、家族のライフ・ステージ、家族のサイズ、言語、宗教、持ち家の有無、専門性も含んだ、社会の構成を記述し、定量化するために使われるすべての変数である。ソシオデモグラフィック・ディスクリプターは、セグメンテーションにおいておそらく最も頻繁に使用される。これらのディスクリプターによって、団体がより簡単に顧客を個人化・個別化することができるからである。ソシオデモグラフィック・ディスクリプターは理解しやすい言葉でセグメントを説明するだけでなく、国勢調査のデータをたよって使用することもできる。このことは、ソシオデモグラフィック・ディスクリプターが市場の潜在性についてのアイデアを与えることができるということを意味している。

ソシオデモグラフィック・ディスクリプターは文化事業体のための効果的なセグ

メンテーションの変数になりうる。例えば、古典的でフォーマルなアートの消費者は、平均的な消費者よりもより高い教育を受けていて、より裕福である。家族のライフ・ステージ（その人が独身であるのか、カップルなのか、子どもがいる既婚者なのか、老夫婦なのか）は、文化的活動に関わるための能力に大いに影響があるであろう。世代もまた、共有される文化的な体験により定義される傾向にある。

ソシオデモグラフィック・ディスクリプターは使うのが簡単だけれども、限界がないわけではない。私たちが誰であるかは、私たちが好きなものや消費するものを必ずしも定義しない。サイコグラフィック［心理的］・ディスクリプターのような、他のディスクリプターが不足を補うことがある。

サイコグラフィック・ディスクリプター

個人的な特性、自己像、価値、態度、関心のような、サイコグラフィック［心理的］・ディスクリプターは、ライフスタイルや消費パターンに影響を与えることがある。

新しい製品が店頭に並ぶとすぐに買う人もいる一方で、特定のイベントに来場することにより製品が映し出すイメージに関心を持つ人もいる。これらの人たちはいくつかの製品に対しては明らかに平均とは異なった消費者プロファイルを持つ。これらの人々の消費パターンは地理的な基準あるいは社会人口統計学的な基準によってよりも心理学的な構成概念によって定義される。

ベネフィットに基づくディスクリプター

すべてのディスクリプターのうち、顧客により求められるベネフィット［便益］に基づくディスクリプター（社会的な相互作用、家族の団結、精神的な刺激、美的な成長、現実逃避、名声）は、顧客の購買パターンを最もよく説明する。すべての消費者が同じ理由で同じタイプの製品を買うわけではなく、同じ消費者が違う理由で違う時に同じ製品を買ったり、あるいは異なる状況で同じ製品を買ったりするかもしれないという原理により、このアプローチは同じ製品から同じベネフィットを欲する消費者をグループ分けしようとするものである。それゆえ市場は求められるベネフィットがあるだけ、あるいはベネフィットの組み合わせがあるだけ、多くのセグメントに分割することができる。戦略的な観点からは、ベネフィット・セグメンテーションは、しばしば市場ポジショニングの概念に何らかの形を与えるので、とりわけ重要である（第5章を参照のこと）。

この形のセグメンテーションの主な利点は、市場における異なったレベルの選好の背後にある理由を述べることである。いったん組織がこの種の市場の読み方を獲得したら、消費者によって求められているベネフィットによりよく一致するように、製品の拡張を試みることができる。例えば、博物館の来館者は少なくとも2つのグループに分けられることを私たちは知っている。1人で来館するのが好きな人たちと、来館を配偶者や友人との社会的な外出の機会とみる人たちである。これらの2つのセグメントにより求められるベネフィットは異なっており、この故にそれぞれのグループをターゲットとするための異なったマーケティング戦略を開発する可能性がある[18]。

もちろんマーケット・セグメンテーションにはディスクリプターの組み合わせを用いることもある。実際には、最も重要なセグメンテーションの決定はディスクリプターの選択である。ターゲット・マーケットについての優れた知識はいかなるセグメンテーションの研究にも極めて重要である。結果に基づいて、団体は特定のディスクリプターを使いつつ、いつでも市場の分割を試みることができる。そしてそれによって、市場の構造と有利な市場の好機を発見しようとすることができる。

文化的製品の観点でみると、イノベーションと創造が鍵となる役割を果たし、結果として、製品を特定のセグメントのニーズや需要に適応させるということは必ずしもできるわけではない。ましてや市場全体では言うまでもない。これは製品中心主義の組織には特に真実と言える。しかし、マーケターにとっては完成された文化的製品を見ることは重要であり、その製品に最も興味を持つ可能性があるどのようなセグメントの特徴でも考慮することは重要である。

3.3.4　決定要因

決定要因とはマーケット・セグメントの消費パターンのことを言う。マーケット・セグメンテーションの5つの基本的な決定要因がある。その5つとは、顧客・非顧客2分法、フリークエンシー［頻度］、ロイヤルティ、満足、好まれるブランドあるいは製品である。これらの決定要因[19]はどのように企業が市場を細分化するかに影響を与える。

1. 顧客・非顧客2分法

この2分法は消費者を分類する最も基本的な方法である。2つのセグメントそれぞれは市場の圧力に異なった反応をするので、実際に顧客・非顧客2分法は2つのセグメントを映し出していると言える。したがって、すべての市場は、少なくとも2つのセグメントで構成されるであろう。この市場の見方は、団体が新しい製品を創造する手助けになることがある。顧客とは、過去に購入をして、〈なおかつ〉再び未来に購入することを期待される誰かのことである[20]。そうでない場合は、その人は元顧客である。すべての顧客を生涯の顧客と見なすのは、間違ったアプローチであるだろう。維持率を計算し、時間の経過とともに追跡をすることによって、もう顧客でなくなるときをマーケターは明確にする必要がある。

2. フリークエンシーあるいは消費率

顧客・非顧客の2分法と同じように、文化的製品の市場は相対的な消費率によって分割することができる。例えば、1回券の購入者に対する定期会員のような場合である。1回券の消費者のモチベーションは、劇場の定期会員券を買おうと決める消費者のモチベーションとは異なっている。よって、劇場はそれぞれの消費者に訴えるために異なる戦略を用いるだろう。

3. 製品やブランドへのロイヤルティの程度

市場を分割する3番目の方法は、特定の文化的製品に対しての、つまり特定のアーティストや特定の団体に対しての、消費者が示すロイヤルティの程度に関係する。購買行動を通じて消費者が示す衝動性や一貫性は、セグメンテーションのための優れた根拠をしばしば与えてくれる。それは様々なマーケティングの圧力に対する感度に応じて消費者を分類するからである。文化的製品の視点で見ると、定期会員制度、特に通常の定期会員制度は、消費者行動へのより深い理解を可能にしてくれる。

4. 消費者の満足のレベル

セグメントを調べる4番目の方法は、消費者により表される満足のレベルの変化を考えることである。買うか買わないかという行為、消費の量とフリークエンシー

[頻度]、ブランド・ロイヤルティと製品ロイヤルティは、すべて直接的あるいは間接的に消費者によって表される満足のレベルに関係しているので、この測定法は前述の3つの決定要因と関係している[21]。スピンオフの製品が市場に出るときには、この点はことのほか興味深い。これらのスピンオフの製品は、真っ先にオリジナルの製品に満足している消費者に対して設計されているからである。満足のレベルに基づく顧客の分析は、市場に現在ある製品に満足していない消費者のニーズを満たす新製品の創造とポジショニングを可能にもする。

5. 好まれるブランドあるいは製品のタイプ

マーケット・セグメンテーションを調べる最後の方法は、異なる製品やブランドに関する選好の変化を分析することである。このアプローチは、例えば映画館や異なる劇団のように、いくつかの競合ブランドがある状況に特に適している。他のアプローチと違い、このアプローチは、既存の製品に限られるのではなく、架空の製品への需要の変化にまで広がる。市場研究は、消費者が意見を出すことができるように、(アイデアや提案や既成事実として)新製品を紹介することも可能である。必要があれば、すでに消費者がよく知っている類似した文化的製品と比べる研究をすることもできる。

3.4 消費者行動

文化的な参加への強度と性質はその人口の中でも大幅に異なるけれども、実質的にすべての人は文化的消費者である。

したがって、文化組織は、誰が、なぜ、どのように特定のタイプの文化的製品を消費するのかを決める必要がある。実際に、消費者行動を理解することで、マーケターは消費者の文化活動への参加とこれらの体験への評価を予測し影響を与えることができるようになる。

消費者行動を研究することは、市場内の人間の行動を研究することである。この広く複雑な調査の主題は、多くの専門分野からのアプローチによって最適に進められる。文化的消費者についての私たちの理解には、3つの鍵となるパースペクティブにより情報が与えられる。

- **情報処理パースペクティブ**：ミクロ経済学、決定理論、認知心理学の基礎を用いて、情報処理パースペクティブでは、消費者を購買の意思決定をするために問題解決をする論理的な思考者――限定合理性の範囲内であるが――と見なす[22]。
- **体験的消費パースペクティブ**：人類学、記号論、社会学、メディア理論のような、複数の理論的なアプローチを用いて、体験的消費パースペクティブは功利的な機能を超えた消費の感情的な側面を強調する。すなわち、有形の属性を超えた製品の象徴的な次元と、客観的な実在の理解を超えた消費者の想像力を強調するのである。このように、消費の体験的な一面は、消費体験を定義する感情的、象徴的、創造的な側面について言及する[23]。
- **社会学的パースペクティブ**：社会学的パースペクティブは文化的消費と社会構造の間の関連を考察する。このリサーチにおける重要なテーマは、どのように社会的なヒエラルキーが同時的に決定し、文化的慣習行動により強化されるかということである[24]。

3つのパースペクティブそれぞれは、文化的消費の異なる側面を明らかにしている。文化的消費者の行動の一般的な枠組みを示すため、図3.2はこれらのパースペクティブをまとめている。この行動の枠組みは、本章の議論の基礎となるものである。まず、消費者のモチベーションと能力と機会が、どのように文化的製品に関する彼（女）らの行動を形作るかを検証する。次に、市場レベルでの文化への参加のパターンについて考察し、その後に意思決定活動、体験的活動、消費後の活動の形態における個人の消費の慣習行動を分析する。

3.4.1 モチベーション、能力、参加への機会

文化への参加はいくつかの要因により決定される。モチベーション－能力－機会・モデル[25]は鍵となる影響を系統立ててまとめる有用な方法を提供してくれる。消費者のアートへの参加の潜在的な障壁を特定することにより、このモデルはマーケターが効果的なオーディエンス開発と維持戦略を設計するのに役立つ。

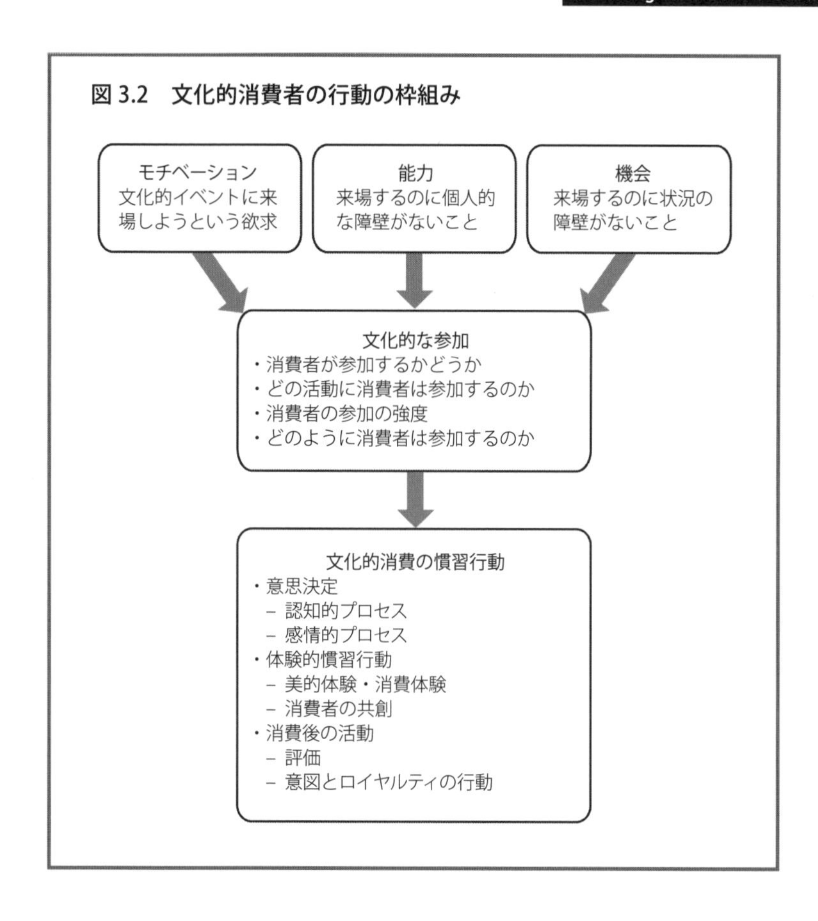

図 3.2　文化的消費者の行動の枠組み

参加へのモチベーション

モチベーションとは文化的なイベントに消費者が出席しようという欲求のことを言う。文化的な活動に関係しようという欲求と傾向は、多くの場合はその人の「ハビトゥス」と関連している。この概念は社会学者のピエール・ブルデュー Pierre Bourdieu により紹介された[26]。ブルデューは、人々の家族のバックグラウンドがある特定の分量の経済資本（金銭、富、ほか）、社会関係資本（ネットワークやつながり）、文化資本（特有の嗜好、スキル、知識）を与えると考えた。これらの資源は社会的には希少であり、すべての社会的ヒエラルキーにわたって不均衡に分配される。ある人の資本資源の構成は、彼あるいは彼女の「ハビトゥス」を生み出す。ハビトゥスとは、その後に文化的慣習行動にインパクトを与える傾向、気質、志向のセットのことである。

資本資源は社会経済的な変数と相関があり、それらの変数はマーケターがターゲットとなる顧客を特定し、これらの変数の予想される変化に基づいて需要の予測をすることを可能にする。例えば、演劇やポピュラー音楽の公演に来場したり、史跡を訪問したり、公共のギャラリーや美術館に行ったりするような、カナダ人の様々な文化的活動への参加は、年齢、ジェンダー、学歴、職業、それに加え、世帯収入、両親の学校教育、婚姻上のパートナーの教育にも関連していることを、カナダ統計局の報告書[27]は示している。ここから、カナダの女性は男性よりも、劇場に時折行くかあるいは頻繁に行く人になる可能性が高いのである。劇場への来場は学歴や両親・配偶者の学校教育、加えて収入レベルや職業ともポジティブに関連している。

私たちは文化的消費を形作る特定の動機について考察することにより、消費者のモチベーションに対するより深い理解を得ることができる。これらの動機は、求められるゴールともベネフィット［便益］とも言われることがあるが、人を刺激して行動するよう仕向ける方向性と強度がある。消費者の文化的慣習行動の根底にあるのは、鍵となる5つの動機である[28]。

・**充実の動機**：個人は文化的あるいは知的な充実を得るために文化的製品を消費するかもしれない。充実の動機は、アートについてもっと学んで知りたい、知識を広げたい、知的好奇心を満足させたい、教育を受ける体験を持ちたいという欲求を示すものである。例えば、消費者に充実の動機が生じるのは、更なる教育のために歴史博物館を訪れて過去を学ぶときである。

・**快楽動機**：充実の動機が主として認知的であるのに対し、快楽動機は性質においては情動的であり、いくつもの感覚が関与する刺激に対する欲求を引き起こす。エンタテインメントの映画を見る単純な楽しみから、アートの作品の美的価値によって引き起こされる感動や超越性といった複雑な情動に至るまで、消費者はしばしば文化的製品がもたらす楽しみのためにそれらを求める。しかし、快楽動機を追及する際に、消費者は楽しい体験だけに惹き付けられるのではない。消費者はネガティブな情動を引き起こす美的製品を消費するということをときには選択する。例えば、アート作品が悲しみという不安のような苦しみに満ちた情動を起こす暴力を描くときに、こういうことは起こる。

- **レクリエーションの動機**：文化への参加は、日々のルーティンから気晴らししたいという欲求によってときどき駆り立てられる。レクリエーションの動機は、消費者が単に楽しみたいとき、あるいは文化的な体験に没入することで現実から逃れたり日常のトラブルから逃れたりしたいときにあらわれる。ある研究[29]は、博物館を訪れる年配の消費者が軽い気晴らしかあるいは逃避として、どのようにノスタルジア――過去へのほろにがい切望――を体験するかを示している。きちんとした社会グループに属していて、現在の人生の状況が快適で権限も持っている年配の来館者は、博物館の来館におけるノスタルジアを一時的で愉快な情動として体験する。他方、疎外されていて、人生の状況が制御できないものと感じる年配の消費者はノスタルジアの中に、ネガティブな情動をなんとかするような一時的な逃避の形をした避難場所を求める。
- **規範的動機**：規範的動機は、他と交わって関係しようという欲求に加え、社会の期待に応じ社会的な承認を得ようとする消費者のニーズに対応する。文化的製品は象徴的な意味が豊かであるので、人間関係の絆を強め、他と気持ちを共有する機会を提供することで、社会的な相互作用へのほかにない舞台を与えてくれる。例えば、博物館を訪れる消費者がしばしば仲間との社会的な結びつきを作り維持する手段としてこの機会を使おうとすることに、研究者たちは注目している[30]。
- **区別［卓越化］の動機**：規範的動機が消費者の他との親密さへの欲求を反映しているのに対し、区別［卓越化］の動機は、自分を他から象徴的な意味で距離をおくことへの願望、社会的地位を表示する願望、自己同一性を強く持つ願望、自分が唯一の存在であることあるいは自分の優位性さえも確立したいという願望に関係している。例えば、博物館への来館はステータス・シンボルであるという性格があり、多くの来館者にとって博物館に「行ったことがあること」は「そこにいること」による楽しみよりモチベーションがより大きいということが、観察により見いだされている[31]。

いくつかの消費への動機は、同時に起こる場合があることには注意した方がよいだろう。このことは、博物館への来場における「エデュテインメント［教育的エンタテインメント］」へのトレンドで例証されている。エデュテインメントによって消費者は、教育的（充実の動機）でもあり同時に娯楽的（レクリエーションの動機）でもある体験を求める[32]。更に言えば、動機は絶えず変化し、消費者は異なった時には異なった動機の束 bundles of motivesを持っている。

文化的製品を消費することへの最も有力な動機は、その人の文化資本のレベルと関連している。高いレベルの文化資本を有する消費者は、知性偏重（充実）、個人主義、真正性（卓越化）を求める傾向があるのに対し、より低いレベルの文化資本を有する消費者は、気晴らし（レクリエーション）、コミュナリズム、模倣（規範的動機）への欲求によってより動機づけられやすい[33]。

動機は行動を駆り立て、消費者の決定プロセスのすべての段階に影響を与えるので、マーケターは根底にある動機を注意深く分析しなければならない。例えば、アート作品を頻繁に買う人とたまに買う人とでは、違うゴールを求めている。そのことは、どのように動機が文化的消費の強度に影響を与えるかを明らかにする[34]。このように動機は、意味のある文化的製品のためのセグメンテーションの変数の構成要素となる。フランスのコンテンポラリー・アート・センターのコンテクストにおいては、求められている体験のタイプに基づいて、3つのセグメントが特定されている[35]。1つ目のグループは、快楽主義者と名付けられているが、専門知識はあまりなく、双方向の展示を好み、自分の基準に照らし合わせエンタテインメントの価値に基づいての自分たちの体験を評価する（レクリエーションの動機）。2つ目のグループではそれとは対照的に、積極的に行動する消費者が、文化的な領域を具現化し、社会的な葛藤を表現し批判するような展示を期待する（規範的動機）。最後に3つ目のグループでは、知識人がアート作品の美を評価するために、認知に重点を置くことで、展示を理解し解釈しようとする（充実の動機）。

動機は異なる経路を通って満たされることもありえるわけであり、消費者はニーズを最も満足させてくれそうだと自分が知覚する活動に関わろうとすることにも、マーケターは留意する必要がある。文化組織は、消費者の動機に訴える体験を設計し伝達することで、消費者を惹き付ける機会を持っている。

参加する能力

能力abilityという概念は、認知的スキル、社会的、時間的、金銭的な制約も含め、文化的活動へ参加する個人の障壁がないことを言う。

消費者の認知的スキルとは、アートに参加するための能力への最初の潜在的な障壁のことを表す。ある範囲のアート・フォームを鑑賞するのには、あるレベルの知識、スキル、熟達を必要とする。このことは特にハイ・アートの場合には真実であって、社会的課題について消費者に異なる考え方をさせるように誘う挑戦的な音楽や絵画作品を理解するためには、知的なコンピテンシーが必要とされる。アート教育は、これらのスキルを開発し、知的で表現力に富んだ質の高いアートを鑑賞する能力を個人に与える手助けになるのである。

アートに参加する能力を妨げる可能性があるもうひとつの要因は、人の社会的なネットワークと関係する。文化の受容は社会的なつながり——すなわち家族や友人——により形作られ、社会的なネットワークが少ない消費者は、あまり参加しそうにないかあるいは参加するにしても頻繁ではないことが研究からわかっている[36]。確かに、文化イベントの選択と経験は、仲間からしばしば影響を受けることがある。例えば、クラシック音楽のコンサートに来場しようという意思決定について分析するとき、研究者は「イニシエーター」となる消費者と、「レスポンダー」となる消費者の区別をする[37]。イニシエーターは友人のために文化イベントへの外出を計画するのが好きな消費者である。イニシエーターは、典型的な例では、そのアート・フォームへ高いレベルの関与を持ち、関連するイベントの情報を積極的に調べる。他方、レスポンダーは、もし友人に誘われるなら、文化イベントに来場する可能性がより高くなる人である。レスポンダーは通常はそのアート・フォームに対しポジティブな姿勢を示すが、自分では購買行動に至るまで関心を変えようとはしそうにない。レスポンダーは、コンサートに来場する人たちの半分以上になるかもしれず、このことは文化への参加に関する仲間の影響の重要性を説明するものである。

社会的ネットワークもまた準拠集団として機能を果たす。それはすなわち、消費者が属しまたは属することを望む集団のことである。準拠集団は、典型的な例では、どの行動が受容されるもので望ましいかということに対する規範を維持し、また、メンバーはこれらの規範に従う圧力をしばしば感じる。若い消費者間の社会的な相互作用における音楽消費の研究[38]があり、その研究は、グループ内で消費される音楽の選択が、準拠集団内で象徴的な意味を受容されると知覚するかどうかによって強く影響される、ということを示している。消費者は、音楽がそのグループにより受容されないと考えるとき、自分が楽しんでいて自分自身のアイデンティティと一致していると感じる音楽を演奏するのをやめると報告している。

最後に、人がアートに参加する能力は、時間がないことやあるいは金銭的な制約により妨げられることがある。

参加する機会

参加する機会は、文化的活動に深く関わろうとする[エンゲージメント]際に状況の障壁がない状態と定義される。状況の障壁は、文化的消費の供給側に関係している[39]。すなわち、文化的なインフラストラクチャーの利用しやすさや、提供されるものへのアクセスのしやすさ(近さ、駐車場等)のことである。デジタル革命は、この点に関して、潜在的であったものを民主化したことになる。デジタル・フォーマットに変わったアート作品がいつでもどこでもオンラインでアクセスできるようになったからである[40]。

状況の障壁には芸術的な提供物への認知がないことも含まれる。これは、組織のコミュニケーション戦略を通して、直接的に修正することができるものである。

文化への参加について理解し影響を及ぼすためには、モチベーション、能力、機会に関係する要因を分析することが必要となる。そうではあるが、これらの要因が重要性と順応性の点で様々に異なることは注目に値することである。特に文化資本は、文化的活動に関係しようとする人のモチベーションを形成する際に中心的な役割を果たし、しばしばアートへの参加に影響を与える支配的な要因となっている。文化組織は消費者の参加しようする能力(例:魅力的な価格設定、柔軟な時間)や機会(例:物理的なアクセスのしやすさ、効果的なコミュニケーション)を高めるための戦略を開発することができるけれども、これらの努力は、文化的製品への関心を高めるのに必要とされる文化資本を持っていない消費者を惹き付けそうにはない[41]。

3.4.2 文化への参加

この節では、様々なタイプの文化的活動に誰がどのように参加するかを考察し、加えてこれらの行動の根底にあるダイナミクスを考察することで、市場レベルでの文化的消費のパターンについて議論していくことにする。この分析は、文化組織のマーケターがセグメンテーション活動のための基礎とするのに加え、文化の領域における社会的な不平等に取り組みたいと願っている政策立案者にとっても価値があるものである。

私たちの議論は社会学のリサーチの知見を参考にする。社会学では、人の社会的な地位と、それに関係する資本資源が、文化的慣習行動にどのように影響を与えるかを探求してきている。文化的製品を消費することは、社会階級の違いを表示し、維持し、いちだんと強めるための方法であるということをこういったリサーチは明らかにした[42]。もっと細かく言うならば、階級に関係する要因が消費の慣習行動への原動力となり、代わって消費の慣習行動がステータスを象徴化し、社会的なヒエラルキーの区分を強化すると主張したのである。文化的な階層は、主として消費される文化的製品のタイプ――すなわち芸術的な製品対エンタテインメントの製品――の観点から明らかにされてきた。社会的なヒエラルキーと文化的な消費の間の関係性を説明するために提案されてきた3つのパターンは、区別［卓越化］、消失、オムニボアである。

第1の消費のパターン、区別［卓越化］の効果[43]は、より高い社会階級を構成する人が高い文化資本の贈与を受け継ぎ、そのことが挑戦的で知識人向けのハイブラウなアートを鑑賞し楽しむ素因を作ると主張する。このように、区別［卓越化］の効果は、高い社会階級を構成する人がクラシック音楽やオペラのようなハイブラウな製品を選好するのに対し、低い方の社会階級を構成する人はポピュラー音楽や映画のようなエンタテインメント製品を好むと予測している。

消失効果は逆に、芸術的な製品とエンタテインメントの製品の違いがなくなっていき、異なる社会的ホライズン［広がり］の消費者の間でだんだん類似した選好に移行していくと予測する。境界線が不鮮明になるのは、文化が（過度に）商業化する帰結として、芸術的な製品よりもエンタテインメント製品の通俗的な人気がずっと増していくことと関係している[44]。ジョン・シーブルックJohn Seabrookは『ノーブラウNobrow』[45]という本の中で説得力のある消失効果の実例を示し、

「マーケティングの文化」が今や「文化のマーケティング」に浸透していっており、その結果、社会階級の区別が「魅力と人気のヒエラルキー」に取って代わられているという議論をしている。

最後に、オムニボア［雑食］効果とは、より高い社会階級を構成する人は範囲のより広い文化的活動――つまりアートとエンタテインメントの両方――に高いレベルでの文化への参加によって特徴づけられ、対して、低い方の社会階級を構成する人はポピュラー文化の製品への「オムニボア」消費を見せるということを示すものである[46]。ここでは、文化的製品の消費はなお社会的ヒエラルキーを映し出しているが、差異は、アート－エンタテインメント連続体に厳密に沿うのではなく、消費される文化的製品の量と多様性の点において表される。

区別［卓越化］、消失、オムニボア効果は相互に両立しないのではなく、消費者行動の補完的な説明を与えてくれるのかもしれない[47]。これはスペインのパフォーミング・アーツの市場についての研究で例証されている。その研究では、文化的製品をほとんど消費しない人、主にエンタテインメントあるいは芸術的な製品を消費する他の人、多種多様な文化的製品を消費する人といった3タイプの消費者を類別している[48]。

ごく最近になって研究者たちは、アーティスティック［芸術的］対エンタテインメントの類型に沿って消費される文化的製品のタイプに焦点を当てることが文化的消費の社会的な区別を理解するのに十分ではないと提起している。代わりに、社会的な階層は異なる消費のモード［遂行様式］につながるということが提案されている[49]。言い換えると、人の資本資源は、一定のやり方で適切な文化的製品を受け入れやすくする。例えばノルウェーで行われた研究[50]は、知的、贅沢、教育的、実用的といった階級の系列に沿って構造化された4つのモードの消費に類別している。知的なモードの消費者と贅沢なモードの消費者は両方とも高いレベルの資本を受け継いでいて、ときどきは同じ文化的製品を消費する一方で、この2種類の消費者は違ったやり方をする。知的なモードの消費者は、特に多くの量の文化資本を有しており、アートの固有の価値を理解している。そういう消費者は挑戦的な芸術的体験を求めており、アートに対し高度に内省的で批判的なアプローチをとる。贅沢なモードの消費者は、高い経済資本を受け継いでおり、アートそのものを超えた、芸術的な体験の社会的側面を価値あるものと考える。それらの消費者は、愉しませてリラックスさせるような文化的な体験を求める。これらのプロファイルは文化のマーケターにとっては、潜在的なオーディエンスを特定し、そのオーディエンスを惹き付けるための適切なオファーを立案する際に意味を持つ。

3.4.3 消費者の活動

文化への参加に向かわせる要因とアートへの社会的な関わりのパターンについてはすでに考察したので、関心を文化的慣習行動の性質の考察に向けることとする。それはすなわち、消費者は何をし、どのようにそれをするのか、ということである。時間と共に展開する3つのタイプの活動を区別することは有用である。3つのタイプの活動とは、消費に先立つ意思決定活動、消費体験への参加、消費後の評価とロイヤルティ行動である。

意思決定

どのように消費者は、土曜の晩にホッケーの試合ではなくて演劇に行こうと決定するのか。提供されている様々な選択肢の中から、その消費者はどのように特定の演劇を選ぶのか。消費者が採用する意思決定戦略は、その状況における志向と同じく、関与と知覚リスクのレベルによる。すなわち、情動（感じること）についての認知（考えること）が優位を占めるか否かである。

関与と知覚リスク

消費者にとっての対象物や活動との個人的な関わり合いや重要性のことを「関与」と呼ぶ。関与は、文化的消費を理解する際の中心的な概念である。高関与の状態にある消費者は大きなモチベーションを示し、意思決定プロセスにより大きな労力を使う。その一方で、低関与の状態にある消費者は意思決定の活動を単純化しようとするだろう[51]。

私たちは、永続的関与と状況関与という2つのタイプの関与を区別して考えることにする[52]。永続的関与（あるいは製品関与）は、製品の種類への長期にわたる内発的な関心のことを言う。永続的関与は、経験からくる象徴的な意味に基づいて、その製品の種類への消費者のコミットメントと愛着を反映するものである。

ある消費者がオペラにはまっている場面を想定してみよう。彼の名前はリチャードということにする。彼が子どものころ、母親はお気に入りのアリアのレコードをいつもかけていて、そのころからオペラに興味を抱くようになった。後になってその作曲家の作品が自分にとって特別の意味があるのを悟ったとき、オペラへの情熱は大きくなっていった。リチャードは地元でも旅行のときでも定期的にオペラに通っている。彼はオペラ専門の雑誌を読み、何人かのオペラの知識のある友人といろいろなプロダクションについて議論して楽しんでいる。明らかにリチャードはオペラに対し永続的関与を示しており、この文化的な実践は彼の人生で重要な役割を果たしている[53]。

逆に、状況関与（あるいは購買関与）は、その購買に関しておこりうる結果についての懸念に基づく購買時の一時的な関心である。状況関与は、しばしば高い知覚リスクがある購買のときにおこる。この特定の文脈において、消費者は、「間違った」決定を回避するために、意思決定により大きな労力を使うのを厭わない。文化的製品の購買に関係する知覚リスクは、機能的、経済的、心理的、社会的の４つの形をとる。

機能的リスクとは、製品が消費者の期待に沿わない可能性のことを言う。ライブ・パフォーマンスのような多くの文化的製品が無形であり、それゆえ購入より前に試したり調べたりすることはできない。このことは、実際に製品を消費する前に、消費者が製品の品質を評価することをより困難にしており、知覚される機能的リスクがより高くなる。機能的リスクを最小化するために、消費者は意思決定に役立てるよう品質の手掛かりを探すことがある。例えば、映画を観に行くことに関連して機能的リスクを減らしたい消費者は、信頼する評論家のレビューを読んだり、有名なスターが出演する映画を選んだりするかもしれない[54]。文化組織は、消費体験の前に、製品の一部を個人に消費できるようにするサンプルのような品質の手掛かりを提供することにより、機能的リスクを軽減することができる。これは例えば、ミュージカルのプロダクションのオープニングに先立って、キャストのアルバムを発行することなども含まれる[55]。

経済的リスクは、製品自体の価格だけでなく、それを消費する際におこる費用も含んだ、文化的活動に参加するために消費者が求められる金銭的な犠牲と関係する。経済的リスクは、消費者の資源のレベルによって弱められる。このことは、なぜ文化への参加が世帯収入とともに増加する傾向にあるかを部分的に説明する。消費者は人生の一定の時期に時間があるので、年齢も文化的活動への参加のレベルに影響を与える[56]。

文化的製品あるいは美的製品は、社会的なつながりや区別［卓越化］が表現され強化される手段を含むので、象徴的な意味が豊かである。この象徴的な次元が、知覚される心理的リスクと社会的リスクを生じさせる。心理的リスクは、製品の購買あるいは消費が、消費者の望むイメージと一致しないという可能性に関係している。逆に社会的リスクは、他の人が消費者を知覚するときの、製品の購買や消費についての潜在的な負の効果と関わっている。スーザンという名前の消費者が、バロック音楽を年配で保守的な人々と関連づけていると想定してみよう。彼女は、自分自身若くてモダンなイメージを持っていると思っているが、バロック音楽のコンサートに行くことが、そのイメージと一致せず（心理的リスク）、他の人に伝えたいと思っているイメージとも一致しない（社会的リスク）ことを心配するかもしれない。

高関与の認知プロセス

意思決定のひとつのモデルは、消費者のことを、問題解決に携わり、態度に基づく消費の選択に達する合理的な情報処理者と解釈するものである。態度は、モノに対する人の信念、気持ち、反応を反映する永続的でグローバルな評価の判断である。この態度は、文化的製品のカテゴリー（例：コンテンポラリー・ダンス）や、文化的製品の構成要素（例：コリオグラフィー、音楽）や、特定の文化組織と人などに関係する可能性がある。

ある消費者が、高関与で経験が限定されているという特徴を持つ決定の状況に自分がいることに気づくとき、認知モデルによる予測では、その消費者は広範な問題解決に関わると予測する。このときは、消費する動機を満足させる他の代わりとなる製品を特定し、評価基準を定めるために、情報を探索するということが必要となる。

コンテンポラリー・ダンスに関して限られた経験しかなく、友人から誘われたときに2～3回だけ公演に行ったことのある消費者ゲーリーの場合を考えてみよう。ゲーリーはこのアート・フォームについてもっとわかりたいと思っており、次期シーズンに定期会員券を購入することを考えている。学びと快楽的なゴールを達成することはゲーリーにとって重要であるし、定期会員券の費用は少額ではないので、これはゲーリーにとっては高関与の状況を意味している。同じ市内で様々な組織から異なる定期会員のパッケージも提供されているので、ゲーリーはこれらの選択肢を評価する際にどの基準（例：コリオグラファーの評判、プログラムの質、価格）を用いるべきか確かめなければならない。これらの基準を用いつつ、選択肢の評価に基づいて、ゲーリーはそれぞれに対する態度を形成し、彼の選好に最もよく合う1つを選択することができる。

時間と共に消費者は、一定のタイプの決定の状況で経験を得て、前に述べたような広範的問題解決はもはや必要ではなくなる。これらの例では、消費者は、未来の選択を手引きするために、これまでの経験を通じて形作った態度に頼ることがある。

高関与の感情的なプロセス

前述の認知プロセスは、いくつかの決定の状況ではあてはまるけれども、高い関与をしている消費者が、単にそれが好きだという理由で、情動に基づいて何かを買うときがある。このような状況では、消費者は、広範的問題解決を通じて形成された態度に頼るというより、モノへの全体的な感情的反応に基づいて意思決定をする。

感情的なプロセスは、アート、エンタテインメント、余暇製品のような、強い快楽的な価値を有する製品を含む決定において特に強く現れる[57]。バーバラが、地域のアーティストによる作品展をあちこちまわって、自分の関心を即座に捕らえる絵画を見ているときのことを想像してみよう。彼女はこの1枚のアートに引き付けられるように感じ、それが彼女に語りかけているようにも感じている。バーバラは自分のリビングルームにその絵がかかっているのを見ることができるし、毎日それを体感する楽しみを想像できる。バーバラは自分の欲しいモノを買うことを決める。この場合には、この消費者は様々な評価基準を使って、異なる製品の属性の性能を評価しているわけではない。彼女の購買は、認知に基づく細かい評価により情報を与えられているわけではなくて、感情的で全体的な絵画への反応により情報を与えられている。文化的消費はたいていそのような感情的なプロセスにより動かされている。

低関与の意思決定

今まで述べてきた認知的、感情的プロセスは、高いレベルの消費者関与のことを言っている。反対に低い関与の状況では——つまり、決定が消費者にとってそれほど重要でないときや、知覚リスクが低いとき——消費者は決定に関する労力を最小化したいと願うことがある。ヒューリスティクスと衝動買いが低関与の決定の2つのよく知られた例である。

ヒューリスティクスは、消費者が意思決定を単純化するために使用する精神的な近道、あるいは経験則 rules of thumb のことである。例えば、フェリックスは、毎週火曜に映画に行く。フェリックスは、この外出を手ごろなエンタテインメントの機会であると考えており、自分の映画の選び方によってネガティブな結果がおこるとは思っていない。映画を選ぶときに、フェリックスはいつも最新の公開のものを選ぶ。単一の属性を使って決定のタスクを行うと、素早くたやすい選択ができるわけである。

衝動買いは、製品の属性の評価が後回しになってしまう購買である。衝動買いはたいして高価でない製品の場合に頻繁に観察される。シェリーがiTunesでお気に入りの歌を聴いていて、サイドバーの別の歌のGeniusのおすすめに気づいたときを想定してみよう。シェリーはその歌の曲名が気に入って、わずか0.99ドルだったので、それ以上考えずにすぐに購入ボタンをクリックして歌を買い求めた。

ヒューリスティクスと衝動買いは、文化的製品にはありふれた決定の戦略ではないということには注意しておくべきであろう。一般的には消費者は、文化的製品が自分には重要だと感じる（高関与）か、あるいは一定のレベルのリスクを示すと感じるからである。

3.4.4　消費体験

体験という概念は市場において中心的な位置を獲得している。実際に、製品とサービスはますますコモディティ化しているので、消費者に記憶に残る体験を与えることは、他の提供物との差別化をするために組織にとって魅力的な方法になる[58]。フィラットとドラキア Firat and Dholakia[59] は今日の消費者にとっての体験の重要性について以下のように説明している。

「ポスト・モダンの消費者にとって、消費は単にのめり込んだり、破壊したり、物を使う行為ではない。消費は（中心的な）経済循環の終わりというだけでもなく、体験と自己あるいは自己のイメージの生産の行為である……人生を向上させて魅力的にする方法は、人間のすべての側面を利用して、理性を通してはもちろん、情動の面から感じ取られる多数の体験を可能にすることである……人生は、消費者が熱中する多数の体験を通して、生産され、創造され、実質的に〈構築される〉ことができる……。」

この説明は、相互に関係する消費体験の3つの側面を強調する。第1に、消費体験は感情と認知に訴えることによって、人のすべての面に関係する。第2に、消費者は体験に深く入って自分の感覚すべてを覚醒することを望み、ますます体験に熱中することを求めている。第3には、消費者は体験に受け身であるわけではなく、体験を構築することに活動的で創造的で生産的な役割を演ずる。

美的体験と消費体験

文化的製品のマーケターにとって、美的体験と消費体験を区別するのは有用である。美的体験はアート作品の鑑賞に関心を向け、消費者と芸術的製品の相互作用に由来するものである。この鑑賞というのは、認知的で感情的な側面を持っている[60]。美的体験は本質的に主観的であり、感情的であり、自己目的的である。すなわち、内発的に自己完結するものとして動機づけられるものである[61]。美的体験は根本的に、私たちのアートの知覚の仕方――そのアートについて私たちがどのように考え感じるか――に身体が影響を与える点において具体化されるものである[62]。

逆に、消費体験は美的体験を取り巻く広い範囲の活動を含むものである。消費体験には4つの構成要素がある[63]。

- 〈予想体験〉は、前の節で説明した意思決定活動、および製品の消費の空想、想像、予想も含む。
- 〈購買体験〉は、製品の獲得と支払いにまつわる取引のことをいう。
- 〈中核となる消費体験〉は、美的体験、および周辺サービスや状況の要因（例：相互作用、物理的環境、施設）の体験も含む。

・〈記憶される体験〉は、消費体験の評価をすること、過去の体験を思い起こすこと、過去の体験について話したり空想をめぐらせたりすることも含まれる。

劇場の顧客とマネージャーに関する研究[64]では、以下のことを示している。消費者は、消費体験を広く眺め、到着前の活動、美的体験、周辺サービス、ショーの後の活動をも考慮に入れる。これに対してマネージャーは、中核となる（芸術的）製品に焦点があたるもっとずっと狭い視界を採用するようである。文化組織は、自分たちの消費体験の視野を顧客の視野と調整することから益するところがあるであろう。後で見るように、顧客満足とロイヤルティの行動は、関連があると考えられる体験のすべての側面によって影響される。

中核となる消費体験をもっと綿密に見ていくと、2つの要因が特に注意に値する。第1に、物理的環境は文化的製品の消費者の体験に直接のインパクトがある。例えば、コンサートの楽しみはサービス・スケープ［サービスが顧客に提供される場面］によって影響されるかもしれない。それはつまり、客席の建築の観点から見た環境、消費者のホールでの場所、座席の快適さなどである[65]。周囲の匂いも重要な役割を果たすはずである。実験による1つの研究[66]では、快適な周囲の匂いは消費者のアート作品に対する評価と記憶にポジティブな影響があるということを見いだしている。交響楽団の聴衆間の消費の共同体的な側面についての研究で説明したように、消費体験にインパクトがあるもう1つの要因は、他人の存在である[67]。非常に香りのきつい香水をつけている、あるいは音を立てるといったことのように、それらはコンサートの楽しみを減ずることになるわけだが、他人が注意を散漫にする原因となると、消費者たちは報告している。他人の存在は、ほかにない共通の時間の感覚を作り出すことにより、楽しさを増加させることもある。愛する人と一緒に行くことができないときのように、相手がいないことさえコンサートに行く人の体験の彩を変える。文化的な体験における社会的な相互作用の重要性は、博物館[68]やジャズ・コンサート[69]なども含む、他の多くのコンテクストでも観察される。マーケティング・マネージャーは一般的には美的製品自体には統制を及ぼさないけれども、望ましい物理的環境や相互作用を整える戦略を通じて、消費者の中核となる消費体験に影響を与えることがある。

消費者の体験への参加：共同生産、共同創造、プロサンプション

消費者がどのように製品、サービス、体験を生産すると同時に消費するかということに関して、研究者たちはますます多くの文書を残している。これらの慣習行動はしばしば「共同生産」、「共同創造」、「プロサンプション」と名付けられている。文化的製品の消費者は単に受動的なオブザーバーなのではなく、体験の共同創造者である。公演の際には称賛をおくり、他の人と印象を共有するなど、消費者の参加は物理的に表されるが、観察されない想像上のプロセスと情動の反応を必然的に伴うものである。実際に、文化的製品は、イメージ、音、におい、味覚、触覚への合図を通して多数の感覚を同時に使う。消費者はいくつもの感覚が関与する刺激を単に暗号化しているのではない。消費者は自分自身の中にあるイメージを生じさせるために刺激を使うのである。とりわけ、消費者は文化的製品が提供するシンボルを、自分たちの個人的な歴史や空想に関係する想像上の物語を構築するために使う。それゆえ消費者は、具体的な属性を超えた主観的な意味を文化的製品に吹き込むことによって多数の方法で解釈をする[70]。その結果として、文化的製品の意味はモノそのものに存するのではなく、消費者の心の中に創造されるのである。これが、消費者のことを「想像のアーティスト」とコリン・キャンベルColin Campbellが言う所以である[71]。

消費者による文化的な体験のアプロプリエーション［自分のものにすること］は、3つのはたらきを含むプロセスとして説明される[72]。最初のはたらきである「巣作りnesting」では、消費者は、オペラの特定のアリアとかオーケストラの特定の楽器のような、よく知っている芸術的な体験のひとつの要素を識別する。このように体験への足がかりを得て、快適と感じ始める。この巣から始まって、消費者は「探索investigating」に関わることが可能となる。これはつまり、よく知っているアーティストによる新しい歌のような、芸術的な体験において新しい要素を探すことである。このことで消費者は知識の範囲を次第に広げることができるようになる。最後に、「類別stamping」を通して、消費者は、全体的かあるいは部分的に、固有で特有の意味が芸術的体験にあると思う。アプロプリエーションを通して、消費者は自分自身とアート作品の間の知覚される距離を縮め、こうしてますます没入していくことになる。

美的体験は解釈と評価と感情的な反応とを含むゆえに、消費者はそのプロセス

で相当な情動の資源を費やさなければならない。このプロセスは、しばしば消費者が満ち足りた気持ちを生み出すために精神的なエネルギーを働かせる、熱中する体験[73]あるいはフロー体験[74]と説明される。そのような体験は真のエンゲージメントと関与を必要とする。時間や金銭のような他の資源の配分と同じように、情動の資源の配分は消費の決定に影響しそうである[75]。コンテンポラリー・ダンスを鑑賞することはロック・コンサートを楽しむことより挑戦的であり、実験的な演劇にでかけることはロマンティックなコメディーを観るよりも知的にも情動の面でも集中力を要する。したがって、与えられた時間で美的体験を解釈し、評価し、感情面でも反応するのに必要な情動面の資源を配置しようという消費者の意思は、消費する〈選択をするかしないか〉に影響があるし、消費しようと選ぶ文化的製品の〈タイプ〉にも影響がある。

消費者の共同創造は、文化組織がすべての消費者に厳密に一律の体験を提供するのではないということを暗に示している。消費者の共同創造は、消費者に意味の創造のためのシンボルとツールを提供し、消費者の想像力を刺激し、主観的な体験への手引きとなる。例えば、ネヴァダ州で毎年開催され、参加、創造的表現、アートを通しての相互作用をゴールとするバーニング・マンというアート・イベントについて考えてみよう。ある研究は次のことを明らかにしている[76]。バーニング・マンの主催者と参加者が、どのように他者への贈り物としてのアートを再概念化するかということ。(訓練されたアーティストに加えて一般の人も含めて)誰がアートを生産することができるかという概念の拡張を探求すること。(オーディエンスの関与を得た双方向で共同参加の形のアートを促進しつつ)どんな種類のアートが生産されるべきなのか再定義しようとすること。(特定の意味を与えた共有される体験を通して)どのようにアートが消費されるかを再形成しようとすること。これらのことを研究は示している。

インターネットとソーシャル・メディアの隆盛も、生産者(アーティスト)と消費者(オーディエンス)の区別を曖昧にする一因となっている[77]。Twitter小説[78]やブログ小説のような[79]、新しいアート・フォームの出現からも、このことは明らかである。これらは、読者がそのストーリーに公にコメントをし、異なるソーシャル・プラットフォームでの議論に関与するよう招待されるものである。こうして生み出される疑問、観察、討議は、著者が筋書きの進展に取り入れることを選ぶときには、文化的製品を直接的に変容させるかもしれない。それゆえ、これらの新しいアート・フォームと空間は、もともと双方向的であり関係性ということが深いものである。伝統的な芸術組織も、共同創造を刺激しエンゲージメントを高めるために、ますますソーシャル・メディアに梃子入れしつつある[80]。このコンテクストで、消費者が果たすことができる3つの役割がある。第1に、消費者は文化組織の情報あるいは体験の印象についての情報を共有することによって、伝達役あるいは促進役として行動することができる。第2に、消費者は、クラウドファンディングで自発的に行動し、文化プロジェクトあるいは組織に金銭面での寄付をすることで投資家になることができる。第3に、創造プロセスに参加することによって創造的なパートナーになることができる。例えば、こういったことは、博物館が展覧会のためのアート作品を選ぶ手助けを公衆にしてもらったり、拡散するため作品のことを投稿するよう促したりする際に起こりうる。これらの新しい慣習行動は、ジェンキンスJenkins[81]が「参加型文化」と呼ぶものの一部である。それは芸術表現に対する低い障壁と強い支援により特徴づけられ、そこではメンバーが他と結びついて、貢献をするように動機づけられるよう感じるものである。文化組織のマーケターは、参加型文化において、消費者が文化的な体験へ活発に参加しようとする新しい期待をどのようにもたらすのか、心に留めるべきであろう[82]。

3.4.5　消費後の活動

消費者は、文化的製品を消費した後、提供されたものの質、自分たちが得た価値、その経験に関する満足を査定することによって自分たちの体験を評価する。図3.3に示されるように、これらの評価は、消費者の意図と未来の行動を順に形作っていく。

消費者が〈質〉を評価するときには、中核となるサービス（芸術的製品）と、中核となるサービス体験の間に起こる周辺のサービスとの両方が届けられる際の、文化組織の業績に関する判断を形成する。次に、〈顧客価値〉とは、すべての便益の査定からくるものであり、それらの便益には知的、教育的、快楽的、社会的なものがあって、便益を得るコストに関わる交換の間に受け取られるものである。コストは、製品やサービスそのものの価格だけでなく、時間や労力のようなすべての犠牲をも含むものである。そして、〈消費者満足〉は、消費者が文化的製品へ

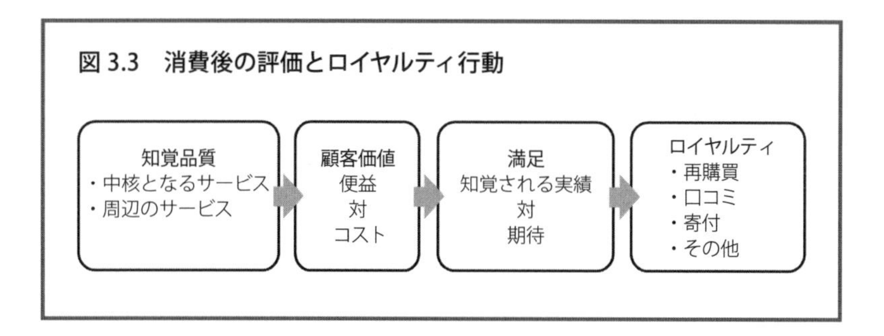

図 3.3　消費後の評価とロイヤルティ行動

の期待とその製品の実際の体験を比較するときに形成される態度である。体験が期待を満たす、あるいは超えるときに、満足がおこることが予想され、期待を満たすことに失敗したときに不満足が生じる。

感動 delight ――喜びの感情により達成された満足――の体験はたいていは公演自体に関連している、とパフォーミング・アーツの来場者に関する研究の成果は示している[83]。逆に、職員や他の来場者の行動のような対人関係の要因は不満足の主な原因となる。とはいえ、消費者が消費後の評価においてそれぞれ異なる基準を重視することは注意されるべきである。例えば、別の研究では、異なる消費の動機を持つ劇場のパトロンが満足を査定するとき、異なる製品の属性を使用することを明らかにしている。レクリエーションを求める消費者は劇場や場所といった物理的な属性を考慮に入れるのに対して、文化的な充実を求める消費者は評価の際に俳優と戯曲の重要性を強調する傾向がある[84]。

結局のところ満足は、消費者行動の意図とその組織に関係するいろいろなロイヤルティ活動の強い予告と言える。ロイヤルティは継続的なパトロネージを通して表されるが、ポジティブな口コミや時間や金銭の寄付のような他の行動も、ロイヤルティの指標として重要である。知覚品質、知覚価値、満足、ロイヤルティ行動の間の関係性は、パフォーミング・アーツ[85]、博物館[86]、映画[87]の分野で観察される。

要約

消費者分析は、マーケティング計画のプロセスには理想的で概念的な出発点である。

マズローの欲求段階説は消費者のモチベーションを理解するのに興味深い青写真を与えてくれる。マズローによれば、すべての人間はこれら根本的なニーズを共有している。人間の行動の究極のゴールはそれらを満たすことである。一般に信じられていることと違って、マーケターはニーズを創造しない。マーケターは、ニーズを満足させることができ、あるいはそのように知覚されることができる「ウォンツ」と呼ばれる消費の特定の形態を開発する。

セグメンテーションは、すべての人がすべてのアート作品に等しくひき付けられるわけではないということを認識することから始まる。セグメンテーションは、同様の嗜好、選好またはニーズを共有し、それと共に、市場の他の部分から区別されて独自のマーケティング戦略を必要とするサブグループを形成する消費者のグループ（マーケット・セグメントと呼ばれる）を特定するプロセスである。ディスクリプターは本質的にセグメントを特徴づける変数のことである。

消費者行動を理解することは、文化的活動に関する消費者のお金の遣い方、来場の仕方、参加の仕方を予測して影響を与えることをマーケターに可能にする。この情報は、組織のターゲット・マーケット［標的市場］の特定化、市場への提供物のポジショニング、そのマーケティング・ミックスの開発への手引きとなる。これらについては第6章で学ぶことになる。

問題

1. マズローによれば、人間のニーズの種々のカテゴリーとはどういうものか。
2. ニーズとウォンツの違いは何か。
3. セグメンテーションの主な機能は何か。
4. 団体にとって市場構造をきちんと分析しないとどういう結果になるか。
5. セグメントを定義するのに必要とされる条件はどのようなものか。
6. マーケット・セグメンテーションの基本的な決定要因は何か。
7. マーケティングにおいて、社会人口統計学的なディスクリプターを使用することの限界は何か。
8. マーケット・セグメントを説明するとき、なぜ複数のディスクリプターを混合して使用することがしばしば好ましいのか。
9. 文化的消費において、社会的なネットワークがどのように消費者行動に影響を与えるのか。
10. 消費者の関与とはどのようなものであり、なぜ消費者行動を理解する際に中心的な概念であるのか。
11. 態度とはどのようなものであり、意思決定の際にどのような役割を果たすのか。
12. 消費者満足とは何か。どのように消費者は文化的体験に関する満足を評価するのか。

注

1. [1] Andreasen, A.R., and R.W. Belk. 1980. "Predictors of Attendance at the Performing Arts." *Journal of Consumer Research* 7, 112–220. [2] Christin, A. 2012. "Gender and Highbrow Cultural Participation in the United States." *Poetics* 40, 423–443. [3] Daenekindt, S., and H. Roose. 2017. "Ways of Preferring: Distinction Through the 'What' and the 'How' of Cultural Consumption." *Journal of Consumer Culture* 17(1), 25–45.
2. Peterson, R.A., and R.M. Kern. 1996. "Changing HighBrow Taste: From Snob to Omnivore." *American Sociological Review* 61, 900–907.
3. [1] Gainer, B. 1993. "The Importance of Gender to Arts Marketing." *Journal of Arts Management, Law and Society* 23(3), 253–260. [2] Gainer, B. 1997. "Marketing Arts Education: Parental Attitudes towards Arts Education for Children." *Journal of Arts Management, Law and Society* 26(4), 253–268.
4. Colbert, F., and A. Courchesne. 2012. "Critical Issues in the Marketing of Cultural Goods: The Decisive Influence of Cultural Transmission." *City, Culture and Society* 3(4), 275–280.
5. Charland-Lallier, M., and F. Colbert. 2017. "Factors Influencing the Choice of a Career Path in the Arts." *American Journal of Arts Management* [online Journal], January.
6. Willekens, M., and J. Lievens. 2014. "Family (and) Culture: The Effect of Cultural Capital within the Family on the Cultural Participation of Adolescents." *Poetics* 42, 98–113.
7. [1] Notten, N., B. Lancee, H.G. van de Werfhorst, and H.B.G. Ganzeboom. 2015. "Educational Stratification in Cultural Participation: Cognitive Competence or Status Motivation?" *Journal of Cultural Economics* 39, 177–203. [2] Willekens, M., and J. Lievens. 2016. "Who Participates and How Much? Explaining Non-attendance and the Frequency of Attending Arts and Heritage Activities." *Poetics* 56, 50–63. [3] Schmutz, V., E. Stearns, and E.J. Glennie. 2016. "Cultural Capital Formation in Adolescence: High Schools and the Gender Gap in Arts Activity Participation." *Poetics* 57, 27–39.
8. Maslow, A.H. 1943. "A Theory of Human Motivation." *Psychological Review* 50(4), 370–396.
9. Kremer, William Kremer; Hammond, Claudia(31 August 2013). "*Abraham Maslow and the pyramid that beguiled business*". BBC news magazine. Retrieved July 6, 2017
10. Kremer, W., and C. Hammond. 2013. "*Abraham Maslow and the Pyramid That Beguiled Business.*" *BBC News*, September 1.
11. Maslow, "*A Theory of Human Motivation*," op. cit.
12. Maslow, A. 1954. *Motivation and Personality.* New York: Harper. ［= A.H. マズロー『人間性の心理学 ―― モチベーションとパーソナリティ（改訂新版）』（小口忠彦訳）、産業能率大学出版部、1987年］
13. Ibid.
14. Kremer and Hammond, op. cit.
15. Cantrell, S. 2003. "Dallas Symphony Raises Its Marketing Volume." *Dallas Morning News*, November 10.
16. https://www.ama.org/resources/pages/dictionary.aspx?dLetter=M#market+segmentation
17. http://namp.americansforthearts.org/sites/default/files/documents/practical-lessons/lesson_3.pdf
18. Kremer and Hammond, op. cit.
19. Churchill, G.A., and C. Surprenant. 1982. "An Investigation into the Determinants of Consumer Satisfaction." *Journal of Marketing Research* 19, 491–504.
20. Novo, J. 2004. *Drilling Down: Turning Customer Data into Profit.* Book Locker, p. 65.
21. Churchill and Surprenant, op. cit.

22. 情報処理パースペクティブの原理の議論については、以下を参照のこと。Bettman, J.R. 1979. *An Information Processing Theory of Consumer Choice*. Reading, MA: Addison-Wesley.
23. 体験的パースペクティブの概要と情報処理理論との比較については、以下を参照のこと。Holbrook, M.B., and E.C. Hirschman. 1982. “The Experiential Aspects of Consumption: Consumer Fantasies, Feelings, and Fun.” *Journal of Consumer Research* 9, 132–140.
24. Bourdieu, P. 1984. *Distinction: A Social Critique of the Judgment of Taste*. Cambridge, MA: Harvard University Press.［日本では、“La Distinction, Editions de Minuit”（1979）の翻訳が出版されている。＝ピエール・ブルデュー『ディスタンクシオン <1・2>：社会的判断力批判』（石井洋二郎訳）、藤原書店、1990年］
25. モデルの詳細な説明については、以下を参照のこと。Wiggins, J. 2004. “Motivation, Ability and Opportunity to Participate: A Reconceptualization of the RAND Model of Audience Development.” *International Journal of Arts Management* 7(1), 22–33.
26. Bourdieu, op. cit.
27. Ewoudou, J. 2008. *Understanding Culture Consumption in Canada*. Ottawa: Statistics Canada.
28. Adapted from [1] Caldwell, M. 2001. “Applying General Living Systems Theory to Learn Consumers’ Sense Making in Attending Performing Arts.” *Psychology and Marketing* 18(5), 497–511. [2] Swanson, S.R., J.C. Davis, and Y. Zhao. 2008. “Art for Art’s Sake? An Examination of Motives for Arts Performance Attendance.” *Nonprofit and Voluntary Sector Quarterly* 37(2), 300–323. [3] Zolfagharian, M.A., and A. Cortes. 2011. “Motives for Purchasing Artwork, Collectibles and Antiques.” *Journal of Business and Economics Research* 9(4), 27–42.
29. Goulding, C. 1999. “Heritage, Nostalgia, and the ‘Grey’ Consumer.” *Journal of Marketing Practice* 5 (6/7/8), 177–199.
30. Mencarelli, R., S. Marteaux, and M. Pulh. 2010. “Museums, Consumers, and On-Site Experiences.” *Marketing Intelligence and Planning* 28(3), 330–348.
31. Kelly, R.F. 1985. “Museums as Status Symbols: Obtaining a State of Having Been There.” In D.R. Belk (Ed.), *Advances in Non-profit Marketing. Greenwich,* CT: JAO Press.
32. Mencarelli, Marteaux, and Pulh, op. cit.
33. Caldwell, M., & A.G. Woodside. 2003. “The Role of Cultural Capital in Performing Arts Patronage.” *International Journal of Arts Management* 5(3), 34–50.
34. Zolfagharian and Cortes, op. cit.
35. Aurier, P., and J. Passebois. 2002. “Comprendre les expériences de consommation pour mieux gérer la relation client.” *Décisions Marketing* 28, 43–52.
36. See [1] Kemp, E., and S.M. Poole. 2016. “Arts Audiences: Establishing a Gateway to Audience Development and Engagement.” *International Journal of Arts Management* 16(1), 35–48. [2] Willekens, M., and J. Lievens. 2016. “Who Participates and How Much? Explaining Non-attendance and the Frequency of Attending Arts and Heritage Activities.” *Poetics* 56, 50–63.
37. Brown, A. 2004. *Initiators and Responders: Leveraging Social Context to Build Audiences*. Knight Foundation Issues Brief Series 5. Miami: Knight Foundation.
38. Larsen, G., R. Lawson, and S. Todd. 2009. “The Consumption of Music as Self-Representation in Social Interaction.” *Australasian Marketing Journal* 17(1), 16 –26.
39. Rössel, J., and S. Weingartner. 2016. “Opportunities for Cultural Consumption: How Is Cultural Participation in Switzerland Shaped by Regional Cultural Infrastructure?” *Rationality and Society* 28 (4), 363–385.
40. 文化的参加へのデジタル技術の効果の批判的な議論については、以下を参照のこと。Enhuber, M.

2015. “Art, Space, and Technology: How the Digitisation and Digitalisation of Art Space Affect the Consumption of Art.” *Digital Creativity* 26(2), 121–137.

41. Willekens and Lievens, op. cit.
42. Bourdieu, op. cit.
43. Ibid.
44. Holbrook, M.B. 1999. “Popular Appeal versus Expert Judgment of Motion Pictures.” *Journal of Consumer Research* 26(2), 144–155.
45. Seabrook, J. 2000. *Nobrow: The Culture of Marketing and the Marketing of Culture*. New York: Knopf.
46. Peterson, R.A. 1992. “Understanding Audience Segmentation: From Elite and Mass to Omnivore and Univore.” *Poetics* 21, 243–258.
47. Holbrook, M.B., M.J. Weiss, and J. Habich. 2002. “Disentangling Effacement, Omnivore, and Distinction Effects on the Consumption of Cultural Activities: An Illustration.” *Marketing Letters* 13(4), 345–357.
48. Sintas, J.L., and E.G. Alvarez. 2005. “Four Characters on the Stage Playing Three Games: Performing Arts Consumption in Spain.” *Journal of Business Research* 58, 1446–1455.
49. 例えば、以下を参照のこと。[1] Holt, D.B. 1998. “Does Cultural Capital Structure American Consumption?” *Journal of Consumer Research* 25, 1–25. [2] Rössel, J. 2011. “Cultural Capital and the Variety of Cultural Consumption in the Opera Audience.” *Sociological Quarterly* 52, 83–103.
50. Jarness, V. 2015. “Modes of Consumption: From ‘What’ to ‘How’ in Cultural Stratification Research.” *Poetics* 53, 65–79.
51. Lange, C. 2010. “Visibility and Involvement in Effective Arts Marketing.” *Marketing Intelligence and Planning* 28(5), 650–668.
52. Hume, M., and G.S. Mort. 2008. “Understanding the Role of Involvement in Customer Repurchase in the Performing Arts.” *Journal of Nonprofit and Public Sector Marketing* 20(2), 299–328.
53. 幾人かの著者はこの種の関与に対して「エンゲージメント」という語を使用する。それらの著者はそれを個人と芸術組織の関係性の強さに関連づけている。例は以下を参照のこと。[1] Kemp and Poole, op. cit. [2] Kemp, E. 2015. “Engaging Consumers in Esthetic Offerings: Conceptualizing and Developing a Measure for Arts Engagement.” *International Journal of Nonprofit and Voluntary Sector Marketing* 20, 137–148.
54. Suarez-Vazquez, A. 2011. “Critic Power or Star Power? The Influence of Hallmarks of Quality of Motion Pictures: An Experimental Approach.” *Journal of Cultural Economics* 35, 119–135.
55. Legoux, R., and Y. St-James. 2010. “A Taste of What’s to Come: The Appetitive Value of Sequential Product Launches.” *International Journal of Arts Management* 13(1), 4–11.
56. Ewoudou, J. 2008. Understanding Culture Consumption in Canada. Ottawa: *Statistics Canada*.
57. Holbrook and Hirschman, op. cit.
58. Pine, B.J., and J.H. Gilmore. 1999. *The Experience Economy*. Boston: HBS Press. ［＝B・J・パインII、J・H・ギルモア『[新訳] 経験経済』(岡本慶一ほか訳)、ダイヤモンド社、2005年］
59. Firat, F.A., and N. Dholakia. 1998. *Consuming People: From Political Economy to Theaters of Consumption*. London: Sage, p. 96.
60. Charters, S. 2006. “Aesthetics Products and Aesthetics Consumption: A Review.” *Consumption, Markets and Culture* 9(3), 235–255.
61. 美的体験の議論については、以下を参照のこと。Lagier, J. 2010. “L’expérience esthétique.” In I. Assassi, D. Bourgeon-Renault, and M. Filser (eds.), *Recherches en marketing des activités culturelles*

(pp. 159–177). Paris: Vuibert.

62. Joy, A., and J.F. Sherry Jr. 2003. "Speaking of Art as Embodied Imagination: A Multisensory Approach to Understanding Aesthetic Experience." *Journal of Consumer Research* 30, 259–282.
63. Arnould, E., L. Price, and G. Zinkhan. 2002. Consumers. New York: McGraw-Hill.
64. Hume, M., G.S. Mort, P.W. Liesch, and H. Winzar. 2006. "Understanding Service Experience in Non-profit Performing Arts: Implications for Operations and Service Management." *Journal of Operations Management* 24, 304–324.
65. Carù, A., and B. Cova. 2005. "The Impact of Service Elements on the Artistic Experience: The Case of Classical Music Concerts." *International Journal of Arts Management* 7(2), 39–54.
66. Cirrincione, A., Z. Estes, and A. Carù. 2014. "The Effect of Ambient Scent on the Experience of Art: Not as Good as It Smells." *Psychology and Marketing* 31(8), 615–627.
67. O'Sullivan, T. 2009. "All Together Now: A Symphony Orchestra Audience as Consuming Community." *Consumption Markets and Culture* 12(3), 209–223.
68. Jafari, A., B. Taheri, and D. von Lehn. 2013. "Cultural Consumption, Interactive Sociality, and the Museum." *Journal of Marketing Management* 29(15/16), 1729–1752.
69. Pitts, S.E., and K. Burland. 2013. "Listening to Jazz: An Individual or Social Act?" *Arts Marketing: An International Journal* 3(1), 7–20.
70. Holbrook and Hirschman, op. cit.
71. Campbell, C. 1994. "Consuming Goods and the Good of Consuming." *Critical Review* 8, 503–520.
72. Carù and Cova, op. cit.
73. Swanson, G.E. 1978. "Travels through Inner Space: Family Structure and Openness to Absorbing Experiences." *American Journal of Sociology* 83, 890–919.
74. Csikszentmihalyi, M. 1990. Flow: The Psychology of Optimal Experience. New York: *Harper & Row*. [＝M. チクセントミハイ『フロー体験 喜びの現象学』（今村浩明訳）、世界思想社、1996年]
75. Hirschman, E.C., and M. Holbrook. 1982. "Hedonic Consumption: Emerging Concepts, Methods, and Propositions." *Journal of Marketing* 46, 92–101.
76. Chen, K.K. 2012. "Artistic Prosumption: Cocreative Destruction at Burning Man." *American Behavioral Scientist* 56(4), 570–595.
77. Nakajima, S. 2012. "Prosumption in Art." *American Behavioral Scientist* 56(4), 550–569.
78. Al Sharaqi, L., and I. Abbasi. 2016. "Twitter Fiction: A New Creative Literary Landscape." *Advances in Language and Literary Studies* 7(4), 16–19.
79. Segar, E. 2017. "Blog Fiction and Its Successors: The Emergence of a Relational Poetics." *Convergence* 23(1), 20–33.
80. 例えば、以下を参照のこと。[1] Anberée, A., N. Aubouin, E. Coblence, and F. Kletz. 2015. "Audience Participation in Cultural Projects: Bringing the Organization Back In." *International Journal of Arts Management* 18(1), 29–42. [2] Pulh, M., and R. Mencarelli. 2015. "Web 2.0: Is the Museum-Visitor Relationship Being Redefined?" *International Journal of Arts Management* 18(1), 43–51.
81. Jenkins, H. 2006. Fans, Bloggers, and Gamers: Exploring Participatory Culture. New York: *NYU Press*.
82. Stein, R. 2012. "Chiming in on Museums and Participatory Culture." *Curator* 55(2), 215–226.
83. Swanson, S.R., and J.C. Davis. 2012. "Delight and Outrage in the Performing Arts: A Critical Incidence Analysis." *Journal of Marketing Theory and Practice* 20(3), 263–278.
84. Garbarino, E., and M.S. Johnson. 2001. "Effects of Consumer Goals on Attribute Weighting, Overall Satisfaction, and Product Usage." *Psychology and Marketing* 18(9), 929–949.

85. 例として、[1] Hume, M., and G.S. Mort. 2010. “The Consequence of Appraisal Emotion, Service Quality, Perceived Value and Customer Satisfaction on Repurchase Intent in the Performing Arts.” *Journal of Services Marketing* 24(2), 17–182. [2] Johnson, M.S., and E. Garbarino. 2001. “Customers of Performing Arts Organizations: Are Subscribers Different from Nonsubcribers?” *International Journal of Nonprofit and Voluntary Sector Marketing* 6(1), 61–77. [3] Swanson, S.R., J.C. Davis, and Y. Zhao. 2007. “Motivations and Relationship Outcomes: The Mediating Role of Trust and Satisfaction.” *Journal of Nonprofit and Public Sector Marketing* 18(2), 1–25.
86. 例として、[1] Harrison, P., and R. Shaw. 2004. “Consumer Satisfaction and Post-purchase Intentions: An Exploratory Study of Museum Visitors.” *International Journal of Arts Management* 6(2), 23–32. [2] Hume, M. 2011. “How Do We Keep Them Coming? Examining Museum Experiences Using a Services Marketing Paradigm.” *Journal of Nonprofit and Public Sector Marketing* 23, 71–94.
87. Grappi, S., & F. Montanari. 2009. “Customer Identification and Retention: The Determinants of Intention to Re-patronize in the Film Industry.” *International Journal of Arts Management* 12(1), 44–59.
88. Joe Bogdan & Philippe Ravanas. The Second City is first in creative Entrepreneurship. *The International Journal of Arts Management*. Winter 2015.
89. Leonard, Kelly and Yorton, Tom. Book: Yes, And: *How Improvisation Reverses “No, But” Thinking and Improves Creativity and Collaboration - Lessons from The Second City*. Harper Collins, New York NY. 2015. pp. 172–175.
90. Ibid.
91. Ibid.
92. Ibid.

Chapter 4

Situation Analysis

第4章
状況分析

目 標

- マクロ環境変数によって市場に加えられる圧力を記述する
- ミクロ環境のステークホルダー［利害関係者］の役割を理解する
- 競争を狭い視野で捉える危険性を探求する
- 団体の製品ポートフォリオを評価する
- 団体の組織としての強みと限界を測定する
- SWOT分析の媒介変数を発見する

イントロダクション

戦略について何か取り組みを始める前に、団体はその資産と挑戦すべき課題について明確に理解しなければならない。団体は、外部的な脅威をやわらげ、機会を活かすために、その環境のすべての要素を評価する必要がある。「状況分析」では、団体のマーケティングの努力を限定したり促したりするすべての要素を検討する。

マーケティング計画は何もないところから起こるのではない。市場と企業に影響を与える多くの外部的あるいは内部的な制約がある。団体の現在の状況を把握し、もし、何も変化がなければどうなるのかを理解することが重要である。そうすれば、その情報に基づいて、適切な目標を設定することができる。

4.1　マクロ環境

マクロ環境変数は、「統制不可能な変数」としても知られている。マクロ環境変数は、市場にも組織の寿命にも継続的に影響を与える。企業は、ときにはそれ自身では統制不可能な根本的変化に適合しなくてはならないことがある。マクロ環境には、5つの主要な変数（人口統計学的環境、文化的環境、経済的環境、政治・法的環境）、そしてテクノロジー環境がある。これらの変数は、団体が国内あるいは全国的な市場との関連においてだけでなく、グローバルな市場に入っていく際にも考慮に入れなければならない。

4.1.1　人口統計学的環境

人口統計学は市場で重要な役割を行う。なぜなら人口の変化は需要の増加や減少を意味するからである。ある地域において、人口分布がどのように拡がっているのか、どの年齢グループの人口が最も多いのか、どの民族［エスニック］グループが住んでいるのかは、マーケティングに影響を与える環境の重要な次元のほんの一例である。例えば、15歳から17歳までのティーンエイジャーは、ポップ・ミュージックのレコードを最も多く買う。15歳から17歳までのティーンエイジャーの数の変化は音楽セクターにはっきりとしたインパクトを与える。これは、子ども向けに作られた製品についても同じで、このカテゴリーでは、製品はそれぞれの年齢グループの子どもの数に影響を受ける。

4.1.2 文化的環境

社会の価値観は、「文化的環境」とも呼ばれ、製品のマーケティングに主導的な役割を果たす。価値が変わると消費者の習慣も変わる。このようにして、1940年代には考えもつかなかったことが今ではあたりまえになっている。例えば、かつては女性の役割は家庭の切り盛りであって、家族は大家族が理想とされた。これは今日では当てはまらない。18歳以上の女性のほとんどは今では雇用市場で働いているし、現代の夫婦やカップルは子どもの数が少なく、出産年齢も20代ではなく30代である。このことは、なぜ、今日の若いカップルが昔に比べて文化的財を消費する余暇時間をより多く持っているのかを説明するのに役立つ。当然、これらの変化は文化組織に影響を与える。

4.1.3 経済的環境

企業は、個人と同じように、経済的環境にうまく対処しなければならない。インフレ、失業、不況は、今ではすべて家計に関する言葉である。例えば、不況の際には潜在的な消費者は少なくなる。消費者が使える1人あたりの金額も減少する。この状況は文化事業体だけではなく、スポンサーにも影響する。スポンサーシップや寄付のための企業の予算は瞬く間に萎んでしまう。経費を削減しようとする企業は、周辺的な活動を切り捨てるだろう。寄付やスポンサー費用は真っ先に削減される。国際的な経済状況がある種の製品や原材料の価格を下落させると、街や地域全体が大きな影響を受けてしまうかもしれない。その時点では、衝撃の波は文化セクター全体に及ぶ。というのは、文化需要はしばしば消費者の可処分所得で成り立っているからである。

4.1.4 政治・法的環境

法律と規則はもう1つの重要な変数である。政府の行動は、産業の様相を根本的に変えることができる。文化的製品の価格に直接課税されると需要を低下させるかもしれない。劇場周辺の街区のゾーニングの設計が変更になると、駐車場や劇場へのアクセスを複雑にしてしまうかもしれない。政府の介入や行動の影響は、プラスの面を持つこともある。例えば、映画産業の活動が活発になるように税制措置をとるとか、アーティストの知的資本の価値を増大させるために著作権の保護を拡大することなどがある。

4.1.5 テクノロジー環境

どの団体も、テクノロジー環境からの影響を受ける。科学は驚くべき進化と発見を成し遂げ、未開拓の領域はごく少なくなった。テクノロジーはアートにもまたインパクトを与えた。オーディオ・ビジュアル機器のような領域では、イノベーションが常時市場に浸透し、作品が生産され流通される方法を根本的に変え、止むことのない競争に拍車がかかっている。他の領域ではテクノロジーの発展があっても生産や保存に関してはそれほど大きく影響を受けないかもしれないが、流通の面ではやはり大きな影響を受けている。例えば、古い技法を使うことに本質があるガラス製造などの伝統的な工芸職人が、もし近代的なテクノロジーを使えばまったく異なった製品を生産するであろう。しかし、これらの工芸職人も、流通チャネルやプロモーションのツールとしてインターネットを無視するわけにはいかない。彼らは、市場に到達するためにインターネットが必要なのである。他方、ホログラフィーとコンピューター・グラフィックスの発展は、伝統的な絵画の技法を変え、向上させた。アーティストはいまでは耐久性に優れ、より溶けやすい合成絵の具を作ることができる。最近の化学の発見によって、新しい接合素材やニスが見つかり、アート作品を保存するための扱いやすく信頼できるツールとなった。

映画館は、テクノロジーが市場にインパクトを与えた劇的な事例である。映画は、そもそもは大きなスクリーンのある劇場で大勢が集まって鑑賞するものであった。テレビやケーブルテレビ、ペイテレビ、ビデオ、衛星放送、DVD、オンライン放送、携帯電話やiPodへの画像のダウンロード、ストリーミング、ネットフリックス流通などが出現したことや、グローバル市場のための映画製作の登場は、常に広がり続ける選択の範囲を消費者に対して提供してきた。

4.1.6 国際市場

上記のマクロ経済環境の5つの変数に加えて、団体は、外国の市場に参入するときや製品を輸出するときに、その他の変数、すなわち、土地の地理学、インフラストラクチャー、規則、文化を考慮に入れなければならない。(第11章を参照のこと)

4.2 ミクロ環境

ミクロ環境は、団体を取り巻く一連の力のことである。それは、団体が顧客に奉仕する能力に直接のインパクトを与え[1]、団体はそれをある程度は統制できる。それらは、しばしば、半統制可能な変数と呼ばれる。それらは、団体の組織としての能力や、ステークホルダー(被雇用者、オーナー、パートナー、供給業者、中間業者、コミュニティーのメンバー)、競合他団体、そしてオーディエンスのことである。文化事業体はマーケティング計画を作成するときにこれらの変数すべてを考慮に入れなければならない。すると、今度は、その事業体の決定がそれらの変数に影響を与える。例えば、ポジティブな企業文化を形成し、給与水準を上げることは、被雇用者の定着と生産性を改善させ、次には企業の業務遂行能力にインパクトを与える。

4.2.1 ポーターの5つの力

ハーバード大学教授であり、経済とビジネス戦略と社会的大義に関する独自の理論で知られるマイケル・E・ポーター Michael E. Porter[2]は、団体を取り巻くミクロ環境の5つの力を特定している。

1. **新規参入者の脅威**:利益の上がる市場は、新たな競争者を引き寄せる。先行団体が参入障壁(資本や規模の経済——これは、生産拡大によって蓄積された利益のことである——、特許、商標、あるいは専門知識による障壁)を設けることができなければ、新規参入者が殺到するので、競争が激化し、利益率は減少する。
2. **代替製品の脅威**:既存の製品はすべて、同じニーズを満たす他の製品によって陳腐化し、それに取って代わられる。情報テクノロジーのとてつもな

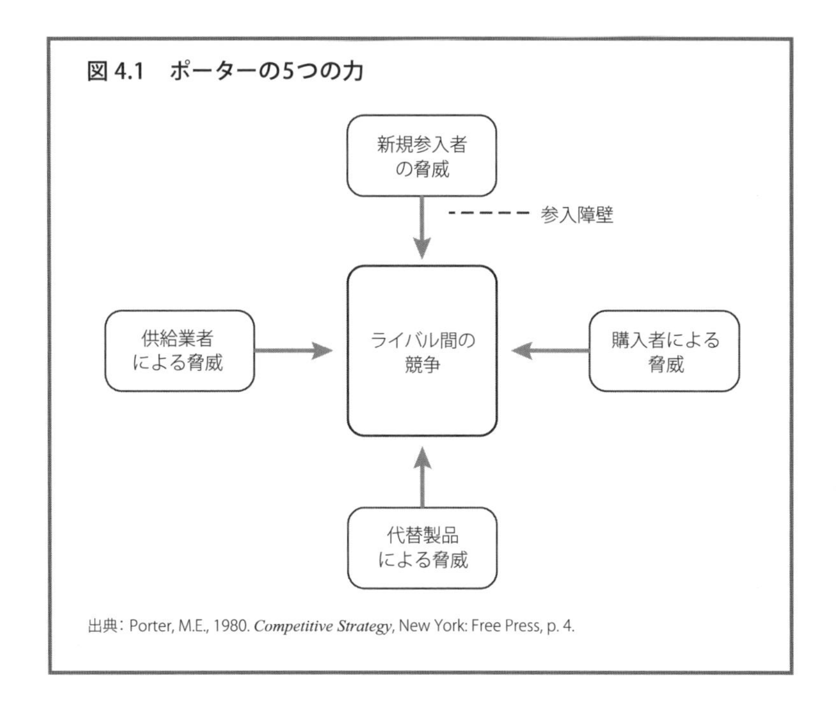

図 4.1　ポーターの5つの力

出典：Porter, M.E., 1980. *Competitive Strategy*, New York: Free Press, p. 4.

い進歩は文化的景観を一変させた。CDやDVDのようなテクノロジーは、現れては消え、ストリーミングや他のダウンロードの選択肢に取って代わられた。近い将来、バーチャル・リアリティ（仮想現実）の到来がライブ・エンタテインメントやパフォーミング・アーツを脅かすことが大いに考えられる。

3. **購入者の交渉力** bargaining power：購入者や流通業者は、製品をどちらから調達するか多くの選択肢がある場合、あるいは団体の売上のうちの大きなパーセンテージを占める場合には、高度の力を持つ。例えば、チケットマスター社はコンサート・プロデューサーに対して大きな力を行使している。なぜなら、コンサート・プロデューサーはしばしばチケットの流通についてチケットマスター社だけに依存しているからである。特定の流通チャネルに依存していることと、製品の価値がある期限で消滅してしまうという性質があるために（コンサートの売れ残りチケットは上演後には価値を失う）、パフォーミング・アーツのような〈固定費〉のかさむ産業に対する製品購入者の交渉力はとりわけ大きくなる。

4. **供給者の交渉力** bargaining power：タレント、労働、原材料、専門知識を供給する業者は、彼らの提供するものに代替性が少なければ、他の組織に力を及ぼすことができる。映画の撮影が始まるとそれ以降は容易には代替できなくなるため、俳優の映画作品に対する力は途端に増大する。
5. **産業内のライバル関係**：上記に述べてきた4つの力はすべての競争者とそのライバル関係に影響を与える。ほとんどの産業において、競争的なライバル関係の強度が組織に対して大きなインパクトを持つ。しかし、これは文化分野においては必ずしも当てはまらない。演劇に関して言うと、他の劇場からの直接の競争は、大量の代替物（個人の自由時間を占有するすべてのもの）や新規参入者（ライブ・パフォーマンスへの興味を減少させるような新しいテクノロジー）のリスクよりは影響が少ない。

4.2.2 パートナーシップと中間業者

団体の中には、最終消費者に対して直接製品を販売するところもあるが、多くの団体はパートナーのサービスを使う。これは戦略的な決定によるものかもしれないし、資源が限られていることや製品が消費される方法、そのセクターの構造や土地の地理学によって規定されるために必要に迫られてのことかもしれない。

第2章で定義したように、パートナーとは、最終的に消費者市場に届けることを意図して行われる事業から生じるリスクと成功とを様々な程度において分かち合うために、企業が一時的に提携する組織のことである。文化事業体は、主に4つのタイプのパートナーを持つ。流通の中間業者、共同生産者、流通のパートナー、そしてメディアである。それらは、それぞれが独自の市場であるとも考えられるし、1つ1つがパートナー市場のセグメントだと考えることもできる。

流通の中間業者

パフォーミング・アーツ・セクターにおいては、各地のプロモーターまたはプレゼンターは流通の中間業者である。ツアー・カンパニーは、ある特定の市や地域に住む消費者に到達する助力を得るために、地元のプロモーターに頼る。この場合、文化的製品のマーケティングは2ステップのプロセスで行われる。第1段階では、ツアー・カンパニーが地元のプロモーターに対して、そのショーをプロモーターの提供するシーズン・プログラムに入れ、それによってプロモーターがリスクを共有するように説得する。第2段階は、地元のプロモーターがその地域の潜在的な消費者に接触をはかるプロセスである。ルールとして、プロデューサーは地元のプロモーターに向けて特別の戦略を立て、プロモーションのための特別のツールを作成して、地元のプロモーターが最終消費者に製品を売る努力を支援する。

ときには、プロデューサーは非常に人気の高いアーティストやショーを提供し、プロモーターを自由に選んで契約条件を思いのままに決めることもある。ケベック州（カナダ）の『スター・アカデミー』というリアリティ・テレビ・ショーはこの現象の実例である。映画産業から例を取れば、スターウォーズ・シリーズの最新作において、プロデューサーは上映劇場を決めただけでなく、料金の構造まで変えさせた。そのような場合、流通の中間業者は十分な交渉力を持たず、彼らの役割は市場というよりは資源提供者のそれに近い。

共同生産

多くの文化的製品は、生産者がプロジェクトを資金的に支援する共同生産者を見つけることができなければ日の目を見ない。映画では、外国のパートナーとの共同製作［共同生産］がよく見られることとして行われる。このやり方によって、プロジェクトに対する適切な資金調達を確実にするだけではなく、パートナーが地元の市場と深いつながりを持っていることから、映画の成功の確率が増大する。

流通のパートナー

団体は、流通業者とパートナーシップを組むことによって財務リスクを分担することができる。この流通のパートナーは、流通業者であるだけでなく共同生産者にもなる。テレビのネットワークはしばしば自分たちが放送するショーを共同製作［共同生産］する。ブロードウェイのカンパニーは、しばしば、単に劇場を貸すだけではなく彼らのショーの製作のために投資をしてくれる劇場を探している。

オタワ（カナダ）のナショナルアーツセンター（NAC）は、時折この役割を担い、パートナーであるプロデューサーが上演するプロダクションに投資をする。このような外部のパートナーによる共同製作作品をNACのプログラミングに加えることによって、NACは共同プロデューサーであり、流通業者であるという立場を持つ。流通業者は、国内公演であっても国際的な公演であっても、多くの場合、同じような役割を果たす。例えば、ダンス・カンパニーが外国のパートナーのレジデンシー［滞在制作］を受け入れると、そのパートナーが流通パートナーの役割を果たすことがある。

メディア

最後に、ほとんどの文化事業体は、メディア企業に彼らの文化的製品をプロモーションしてもらえるように努力している。このことは、大胆な広告キャンペーンを打つ資金力がない小さな団体にとっては特によく当てはまる。そのような場合、メディアこそが団体が取り込むべき重要なパートナーである。これは決して容易な仕事ではない。メディアの代表者は多くの団体から引っ張りだこであり、メディアで紹介するよう依頼される作品の数の方が、彼らが作品を見に行くことができる時間よりも多くなってしまうことがよくある。賢明なマーケティング・マネージャーはこのサブマーケットに注目して、ここでの成果を最重視する戦略を考えるだろう。

4.3　競争

4.3.1　概観

文化とアートにおける競争を語る際には、文化的製品はもっとずっと大きなコンテクスト——余暇市場——の中に置かれなければならない。人々が文化的製品を単純に娯楽とは考えないとしても、働いても寝てもいないときにしか人々はそれを消費できない。したがって、文化的製品は他の文化的製品と競争しているだけでなく、消費者の自由時間を占有しようとする様々な製品（スポーツや他の身体を使う活動、レストランでの食事、旅行、社会人教育）と競争している。その競争状況は、それが家庭内で（テレビで、オンラインで）消費されるか戸外で消費されるかによらず、また、競争が地元の地域内なのか、全国的なものか、国際的なものであるかを問わない。

基本的には、4つのタイプの競争がある。1つ目には、同じ1つの製品カテゴリーの中の競争がある。これは、地方の市場において、例えば、同じ市内で劇場が他の劇場と競っているような例である。2つ目には、異なるジャンルの文化的製品との間の競争がある。例えば、クラシックの音楽コンサートとダンス・パフォーマンスの競争である。3つ目に、文化的製品と他のレジャー製品との競争がある。例えば、映画とスキーの競争である。最後に、地元の文化的製品とテクノロジーの進歩により利用できるようになった国際的な文化的製品との間の競争がある。ラジオとテレビ番組、雑誌、そして、毎日の新聞は、博物館によって提供される教育的な素材と同じようにすべてオンラインで利用できる。オペラの公演でさえも、映画館においてライブで放送される。競争の分類の例については図4.2を参照のこと。

レジャー組織は消費者が自由時間に割り当てる貴重な時間やドル（金額）のシェアを獲得しようとしており競争は激しい。とりわけ、大都市では競争が激しく、文化的製品や余暇活動の数はめまいがするほどの高いレベルに達している。パリ

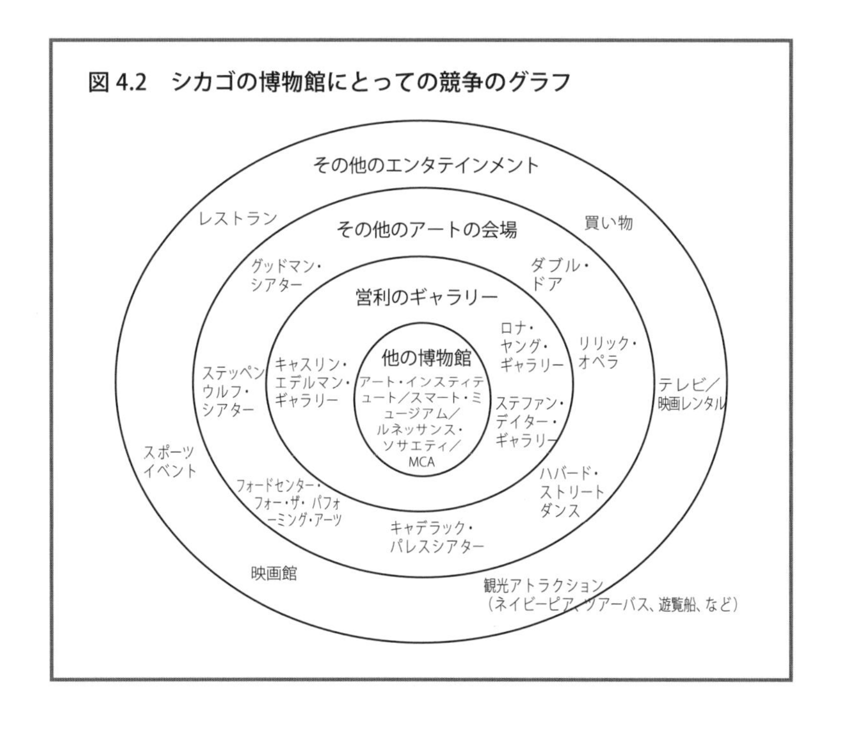

図 4.2　シカゴの博物館にとっての競争のグラフ

やニューヨーク、北京、シカゴ、シドニー、ローマ、モントリオールのような大都市で新聞を一瞥すると、極めて多彩な活動が供給されていることがわかる。

競争はますます熾烈になっている。というのは、製品の寿命が短くすぐ消えるものになっているからである。これは、図1.3の第1象限と第4象限（第1章を参照のこと）の文化組織と製品について特に当てはまる。展覧会は限定的な期間しか開催されないので、製品は将来の提供のために貯蔵しておくわけにはいかず、消費者もある特定の期限を超えて消費を繰り延べすることができない。したがって、消費者は即座に選択を行わなければならない。この時間的な圧力が製品の間の競争をより強めている。

4.3.2 市場の相互依存性とシナジー

いくつかの市場で収益を得る団体——半数以上の多くの団体がそうである——は、それぞれの市場で厳しい競争に直面することがある。この競争は同時に起こるが、市場ごとに競争相手は異なる。したがって、マネージャーは競争をすべての角度から研究することが必須である。さらに、マネージャーは、市場を個別に考えてそれぞれ別々の戦略を立てるのではなく、複数の市場の間のシナジー効果を考慮に入れるべきである。現在存在している相互関係を分析することにより、ある団体は1つの市場を他の市場のためのレバレッジ効果を生むために使い、成長のスパイラルを引き起こすことができる。例えば、ある団体は、この市場の消費者とうまくコミュニケーションをとるためだけでなく、スポンサーやパートナー、そして、（ときには）政府に対してさえも、より多くの情報を提供することができるようにすべきである。

逆もまた真である。ある市場で勢いを失い始めた団体は、負の成長スパイラルに入り、死に至るかもしれない。顧客が減少すると、スポンサーの数が減少し、資金の減少を招く。その結果、団体は潜在的なパートナーにとっての魅力を減少させてしまう。そのような場合、団体は4つの市場（消費者市場、政府市場、民間セクター市場、そしてパートナー市場）のすべてについて状況分析を行い、負のスパイラルの方向を逆転させるように活気づける行動を行うことが必要である。これは、常に容易ならざる仕事である。

4.3.3 競争におけるグローバル化の効果

競争のグローバル化は、消費者に新しい展望を開き、一定の文化的製品の輸出を可能にした。それと引き換えに、他の製品が外国から輸入されるようになった。これらの輸入は、地元の製品にとってのさらなる競争を意味する。さらに、国際的な市場は非常に魅力的に映るが、産業化された国々ではどこでもそれぞれの市場における競争が非常に激しいことにアート事業体のマーケティング・マネージャーは留意しなくてはならない。多くの場合、これらの国々では、人口がより多くなっていく一方で、供給も需要を上回るだろう。

文化産業においては、団体は、ある地域に集積するか集中しており、少数の多国籍企業が多数の文化的製品の創造と流通、またはその両方を統制している。これらの多国籍企業は、アーティスト・マネジメント、録音音楽の生産、ライブ・パフォーマンス、パフォーマンス会場、チケッティング、エンタテインメント設備、映画の生産と流通、出版、ラジオ・テレビ・ネットワーク、ステージ・プロダクションなど、それぞれの文化セクターでビジネスを統制することができるように活動を多角化している。人口の少ない国の文化事業体は、協力し、シナジー効果によって外国の競争相手と戦わなければならない。言わば、この統一戦線は、製品だけではなく、供給業者や流通ネットワークを含め、プロダクションの流通チャネルを形作る多くのパートナーやリンクを含まなくてはならない。この産業クラスターのアイデアは、ある国が国際レベルで優位な地位を占めようとするためのポーターの戦略の一部である[3]。

4.3.4 産業の分断化と集中化

競争を激化させるもう1つのトレンドは、産業の分断化である。ポーターの5つの競争圧力は、産業を分断化させる。(図4.1を参照)

もし、競争者が小規模で数が多く、産業への新規参入を阻む障壁が弱く、購入者や供給者が産業内の団体に対して大きな力を持っているならば、その産業は分断化されていると言われる。供給者や購入者の数が少なく、彼らが大きな力を持っていて、産業内で法を定め、競争相手の規模を小さいままに保ち、影響力のある地位を享受しようとするときには、この最後の点は特に重要である。もし、それに加えて、そのセクターの成長が遅く、どの企業も差別化の可能性を持たな

表 4.1　産業の分断化の16の要因

1.	低い参入障壁
2.	規模の経済の不在
3.	高い輸送コスト
4.	高い在庫コストと不安定な販売の変動
5.	購入者や供給者との関係における規模の優位性の欠如
6.	いくつかの重要な点における規模の不経済
7.	操業の成功にとって重要な間接費の不足
8.	多様な市場ニーズを満たすオーダーメイド製品
9.	製品の重厚な創造的コンテンツ
10.	地元での間近な業務の統制とスーパービジョンの要請
11.	豊富な個人向けサービス
12.	ビジネスを行うために必要な地元との人脈
13.	撤退障壁
14.	地域の規制
15.	集中を禁止する政府の規制
16.	産業の新しさ

出典：Porter, M.E. 1980. *Competitive Strategy*. New York: Free Press, p. 196.

いような場合は、拡大の見込めない規模の小さな企業同士の間で競争が激化する。その結果は、通常、果てしなく続く価格戦争である。競争に臨む企業は利益率を悪化させ、結局は破産に至るかもしれない。

これに対して、もし、規模の大きな少数の競争者が存在して、その産業への新規参入を阻む障壁（テクノロジー、著作権、大きな資本投資）が大きければ、そして、購入者や供給者がその産業の中の団体に対して限定的な交渉力しか持っていない場合には、その産業は集中化していると言われる。

多くの産業では、成熟するにつれて分断化された状況から集中化された状況へと進化する。集中化が進むにつれて、その産業は大小の団体が数のバランスをとって存在するようになる。大きな団体が市場を規制する。しかし、いくつかの産業は、このタイプの集中化を経験することはないだろう。

アート・セクターは分断化しており、多数の小規模の団体[4]と個別のアーティストがいる。この分野は、集中化に至る可能性がほとんどない。なぜなら、この分野は、集中化を妨げる16の特徴のうち、少なくとも3つの特徴を持っているからである（表4.1を参照のこと）。まず第1に、アートの分断化は、参入障壁の欠如によって説明できるかもしれない。弦楽四重奏団や劇団を始めるのには、例えば、自動車製造工場のような伝統的な企業を始めるのに比べて、ほとんど初期投資が必要ない。第2に、アートを作るプロセスには通常、比較的少数の人間しか関わることが要請されていない。第3に、製品の性格から、規模の経済が限定されている。例えば、それぞれの交響楽団の必要な演奏家の数が同じで、リハーサルや演奏の時間として同じ時間が常に必要だからといって、いくつかの交響楽団を合併することは経済的に意味がない。

特定の文化産業でも同じような事情が見られる。例えば、デジタル時代の到来は、以前は高度に集中化していた音楽業界や映画業界への参入障壁を壊すのに貢献した。今では、必要なのはコンピューターと才能だけである。例を一つだけ挙げるとすれば、ラサ・ドゥ・セラLhasa de Selaは、何十万コピーも売れた彼女のデビューアルバム[「La Llorona」（1997）]をモントリオールの台所で録音したという。

4.4　製品のポートフォリオ

以上説明してきたいくつかのマーケティング戦略のツールの中からの選択により、団体の製品の戦略的ポジションについての分析が要請される。戦略的ポジションは、世界的に有名なビジネス・コンサルティング企業であるボストン・コンサルティング・グループ（BCG）が開発したモデル[5]を用いて定義される。このモデルは、ある製品の競争相手との比較におけるマーケット・シェア、およびその市場の成長率を考慮に入れるものである（マーケット・シェアの定義については第2章〔2.3〕を参照のこと）。例えば、ある団体が20％のマーケット・シェアを持ち、リーダー[その製品のシェア第1位の団体]のマーケット・シェアが60％であるとする。比率は、1：3である。この状況は、主要な競合者が同じように20％のシェアを持っていて、比率が1：1である場合とは異なる。最初のケースでは、自分の意思を市場に押しつけることのできるリーダー団体があるのに対して、2つ目の場合には対等な対抗者がいて、消費者のパトロネージの獲得を競っている。同じように、これらのマーケット・シェアの戦略的重要性は成長市場においては同じではない。そのような市場では企業は新しい顧客を引き寄せることで売上を拡大することができるのに対し、停滞し成熟した市場では企業はマーケット・シェアを巡って衝突する。

この分析から、4つの状況を想定する4つの四角からなるBCGマトリックスができる。それらは、(1)成長市場における大きなマーケット・シェア、(2)成長市場における小さなマーケット・シェア、(3)成熟した市場における大きなマーケット・シェア、(4)成熟市場における小さなマーケット・シェアである。(表4.2を参照のこと)

表 4.2 BCGモデル

		マーケット・シェア	
		大きい	小さい
市場成長率	高い	花形	問題児
	低い	金のなる木	負け犬

花形

ある団体の「花形 Star」製品とは、成長市場において大きなマーケット・シェアを示す製品である。これらの製品は、資金的に成長を支えるための大きな投資を必要とする。これらは、将来、市場が成熟したときに「金のなる木 Cash Cow」になるかもしれない。

問題児

「問題児 Problem Children」製品は、大きな市場や成長市場において、小さなマーケット・シェアしか持たない製品である。団体は、この市場から撤退するか、マーケット・シェアを獲得するために大きな投資を行うかのどちらかを決定しなければならない。これらの製品を今の市場におけるポジションのまま維持することは、お金をドブに捨てるようなものである。

金のなる木

市場が成熟し、成長が鈍化すると、団体は大きなマーケット・シェアを持つ「金のなる木 Cash Cow」製品から大きな利益を得ることができるかもしれない。これらの利益は、花形製品に投資するか、問題児製品の競争状況を改善するために用いられるべきである。

負け犬

どの団体も小さな、あるいは衰退しつつある市場でマーケット・シェアを増やすことに資金を投資することはできない。団体は、市場からの製品の撤退を覚悟の上で、「負け犬 Dog」製品のマーケティング・コストを徹底的に削減するという選択肢がある。

BCG マトリックスに基づいた分析は、花形製品を支援するとか、問題児製品に対して選択的に投資を行うとか、金のなる木からの利益を最大化するとか、負け犬を切るなどのような戦略的な決定を推進する。このマトリックスは、団体が将来の資金ニーズ、製品の潜在的利益率、そして、製品のポートフォリオ・バランスを測定することなどを可能にする。このタイプの分析は、とりわけ、その目標が利益率である大規模企業――例えば、文化産業――に当てはまる。このコンセプトの枠組みは、アート分野の小さな企業が市場を分析するのにも使える。なぜなら、市場の力学や今後の市場の変化やトレンドをよりよく知るのに役立つからである。

4.5 組織の分析

ある団体がマーケティング計画を採用する際に、団体の組織構造が適切であれば、その計画を設定された目標に適応させることを可能にする。組織構造は企業の規模や製品の幅、市場の多様さに応じて、いろいろな形を取る。以下は、鍵となる主要な特徴をリストアップし、組織分析の草案を作るプロセスにおいて団体が探求すべきいくつかの問いを挙げたものである。

4.5.1 鍵となる特徴

a. 〈**組織の規模**〉：小さな団体では、マーケティング・チームの規模は極めて限定的なものでありうる。実際、プロモーターや起業家なら、働いているのは本人1人だけかもしれない。他の場合でも、マーケティング活動は1人のマネージャーと少ないサポートスタッフで行われている。例えば、少数の作品を8か月か10か月の「シーズン」の中で上演するプレゼンター［主催者］は、すべてのマネジメントとマーケティングの任務を自分でこなすかもしれない。パフォーミング・アーツや映画の小さな製作団体、レコード会社や出版社などにおいては、すべての流通市場に向けてのPR、パブリシティ、販売を担当している被雇用者が1人というのが通常のあり方である。

アートセクターの多くの団体は、少数のフルタイム被雇用者のチームを支援するボランティアに頼っている。ボランティアの中には、すべての時間を1つの組織の支援に充てている人もいるが、いくつかの組織の支援をしている人もある[6]。

マネージャーはこれらのボランティアを被雇用者と同様に扱い、あらゆる努力を払って彼らを組織の中に取り込み、彼らをやる気にさせ、常に最新の情報を提供し、そして、必要な場合には解雇することさえもしなければならない。ボランティアがチームの一員と感じさせれられる度合いが高いほど、ボランティアは役に立つし、その働きが効果的になる。

たくさんの製品をマーケティングし、いくつかの非常に特徴のある市場で活動している大きな団体では、もっと複雑な組織構造が必要であり、企業の主要な機能が職位の高い役員に割り当てられ、いくつもの異なる専門的な部署のマネージャー数名の活動のコーディネートをしている（例：マーケティング担当副社長、など）。図4.3は、大きな会社が採用する組織構造の一例である。これは、もちろん、多くの可能性の中の一つに過ぎない。［ここのパラグラフでは、companyとcorporateを同列に扱っているため、例外的にcompanyを会社と訳している。］

b. 〈**美学的／創造的志向**〉：どのような種類の作品をこの機関［この章では組織と同様と思われる］は創造し、提供するのか。それはハイ・アート［高級芸術］と考えられているのか、ポピュラー文化か。新しいものか、それとも古典的名作の一部なのか。作品は洗練された形式で提供されるのか、発展途上のも

図 4.3　複雑な組織構造の例

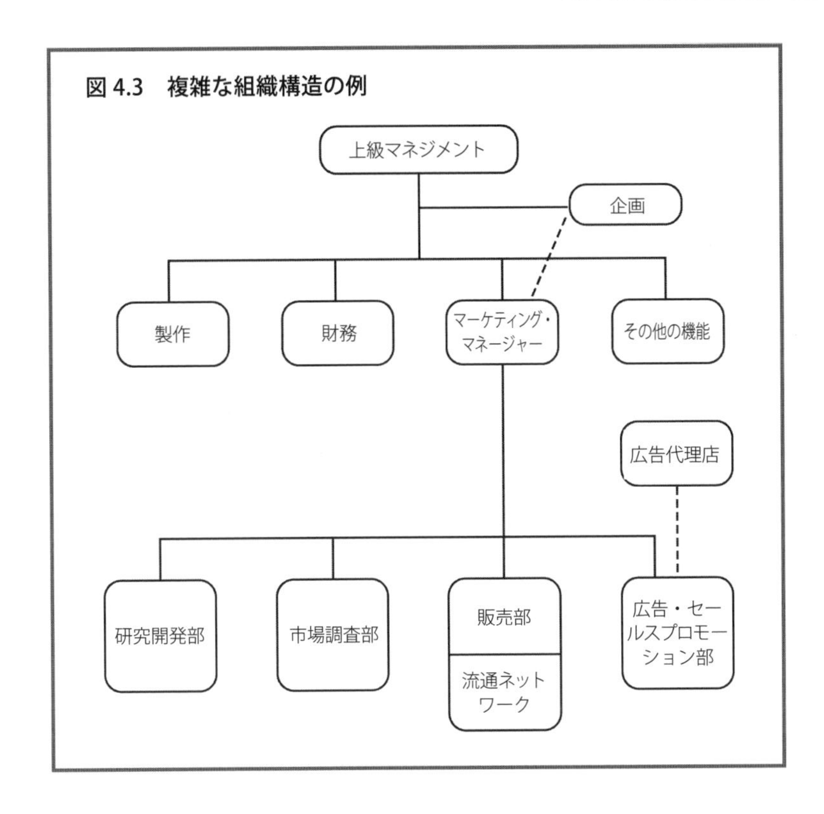

のなのか。実験的なものか、伝統的なものか。エッジの効いたものか、心地よいものか。プロフェッショナルかアマチュアか。

c. **〈運営の構造〉**：機関はどのように構造化されているのか。業務をどのように行っているのか。組織構造は、作品の創造や上演にどのように影響しているのか。このことは、マーケティングに反映させて、ターゲットとなるセグメントが作品の意味を理解するようにすべきなのか。

d. **〈資源〉**：マーケティング部門が利用できる人的資源（有償のものとボランティア）と財務的資源について、それぞれ即時のものと長期的なものとしてはそれぞれ何があるのか。長期にわたって利用できる資源は、数年にわたる規模の大きなマーケティングに関わる主導的な取り組みの持続可能性と影響を分析するのに有用である。

e. **〈キャパシティ〉**：キャパシティには2つの次元がある。1つは、観客の収容能力（人数）である。もう1つは、プログラミングのキャパシティである。この機関は観客数の点で到達点に達しているのか。最大収容能力のうちのどの程度まで近づけているのか。新しい、あるいはこれまでになかったプログラムについては、この機関は新しいプログラムを作ったり、これまでのプログラムを修正したりすることで、既存の、あるいは新しいマーケット・セグメントの参加を増大させることができるのか。

f. **〈現在、そして過去の業績と傾向〉**：過去3年から5年の参加人数データによって、何人の人たちが［リーチ］、どの程度［フリークエンシー］参加しているのか。どういう傾向があるのか。安定しているのか、上昇しているのか下降しているのか、それとも気まぐれに変動しているのか。組織の過去の期間と比べて、今期はどうか。

g. **〈機関にとっての重要な課題〉**：団体の評判やコミュニティーにおけるポジションに影響を与えたかもしれない課題や問題はあるか。この機関は現在のオーディエンスにどのように知覚されているのか。現在のオーディエンスの認識は、この機関の望ましい、あるべきポジションと適合しているのか。

4.5.2　限界

良いマーケティング計画に至る途上での障害がいくつもある。例えば、以下のようなものである。

- 資源の欠如――時間／エネルギー／金および人、またはそのどちらか
- 支援の欠如
- 関連のプログラムやサービスからのマーケティングの分離
- 適切な方向づけの欠如

資源の欠如

ほとんどすべての文化事業体は――大きいものでも小さいものでも――、限られた資源で運営している。すでに携わっているすべての任務を遂行するため、あるいは、芸術的なことであれ、管理業務的なことであれ、組織の身近にある好機を活かすために十分な時間やお金や人が組織に備わっていることはなさそうである。その結果、応急処置とショートカットが標準的な業務の進め方になる。応

急処置の場合は、通常、問題の症状に対処するが、それは根本的な原因に対してではない。その結果、より規模の大きい、より完全な修復が必要となる。全体として、応急処置は総合的な解決法よりも高くつくことがある。ショートカットは、同じことを手間をかけて行うよりも資源も少なくて済むかもしれないので魅力的である。ショートカットは、時間もお金もエネルギーも少なくて済むかもしれないが、より丁寧なやり方の方が資源や他の人たちの経験を統合できることから、結局は経済的だったということになるかもしれない。

〈良い〉マーケティング計画を立てると、人的および財務的資源の投資収益率［ROI］は常に文化機関にとっての正味のプラスになる。作成の過程で、実際の、または可能性としての非効率や無駄とともに、不適切で到達不能なマーケット・セグメントに向けてマーケティングの努力をしていることを明らかにする一助となるだろう。プランニング・プロセスは、リハーサルのプロセスと異なるものではない。それは、熟考し、省察し、実践し、洗練させる機会である。また、良いプランニング・プロセスは、通常の戦略と目標の組み合わせの背後で、マーケティング・スタッフ──と機関のなかの他の人たち──を結束させる。

リーダーシップや仲間たちからの支援の欠如

演出家や振付家が、最終的なゴールに関する明確なビジョンを持っているのに、そのゴールにどうやって到達するかについての計画を持たないままでリハーサルを始めることがありうるだろうか。彼女は、参加しているアーティストの能力やその機関の中にある利用できる資源について考慮しないで創造のプロセスに取り組むだろうか。もちろん、そんなことはない。それなのに、なぜ同じことがその機関のマーケティング・ディレクターには期待されないのだろうか。組織のリーダーの地位にある人は、パフォーマンスにとって準備とリハーサルが大切であるのと同様に、マーケティング計画がマーケティング・キャンペーンにとって重要であることを理解しなければならない。

関連のプログラムやサービスからのマーケティング計画の分離

すでに見たように、パトロンと機関との間の相互関係のすべてがマーケティングに影響を与える。すべてのコミュニケーションと外部のステークホルダーに対する働きかけがプランニング・プロセスに統合されるべきである。例えば、ディベロップメント部門［助成収入獲得を開発する部門］は、ほとんど同じ相手に日常的に接している。あるレベルの顧客サービスを提供する部門――チケット販売、受付、売店、物品販売、警備、ドーセント［ガイド］、教育――はどこもマーケティング計画のプロセスに含まれるべきである。残念なことに、多くの組織はいまだに部門間のコミュニケーションが少ないサイロ構造［縦割りの構造］で運営している。

適切な方向づけの欠如

〈顧客志向〉がマーケティングのキー・コンセプトであることを見てきた。良いマーケティング計画は、パトロン［支援者］に焦点を当てて、必要な変化を起こすためにどのようにコミュニケーションをとるのが一番良いかを考える。私たちは、有能なファンドレイザーなら寄付を依頼する相手に対して尋ねないといわれる「それは私にとってどんな意味があるのか」という問いについて、十分に心に留めておくべきだ。良いマーケティングは、常に「それはパトロンにとってどういう意味があるのか」という変わらない視点を反映する。コミュニケーションを計画するときに、アーティストや事務スタッフとしての自分に焦点を当てるのをやめ、パトロンの関心、ニーズ、リスクをプロセスの中心に置くべきである。消費者が私たちのプログラムを選ぶことによって、なぜ、どのように満足し、豊かになるのかを示す必要がある。

4.6 SWOT分析

「状況分析」の最後の段階は、組織の内部の強みと弱み、そして、外部の機会と脅威とを分節して、状況分析を統合し要約することである。この分析（SWOT分析[7]と呼ばれる）は、ターゲットとなる重要な市場セグメントごとに行うべきである。

強み

強みは競争と関連しているべきであり、競争優位のもとになるものである。それは、組織の美学、ミッション、提供できる能力のユニークで重要な次元について語るものである。それ以外にもアーティストやスタッフについて、またはそれらの両方について語ってもよい。

弱み

機関の運営や焦点のどの側面が改善可能なのか。機関は、効率と効果をうまくバランスできているか。

機会

コミュニティーの中の、芸術上の、あるいはプログラム上のどの「ギャップ」があなたの機関によって埋められるのか。現在ある商品、サービス、プログラムのどれがあなたの機関にとっての便益になるのか。どんな環境条件が機関のマーケティングを強めるのに寄与するのか。アプローチできる新たな市場はあるのか。

脅威

どんな外部的圧力が機関を脅かしているのか。どんな外部的な条件が機関のゴールを達成する能力を妨げているのか。

分析において、内部的な点と外部的な点を混同してはならない。

SWOT分析のそれぞれのカテゴリーについてリストを作成したら、機関にとっての重要性に沿って、条件や課題を並べ替えなさい。優先順位をつけることがマーケティング計画のプロセスの次のステップである戦略と目標の策定のために重要である。

要約

「状況分析」のフェーズは、組織の内部的および外部的な環境、同盟者と競争者について探求し、また、すでに参入したか、あるいは、これから参入を希望している（諸）市場の条件を探求することを含む。

団体と市場の両方を含む環境は、3つの要素からなり、常にすべての組織に影響を与えている。その3つの要素とは、統制不可能な変数として知られるマクロ環境変数、半統制可能な変数として知られるミクロ環境変数、そして、団体がある程度統制することが可能な競争である。

マクロ環境変数は、急激な変化に適応しなければならないのにも関わらず、これまで変化の原因に対して行動する機会を持たなかったどの企業にも、その寿命に常に影響を与えている。マクロ環境変数には、5つの主要な変数がある。人口統計学的環境、文化的環境、経済的環境、政治·法的環境、そしてテクノロジー環境である。

ミクロ環境におけるステークホルダー（供給業者、被雇用者、パートナー、流通業者、等）は、文化事業体の成功に明確な関心を持ち、それに影響を与える。ポーターの5つの力を使って分析を行うことでマーケターはそれぞれのステークホルダーの持つ交渉力を評価できる。

競争はしばしば半統制可能な変数と定義される。というのは、たとえ競合他団体の戦略に対して直接に影響を与えられなくても、多様な方法で反応することができるからである。例えば、価格を下げることによって、あるいは、よく目立つ広告のキャンペーンに対して同じようによく目立つプロモーションのキャンペーンで対抗することによって競争相手の先行を追いかけるなどである。企業は、半統制可能な変数に向かうときには、マクロ環境変数に直面するときほどに力を持たないわけではない。

マーケティングには時間と資金が必要である。何にせよマーケティングの努力を始める前に、組織はその実行のための内部の能力を評価する必要がある。組織は前に進むために必要な組織と人材の蓄積と予算を持っているだろうか。

SWOT分析は、会社の内部的な強みと弱み、外部環境による機会と脅威を並べあげる統合的なプロセスである。

問題

1. 団体のマクロ環境の5つの変数とは何か。
2. ポーターのモデルの5つの力とは何か。
3. 流通の中間業者とは何か。
4. 競争の4つのタイプとは何か。
5. 競争におけるグローバリゼーションの影響を述べることができるか。
6. アート･セクターの業界分断化の問題は、なぜ解決できないと思われるのか。
7. 組織分析の際に考慮すべき重要な特徴を挙げられるか。
8. 良いマーケティング計画を作る際の主要な内部的な限界とは何か。
9. SWOTという頭字語は何を表しているか。

注

1. https://www.ama.org/resources/pages/dictionary.aspx?dLetter=M
2. Porter, M.E. 2008. "The Five Competitive Forces That Shape Strategy." *Harvard Business Review*, January, 86–104. ［＝ポーター、M. E.「ポーターの5つの競争要因」、ハーバード・ビジネス・レビュー編集部編『戦略の教科書：ハーバード・ビジネス・レビュー戦略論文ベスト10』（DIAMONDハーバード・ビジネス・レビュー編集部訳）、ダイヤモンド社、2019年所収］
3. Porter, M.E. 1990. *The Competitive Advantage of Nations*. New York: Free Press.
4. Colbert, F. 2009. "Beyond Branding: Contemporary Challenges for Arts Organizations." *International Journal of Arts Management* 12(1), 14–21.
5. Lambin, J.-J. 1998. *Le marketing stratégique*, 4th ed. Paris: Ediscience International.
6. Wymer, W.W. Jr., and J.L. Brudney. 2000. "Marketing Management in Arts Organizations: Differentiating Arts and Culture Volunteers from Other Volunteers." *International Journal of Arts Management* 2(3), 40–54.
7. 以下を参照。Dan J. Martin, Chapter 2, *Marketing Planning for Arts and Culture*, 2008.
8. Lewis Lazare, "CSO's mystery man sounds clarion call for new audiences," *Chicago Sun-Times*, 15 August 2001.
9. Joseph Horowitz, *Classical Music in America: A History of its Rise and Fall* (New York: W.W. Norton, 2005), p. 490.
10. Norman Lebrecht, *Who Killed Classical Music? Maestros, Managers, and Corporate Politics* (Secaucus, NJ: Carol Publishing Group, 1997), p. 421.
11. *Ibid.*, p. 173.
12. *Ibid.*, p. 173.
13. Blair Tindall, "The Plight of the White-Tie Worker," *New York Times*, 4 July 2004.
14. 著者とのインタビュー［による］
15. Sandra Jones, "Seeking to Strike a New Chord," *Crain's Chicago Business*, 2 June 2003.
16. *Ibid.*
17. Allan Kozinn, "Several Orchestras Are Troubled Financially," *New York Times*, 25 October 2001.
18. Sandra Jones, "Seeking to Strike a New Chord," *Crain's Chicago Business*, 2 June 2003.
19. *Ibid.*

Chapter 5

Strategy

第5章
戦 略

目 標

- マーケティング分析を戦略とつなげる
- マーケティングがどのように企業のミッションに貢献するかを説明する
- 戦略的なマーケティング･プロセスを設計する
- 鍵となる戦略的アプローチを議論する
- マーケティング計画の内容を学ぶ
- 企業内でのマーケティングの統制の重要性を考える

イントロダクション

本章では、マーケティング戦略の多様な構成要素を検証する。

戦略 strategy は、ギリシャ語の「ストラテーギア stratēgia」に由来する軍事的な命令に関する科学あるいは技術である[1]。そこから派生して、それは、特定のゴールに到達するための計画のことを指す。マーケティングの文脈においては、団体が選択した環境において向かう方向を説明するものであり、また、資源や労力の配分の指針となるものである[2]。

戦略的プランニングは、戦略を練り上げて実践していくプロセスである。前章までで記述された分析によって得られた発見を元にして、戦略的プランニングは、団体とその製品を現在のポジションから市場における望ましいポジションに移動させるための行動を定義する。

計画と統制［コントロール］は密接に結びついている相互補完的な機能である。実際、統制は何らかの計画が実行された後に起こる。測定可能な目標を伴う計画は、執行役員が団体の活動を予測やターゲットとする数字と具体的に比較してそれに判定を下すことを可能にする。

5.1　戦略

5.1.1　分析から戦略へ

この局面において、効果的で焦点の定まったマーケティングの戦略と手段を出現させるために、しっかりとした状況分析を行わなければならない。あまりにもしばしば、ストレスを感じているマーケティングの専門家は、状況分析を省略してしまうか、ろくな注意も払わず、業務上のマーケティング計画を「直感」や「勘」によって作成しようとしてしまう。そのようなアプローチは、マーケティング計画のもっとも大切な基礎を無視してしまっている。

状況分析をしっかりと行ったときでさえ、出てきた多くの課題や影響や機会をどのように最適に統合していくのかについて、この2番目の局面でつまずくマーケターもいる。ここでもまた、直感や状況分析の際に出てきたわずかな面白い考えに基づいて、いくつかのアイデアを寄せ集めようとするかもしれない。

TOWSマトリックス[3]

しかしながら、次のステップとして、総合的なマーケティング計画を作成するのを論理的に促すものがある。それは、ヴァイリッヒ Heinz Weihrich の TOWS マトリックス[4]を応用したものである（“TOWS” は “SWOT” の順序を逆にしたものである）。TOWS マトリックスは、SWOT 分析に基づいて事業戦略を特定するためによく用いられる計画ツールである。プロセスは非常に簡単であり、価値の高い結果を生み出す。

TOWS マトリックスは、SWOT 分析で特定された課題の間の関係を明らかにし、それを 4 つのカテゴリーに分ける。

- 〈強み／機会〉戦略：どのように団体内部の強みを活用して外部の機会を有効利用するか。
- 〈弱み／機会〉戦略：外部の機会によって団体内部の弱みを緩和したり打ち消したりする方法はないか。
- 〈強み／脅威〉戦略：どのように団体内部の強みを活かして外部の脅威を緩和したり打ち消したりできるか。
- 〈弱み／脅威〉戦略：どのような戦略を追加的に採択すれば、団体内部の他の弱みや脅威をさらに減少できるか。

これらの戦略は、鍵となる市場セグメントのそれぞれにおいて展開されなければならない。それぞれの戦略のステートメント［宣言］は、具体的な行動について

表 5.1　TOWSマトリックス

	強み	弱み
機会	〈強み／機会〉戦略 内部の強みと外部の機会を有効利用する	〈弱み／機会〉戦略 外部の機会を利用して内部の弱みを緩和したり打ち消したりする
脅威	〈強み／脅威〉戦略 内部の強みを活かして外部の脅威を緩和したり打ち消したりする	〈弱み／脅威〉戦略 他の戦略で内部の弱みや外部の脅威を減少させる（主に防御戦略）

述べるのではなく大きな方針を示すもので、ひとつのアプローチに焦点を絞る。それぞれの戦略のステートメントにおいては、合理的説明を示さなくてはならない。合理的説明とは、この戦略が重要である理由とインパクトを与えられる市場セグメントとのいずれかまたは両方についてである。その合理的説明において、そのセグメントの現在の状況と望ましい状況との乖離を説明できる。それぞれのセグメントについての戦略を特定したら、それぞれの戦略を組み合わせるのが有用であることがわかるだろう。もし、戦略が適切に作成され説明されれば、それらの戦略は、セグメントごとのマーケティングの明確な目標と戦術につながるものとなるだろう。

ミッション・ステートメント

どのマーケティング計画も、その組織のミッションを念頭において起草されなければならない。文化機関［この章では組織と同様と思われる］のすべての他の機能のように、マーケティングの機能もその機関のミッションに奉仕しなければならない。文化組織にとって、マーケティング・プロセスは組織の目的、製品、価値、ターゲット、それに地理的な範囲を簡潔に定義する明確なミッション・ステートメントを起草することから始まるべきである。第1章に示したように、文化事業体のミッション（市場中心か製品中心か）の方向性は明白な違いを持つ2つのマーケティング・モデル（製品中心か市場中心か）につながる。ミッション・ステートメントは、その組織を同等の組織から区別し、オーディエンスにもその独自性が知覚できるものでなければならない。ミッション・ステートメントは定期的にそこに立ち返り、それが時代にあった文章であることを確かめなくてはならない。ウォルト・ディズニー社のミッションは、「ファミリー・エンタテインメントの世界リーダー」である。この簡潔で短い文章は、良いミッション・ステートメントのあらゆる面を備えている。

多くのミッション・ステートメントは、意味が広すぎるか狭すぎる。また、くどく凡庸かつ曖昧な言葉遣いで構成されていて、哲学的すぎたり、抽象的すぎたりすることが多い。ほとんどのミッション・ステートメントは、カテゴリーに焦点を当てすぎており、アート・フォームを説明しているだけで、そのアート・フォームが持つ独自の視点を伝えていない。したがって、目立った特徴もなく、その組織の独自性を述べてもいない[5]。

マーケティングは、ターゲット・マーケット［標的市場］に向けて顧客が理解しやすい言葉、理解しやすい方法でコミュニケーションをしなくてはならない。その一方で、組織のミッションについて誤解を与えてはならない。これは微妙な違いだが、機関に関係している人々の間に不同意を生み出すかもしれない。ミッションを支えるマーケティングの役割について注意深く考えて明確に伝えれば、それについての意見の相違を解決する一助となるだろう。

ビジョンと目標

ビジョンを作り上げていくためには、マーケティング分析とこの組織が将来どこに向かおうとしていて何を達成したいのかについて定義する戦略的思考の組み合わせが必要になる。ビジョンは、通常、意味の広い、志の高い言葉で書かれる。例えば、ある文化事業体がその分野における全国的なリーダーになるという構想を持つとしよう。ビジョンは、一度定義されれば、明確な複数の目標に転換され、多くの場合、ある時期までにその達成を目指すものになる。全国的なリーダーになるために、その組織は次のような目標を設定するだろう。生産を増やし、全国スタンダードに見合うように製品の質を向上させる。また、地元以外にもオーディエンスを広げ、より大きな都市にも出かけて行き、現在のリーダーよりもチケット販売を増やし、全国的な専門家の集まりやフェスティバルでの評価を高めるなどである。次に、これらの目標は、マーケティング・ミックスのそれぞれの変数（製品、価格、流通、プロモーション）に関連する一連の戦術に言い換えられる。

マーケティングの目標は、組織のプログラム、製品、サービス、および、それぞれの市場セグメントにおける機会と課題の評価に基づいていなければならない。

最初に、組織は、それぞれの個別の製品について、数値化できるマーケティング目標（販売目標や収益のゴール）を明確に語るべきである。

・シーズン券あるいは年度ごとの会員向けパッケージ（フルシーズン／年間、部分パッケージ、複数イベントの提供）
・個別の公演や展覧会
・伝統的な「シーズン」以外の演目やイベント
・特別サービスやアメニティ

次に、それぞれの市場セグメントについて、参加の目標を設定し、数値化する。

・オーディエンスの開発：新しい市場セグメントに浸透を図る（市場での到達範囲を増大させる）
・オーディエンスの維持：現在のセグメントに今の関わり方を継続させる動機づけを行う
・オーディエンスの充実：オーディエンスがより深く、豊かな、楽しめるパトロン体験［パトロンはここでは顧客に近い意味］ができるように追加的なサービスや便益を提供する
・オーディエンスの関わりの拡大：現在のパトロンに組織との関わりの頻度をもっと増やしてもらうよう促す

ターゲティング

どんな組織であろうと、すべての人に対して例外なく製品の長所を説得できるだけの時間やお金をかけることはできない。組織は、製品を買う意思と能力があり、マーケティングによる働きかけに応えてくれる見込み客のグループ（セグメント）に資源の投入を集中する必要がある。このようなグループを選び出すことがターゲティングである。その組織の現在のオーディエンスの特徴を知ると、ターゲット・セグメントのプロファイルを作り上げる助けになる。

ターゲット・セグメントはその規模がかなり大きく、成長が期待されるもので、競争に煩わせられず、実際的かつ到達可能で、組織のミッションや目標と両立可能なものであるべきである。ターゲティングは選択の問題である。ある製品のターゲットとなるオーディエンスが特定されていなければ、組織はどのセグメントからも十分な反応を期待できない。

社会的にその存在を広く知られている文化事業体は幅広いターゲットを選ぶだろう。他の文化事業体は、より小さな特定されたターゲットを選択し、より大きく、ターゲットを特定していない組織よりも、求められているニーズに対する便益を提供することに集中するかもしれない。ほとんどの小さな文化組織は、資源が限られていてミッションも独自のものであるので、ターゲットを絞る必要性について納得するだろう。このタイプのポジショニングは、消費者の選好と行為を表すセグメンテーションのディスクリプターを十分に理解することが必要である。ある場合には、子どもたちや10代向けの専門劇団の場合のように、社会人口統計学的

な変数を通して定義されたセグメントを用いることもある。他の例では、このタイプのポジショニングで地理的な変数に基づいているものもある。実際、「オフ・ブロードウェイ」という言葉はこのことを示している。(これとは対照的に、「フリンジ・フェスティバル」という概念は、そこで上演される作品が、その都市において周辺的あるいは先端的な性質のものであることを意味している。)

団体が成長するとともに、団体は追加的なセグメントをターゲットとすることを考え始めることができる。そのような多角化のアプローチを取ることによって、企業は、地域限定的であれ、グローバルにであれ、他の企業と市場全体で競争することができる。これは、文化産業における規模の大きなコングロマリットであるユニバーサル、ソニー、ベルテルスマンなどが採用するターゲティングである。これらの企業はすべてのエンタテインメント分野に存在し、ほぼすべての人にその存在を主張している。

資源

マーケティングの目標は何もないところから設定されて展開されるのではない。それらには、人的・財務的資源が必要だが、通常はそのどちらも有限である。「そこにどれだけの労力を投入できるのか」という問いに対する答えが、設定された目標に到達するための方法を決定し、想定されている戦略の実現可能性にも影響を与える。

5.1.2 開発戦略

第1章で見たように、戦略と戦術を明確に区別すべきである。戦略は最終的な目標――例えば、特定のマーケット・シェア(市場占有率)――を達成するための方法を包括的に捉えるところから始まる。戦術は、戦略のそれぞれの要素をその時々で調整すること――例えば、批評家を公演初日に招待するのではなく3日目の公演に招待するなどである。マーケティング・マネージャーは、戦略自体を変更することなく、多様な戦術を駆使して、戦略的に望ましい結果を達成することができる。古代中国の伝説的な将軍であり思想家である孫子(B.C. 544–496)[兵法書『孫子』の作者とされる人物]によれば、「戦術のない戦略では、勝利への道のりは遠い。戦略のない戦術は、敗北前の騒音である」という[6]。

ほとんどの団体は、販売、利益、マーケット・シェア、組織規模、あるいは国際的な認知状況を拡大したいと考えている。これらはすべて、開発目標の例である。これらの目標に到達したいと考えるマネージャーは、市場と製品の組み合わせによって、異なった戦略を用いることができる。高名な数学者であり、戦略マネジメントの父として知られるハリー・イゴール・アンゾフ Harry Igor Ansoff（1918–2002）[7] は、4つの開発戦略の枠組み（アンゾフのマトリックスと呼ばれる）を開発した。すなわち、市場浸透、市場開発、製品開発、多角化である。（表5.2を参照）

表 5.2　アンゾフ・モデル

	既存市場	新規市場
既存製品	市場浸透	市場開発
新規製品	製品開発	多角化

出典：Ansoff, I. "Strategies for Diversification." *Harvard Business Review* 1957 (September/October)

1.〈市場浸透 market penetration〉を通して、団体は既存の市場において様々な技術を用いて製品の販売を増大させようとする。例えば、団体はより動的な流通ネットワークを作ったり、新たなコミュニケーション・キャンペーンを始めたり、より優位な価格設定を行ったりすることができる。いずれの場合も、団体は、同じ製品で同じニッチにとどまる。
2.〈市場開発 market development〉では、団体がすでに持っている市場セグメントは変えずに、自らの製品を新しい市場に導入して販売を増やすことができる。団体はこのようにして、同じ製品を新たな顧客に提供することで顧客層を広げることができる。ツアー・カンパニーがこれまでと違う地域のプレゼンター（公演の主催者）にショーを買うように説得することや、プロモーター（興行主）が特定のアーティストと組んで国際的な市場に出て行こうとすることがこの戦略の実例である。これは、映画のプロデューサーが将来的に外国の団体との共同製作を容易にするために国際的なコンタクトを開発するのと同じである。
3.〈製品開発 product development〉では、団体はまったく新しい製品か、あるいは変更を加えた製品を現在の市場に投入する。スピンオフ製品を販売するのもこの戦略の一環である。

4. 〈多角化 diversification〉は、団体が新しい市場に新しい製品を投入して販売数を上げることを可能にするものである。この戦略は、他の3つの方法に比べて、リスクが最も高い。なぜなら、この方法には市場と製品という2つの新たな不確定要素を含むからである。この戦略は、例えば、映画製作、出版、電子ゲームなどのいくつかの文化セクターに会社を持つ規模の大きなコングロマリットが用いる。

表5.3は、上述の戦略それぞれについて適用可能ないくつかのアクションの例をリストアップしたものである。

アンゾフのマトリックスは、団体がある戦略を採用するとき、それと関連しているリスクを考えて、採るべきシナリオを分類することを可能にする。ビジネス・リスクは製品や市場が新しいことから生じる。したがって、戦略としての多角化は、最もリスクが高い。なぜなら、新しい製品が新しく様子のわからない市場に向けて開発されるからである。市場浸透は、団体が自分たちになじみがある環境にとどまるので最もリスクが少ない。他の2つの戦略はその中間の状況を表している。

この分析ツールは市場の様々な文脈で使われる。例えば、ある特定の地域のエージェントは、ツーリズムの開発を提案するときに、このグリッド［格子］を使って利用できる選択肢を比較するかもしれない。表5.4は、ある地域でツーリストを惹きつけようとしてコーディネートされた積極的なキャンペーンを始めたい地域の仮定的な状況を説明している。関係するリスクという点から見て可能な選択肢が与えられている。

この中でリスクが最も少ない戦略は、すでにその地域にある活動に対してコーディネートされたマーケット・コミュニケーションを増やして、ツーリストの訪問を延長し、支出を増大させることである（表5.4❶）。この目標は、マーケティング・ミックスの他の3つの要素（価格、流通、コミュニケーション）に変更を加えること、既存の顧客に対して様々な文化的製品の魅力を伝えるコミュニケーション・キャンペーンを組織すること、あるいは、これらを組み合わせた活動に対して割引価格を提供することによって、達成可能である。

表 5.3　アンゾフの4つの戦略のために可能な活動方針

<table>
<tr><td rowspan="3">1．市場浸透
（既存市場で現行の製品の使用を増やす）</td><td>顧客の現在の使用率を増やす
・購入の単位を増やす
・製品の陳腐化率を増大させる
・他の製品の使用を広告する
・使用を増やせばボーナスを提供する</td></tr>
<tr><td>競合他団体の顧客を惹きつける
・ブランドの差別化を向上させる
・プロモーションを増やす</td></tr>
<tr><td>非顧客を惹きつける
・顧客に製品を試すことを促すためにサンプル、ボーナス、それに類似したものを使用する
・価格を上下に調整する
・新製品の使用を広告する</td></tr>
<tr><td rowspan="2">2．市場開発
（新市場で現行の製品を売る）</td><td>新しい地理的な市場を開く
・地域の拡大
・全国的に販売を拡大
・国際的な拡大</td></tr>
<tr><td>他の市場セクターを惹きつける
・他のセクター向けにバージョンを変えた製品を開発する
・他の流通チャネルに浸透する
・他のメディアで広告を打つ</td></tr>
<tr><td rowspan="3">3．製品開発
（既存の市場で、新しい製品を作る）</td><td>新しい特徴のある製品を作る
・適応させる（他のアイデアや改善）
・変更する（色、動き、音、香り、形、ライン）
・増大させる（強さ、長さ、厚さ、価値の増大）
・小さくする（小さく、短く、軽く）
・代替させる（材質を変える、新しい製法、他の可能性）
・見た目を変える（デザイン、レイアウト、順序、構成要素）
・完全に回転させる（逆にする）
・組み合わせる（混ぜる、合わせる、組み合わせる、部分・もの・属性・アイデアを混ぜ合わせる）</td></tr>
<tr><td>質を改善する</td></tr>
<tr><td>新たなモデルとフォーマットを作る（製品の豊富化）</td></tr>
<tr><td>4．多角化
（新しい市場に向けて新しい製品を作る）</td><td>団体が新しい製品を作ったら目印をつけておいて、いつでも新しい市場に向けての進出を準備する</td></tr>
</table>

出典：Adapted from P. Kotler and B. Dubois. 1973. *Marketing management, analyse, planification et con-trôle*, 2nd ed. Paris: Publi-Union, p. 287.

表 5.4　地域の観光客の交通を増やすためにアンゾフのマトリックスを用いる		
	現在の市場	新市場
現行の製品	❶ 浸透 集中的なコミュニケーション	❷ 市場開発 海外でのプロモーション、パッケージ
新製品	❸ 新製品の開発 自然学習センターの開設	❹ 多角化 サマー・シアターか、他のタイプのフェスティバルの創設

2つ目の戦略（表5.4❷）では、マーケターは、現在の活動によって惹きつけられていない人たちに対して、海外でのコミュニケーション・キャンペーンや、現在の顧客層の中に入っていない特別のカテゴリー（例えば、高齢者）の割引価格を提供するなどを考えることができる。

3つ目の戦略は、ツーリストの滞在も延ばし、支出も増大させるものであるが、現顧客に新しい活動（新製品）を提供することから成る。例えば、狩猟や釣りの熱心な客をすでに集めている地域で、同じ顧客に到達するために自然学習センターの開設を検討するかもしれない（表5.4❸）。

最後に、サマー・シアターやサマー・シアター・フェスティバルのように、これまでとは異なる市場セグメントの興味を惹きそうな新たな提案を開発する可能性がある（表5.4❹）。

5.1.3　競争戦略

グローバルな競争を含むもっとも広い意味での競争からの圧力があるために、どの文化事業体も、消費者に向けて自らの持つ競争優位を定義し、それを使って消費者の目にユニークだと映るようにすることを義務づけられている。それぞれの市場でのニーズが異なっているため、このユニークさの性質は市場によって様々である。

競争優位

どの団体も、その製品の特徴的な側面や競争優位を強調することによって、強みのあるポジションに到達しようと試みなければならない。当然、この側面は消費者にとってポジティブに知覚されなければならない。その優位点とは、製品の特徴や、プロモーションのツールや、流通ネットワークの利用の独自性や興味深い価格政策のことかもしれない。競争で抜きん出ることができるための独自のニッチを見つけるのは団体の責任である。

マーケティング・マネージャーは、「なぜ消費者（あるいはスポンサー）は競合他社の製品ではなく自社の製品を気に入ったのか」という問いについて考慮しなければならない。この問いは重要である。アート市場のような飽和市場においては、消費者は事実上無数の選択肢を持っているからである。しばしば、消費者はそれぞれが同じくらい興味深いいくつかの可能性の中からひとつを選ばなければならない。消費者市場においては、関連の要素（駐車場の近さ、雰囲気、チケット購入のしやすさ、スタッフの礼儀正しさ、バーの有無、など）、または、買う側にどの程度の手間がかかるのか、または、以前の体験の質などによって意思決定がなされるかもしれない。

全体として、競争優位は3つのカテゴリーに分けられる。

1. 競争相手よりも速く行うもの（より速い配達と取引／便利さ／利用可能性）
2. 競争相手よりもよく行うもの（美学／業績／顧客サービス／知覚品質）
3. 競争相手よりも安く行うもの（値ごろ感／無料のアップグレード／無料の駐車場）

文化事業体は、国内レベルあるいは国際レベルで、競争による大きな圧力に直面しているので、消費者市場であれ、政府市場であれ、民間セクター市場であれ、パートナー市場であれ、ターゲット・マーケットにおいて競争優位を作り上げる以外の選択肢はない。

競争戦略には、4つのタイプがある。リーダー、チャレンジャー、フォロワー、スペシャリストである。

リーダー

リーダーの団体は市場を支配している。例えば、ウォルト・ディズニー・カンパニーは、ファミリー・エンタテインメントの世界的なリーダーであり、供給者、流通業者、そして競合団体に対して大きな交渉力を持っている。リーダーは、しばしば参照点もしくは攻撃の標的であり、真似をされるモデルであり、または避けるべき敵である。リーダーは市場の主調音を決め、競合他社から常に観察される存在である。市場のリーダーは多くの選択肢を持っている。なぜなら、リーダーは強いポジションにあって、規模、マーケット・シェア、影響力のある海外の土地［国または領域］、または、規模の経済などの点で市場を支配しているからである。

しかし、アートにおいては、アートに関わる事業体は通常、規模がそれほど大きくないので、リーダーも必ずしも大きくない。その結果、どこも規模の優位性から便益を受けることができない。アートにおけるリーダーシップは、一般的には、製品そのものの視点で定義される。すなわち、大勢のオーディエンスを引き寄せ、業界で明確な認知を達成する製品の力によってである。それにも関わらず、アートにおけるリーダーはやはり明確な優位性を享受している。

チャレンジャー

チャレンジャーは、リーダーの主要なライバルとみなされる団体である。例えば、ドリームワークス・ピクチャーズは、以前ディズニーの執行役員だった人物たちによって創設されたが、アニメ映画ではディズニーに対する主要なチャレンジャーであり、非常に成功している。言うまでもなく、チャレンジャーはリーダーになろうとする。チャレンジャーは本質的に市場で先導的なポジションをとるというひとつのゴールを目指す。チャレンジャーは、リーダーと同じ戦術をとってリーダーと直接対決することができる。例えば、チャレンジャーは、大々的な広告キャンペーンを行なったり、強烈な印象の製品を作ったり、競争力の高い値段を設定したりすることができる。

チャレンジャーは、リーダーの弱点を利用してトップになろうとするかもしれない。形成途上のネットワークに入り込み、同じ製品をより有利な価格で提供したり、より良いサービスを提供したり、または、リーダーが部分的にしかカバーしていない地域やセグメントに浸透しようとするかもしれない。当然、チャレンジャーは慎重さを忘れてはならず、リーダーの反応を予想し判断しようとしなくてはならない。

フォロワー

フォロワーは、かなり小さな市場セグメントを持った競争者である。例えば、ソニー・スタジオは何度かアニメ映画市場に参入しようとした。それなりの成功を収めたが、まだこの市場において堅固なフランチャイズ（営業基盤）を確保したとは言えない。フォロワーは、トップになろうとするのではなく、競合他団体に合わせてすべての企業行動を適応させる。フォロワーはマーケット・シェアを増大させようと懸命になることはせずにそれを保持する戦術を開発する。

フォロワーはその名前の通り、競争相手の行動にぴったり追随し、それに沿って自分の振る舞いを調整する。

スペシャリスト（あるいはニッチャー）

スペシャリストは、ニッチと呼ばれるかなり特徴のあるセグメントに焦点を当てる。ニッチを創り出すことが競合他社との違いをつくる。例えば、オハイオ州デイトンのニッチ・プロダクションは、広告用の最高仕様のデジタルアニメ短編映画の製作に専門化している。

専門化は、製品の独自性や、どこか外国の土地に関する知識や、ある独自の技術の使用、あるいは小売価格を下げることのできる製造能力などから生じる。これらの要素は、いずれも明確な優位性だとわかるだろう。スペシャリスト戦略あるいはニッチ戦略は、名声の確立した大企業に対抗しなければならない文化セクターの小さな団体が採用するような戦略である。

5.2　ポジショニング

5.2.1　定義

ポジショニングとは、「あなたが部屋にいないときに、人々があなたについて語ることだ」とアマゾンの創業者でCEOのジェフ・ベゾスはジョークを言う[8]。〈簡潔に定義すると、ポジショニングとは、団体や製品が競争相手との比較において消費者の心の中に占めている場所、または、そのように意図している場所のことである。〉消費者は、ほとんどの製品を無視する。消費者の混み合った心の中に場所を見つけることは、手間もお金もかかるプロセスであり、何かを犠牲にすること（どのような製品も、誰にとってもそれがすべてだというわけではない）や、一貫性を持たせること（日々、広告に次ぐ広告、顧客体験に次ぐ顧客体験）や、明確な競争優位（組織が競合他団体よりも早く、うまく、安く行うこと）が必要とされる。ポジショニングは、顧客の知覚と信念に基づいている。もし、顧客が見て信頼できないのなら、そのポジショニングは不適切である。もし、自分たちが望ましいと思うポジショニングが現在のポジショニングと異なっているなら、団体は消費者がそのように知覚している理由を理解しようとし、もし必要なら、それを変えるための行動を起こさなければならない。このプロセスは「リポジショニング」と呼ばれるが、これは消費者の心を変化させることを意味するので難しいことでもある。危機に瀕しているのは団体と製品のアイデンティティに他ならないので、ポジショニングはマーケティングにおける重大な決定である。

5.2.2 選好、知覚、理想点

製品のポジショニングを定義する際には、顧客の選好とともに、彼らが競合他団体のポジションをこれらの選好の表現との関連でどのように知覚しているかを特定することが重要である。この点で、私たちは、市場セグメントを一連の「理想的な」点と見ることができる（図5.1a）。ある顧客が自分の求めるものが何かを聞かれたとき、彼は、製品に求める特徴を特定する。これらの特徴は、顧客の理想の表現であり、したがって「理想点」という語を用いる。

図5.1aは、市場における消費者の様々な選好を表しており、それぞれの点が消費者の「理想点」を示している。このやり方を基礎として、私たちは選好マップを作ることができる。これを知覚マップ（図5.1b）と組み合わせることで、私たちは、消費者がどのようにそれぞれのポジションを知覚しているのかに基づいて様々な競合他団体をマップ上に位置づけることができる。このマップ（図5.1c）によって、マネージャーはいくつかの可能性を手にする。もし、製品が彼らの望むように消費者に知覚されていれば、何も決定を下す必要はない（製品A）。それとは逆に、もし、消費者の意識における自分の団体の製品のポジショニングが望ましいポジショニングに対応していない（製品C）ことを認識すれば、マネージャーは2つの活動方針のうちのひとつをとることができる。例えば、プロモーション・キャンペーンを通じて知覚を修正（すなわち、リポジショニング）させるように消費者を説得するか、あるいは、セグメントの選好を修正させようと試みる。後者は実行するのがより難しい。というのは、顧客の選好を変えるのが非常に難しいこ

図 5.1a　選好マップ（理想点）

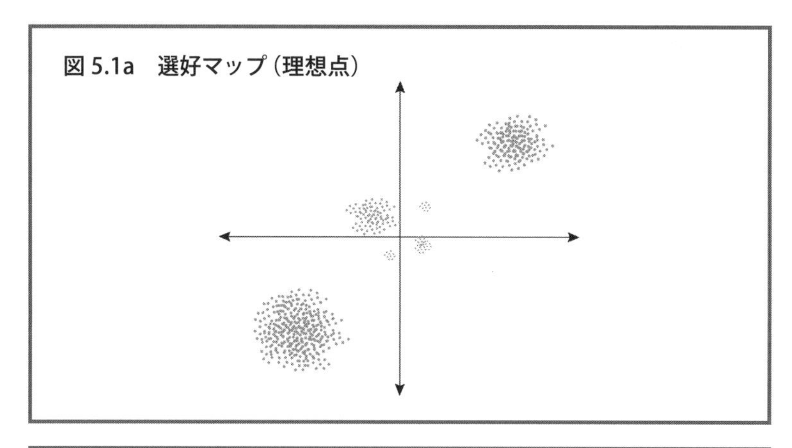

図 5.1b　知覚マップ

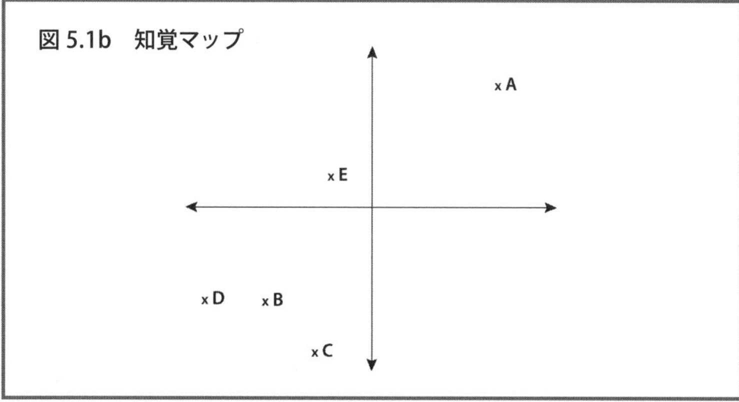

図 5.1c　組み合わせ：選好と知覚のマップ

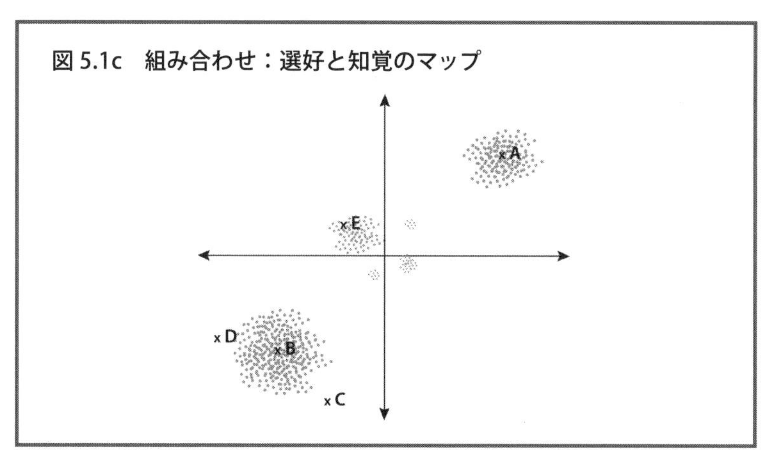

とはよく知られているからである。このように、例えば、演劇愛好家に劇の代わりにレスリングの試合を選択することを説得しようとする団体はおそらくそれに失敗するだろう。他の戦術としては、もうひとつの製品を支えるのに十分な大きさのセグメントを持つ新製品（製品D）か、競争が存在していないセグメントを持つ新製品を投入する（製品E）ことである。最後に、団体は市場セグメントにまったく違う次元を打ち出すことによって消費者の選好と知覚マップに変化を加えることができる。この良い例は、市場に対して伝統的なサーカスとは大きく異なるアート・フォームを提案したシルク・ドゥ・ソレイユ Cirque du Soleil である。動物を使わず、ドラマティックな枠組を加えることによって、シルク・ドゥ・ソレイユは少なくとも北米の市場にそれまでになかった次元を加えた。

最後の戦略は、まだ進出していない市場で、自分たちの製品が現行の製品に対抗して十分な成功を収められると考える場合に、団体がそこに新製品を投入することである。この戦略は新製品の創造も含む。

5.2.3 ポジショニングのタイプ

ポジショニングには、主要な2つの基礎がある。差別化と価格である。

差別化によるポジショニング

団体やその個別の製品にとって、差別化とは、それ自身やその製品を他のものから区別し、それによってターゲットとする顧客から競争相手とは違うと知覚されるとともに、団体にとって好意的なインパクトを勝ち取ることからなる。

差別化は、「いくつかの団体が同じポジショニングにいる場合、どうやって自分を際立たせるのか」という問いを投げかける。その答えは、消費者に関わりを持ち、消費者にとって重要な側面を見つけることである。この側面は重要かつ明白かつ正統的なものでなければならない。それは、ターゲットとするパトロン（顧客）にとって現実的または象徴的な利点をもたらすものであり、競合他団体が提供していなくて、かつ、容易に真似のできないものでなければならない。差別化は、マーケティング・ミックスのいずれかの、あるいはすべての構成要素に対応する。同じブランドについて、どれだけの差別化の要素が存在するべきだろうか。いくつかの要素があってもよいが、互いに関係のないものや相互に矛盾するものではなく、補完的で一貫性があるほうがよい。しかしながら、多くの差異を伝えようとすると、顧客を混乱させるかもしれない。顧客（特に新しい消費者）はそれに気づかないか、記憶することがないであろう。この混乱は、ブランドの信頼性を崩してしまうことがありうる。通常はひとつだけ、あるいはせいぜい2、3の違いを用いるのがよい。最後に、メッセージを理解されやすくするために、組織はずっとその姿勢が一貫していなければならない。頻繁に変更することは顧客を混乱させるだけである。

差別化は、1895年にロンドンのロイヤル・アルバート・ホールで始まったBBCのプロムナード・コンサート・シリーズ［ザ・プロムス the Proms］の成功の主要な理由のひとつである。当初から、このシリーズは、独自の社会的要素を付け加えていて、他のコンサートとは異なっていた。ザ・プロムスのために、ホールのすべての座席が撤去される。それによって、パトロンの間の相互交流が促進され、聴衆は美しいギャラリーを歩き回ることができ、飲食の消費が促進される。このことは、他にはない打ち解けた雰囲気を創り出し、伝統的なコンサートの客とは異なる聴衆に高く評価されている。「ザ・プロムスは質の高い音楽体験とともに「楽しみ」の機会も提供している。」[9]

価格によるポジショニング

差別化のための源泉が他にない場合には、価格は製品が市場で競争できる唯一の変数である。価格によるポジショニングは、平均的な価格よりも安い価格で顧客の基本的な期待に応える能力を必要とし、バリュー・フォー・マネー［金額に見合った価値］を最大化しようとするものである。このポジショニングをとる組織は、コストカットを組織文化の一部としなければならない。競合他団体のコストに関するポジションを正確に知り、業務全体のコストを引き下げ、低コストをより安い価格に置き換えなくてはならない。（アメリカのウォルマートやヨーロッパ、ラテン・アメリカ、アジアのカルフールなどの）多くの大規模なチェーンストアは、どの製品についても最も低い価格を体系的に提供する商業帝国をつくりあげている。

しかし、取り換えの利かない製品である文化的製品にとって、価格のポジショニングは特別に効果的ではない。消費者は、多くの場合、ある特定のアーティストや特別な情動的な体験に興味がある。消費者は簡単に当初の選択から離れて他のアーティストや割引の誘因がある文化形式に引き寄せられることはない。

差別化と価格の両方に基づいた二重のポジショニングを築くことを決定する団体もあるだろう。アマゾンの書籍業務は、その良い例である。大きな書店は、製品の品揃えが充実しており、価格の面でも競争力があるというブランド・ポジショニングを採っている。アマゾンは、ウェブサイトで簡便に購入でき、効率的に配達してくれて、膨大な選択肢があり、お奨め本を紹介する能力もある。他の書店はこれらの差別化の諸要素においてアマゾンを凌駕できないだけでない。アマゾンは大きな書店でもなかなか対抗できない低価格も提供していることをこれに加えるとよい。

5.2.4 ブランディング

第1章で触れたように、〈ブランドは、顧客や見込み客の心の中に製品のポジショニングを思い起こさせるための「装置」(語、フレーズ、形、音、色、あるいはこれらの特徴の組み合わせ) である〉。瞬間的にその製品を認識するための消費者の能力のうちでもっとも主要なものは、特徴ある一貫したひとつの視覚イメージである。第1章で述べたように、ブランドは、団体によって提供される便益を凝縮した形で表すものである。

次に、ブランドの目的は、ある団体の製品と別の団体の製品とを、あるいは単純にある団体と競合他団体とを特定し、差別化することである。ブランドは、団体によって提供される便益を凝縮した形で示すものである。そのことにより、消費者の様々な期待に応えることができる。例えば、ブルース・スプリングスティーンのファンはCDを買うときに自分たちが何を期待しているか正確にわかっている。例えば、ある衣服のブランドを、意識的にあるいは潜在意識において、自分がある特定のグループのメンバーであることを表すためにそれを選ぶ人たちもいる。

ブランドでは、組織のパーソナリティを反映したロゴやグラフィック・チャーターを作るために、プロのグラフィック・デザイナーを雇用することが要請されるだろう。例えば、シカゴのステッペンウルフ劇団は明確で際立ったグラフィック・チャーター――アンサンブル・メンバーの大きな白黒の写真、赤いロゴ、そして、黒と赤のタイプ文字――をすべてのプロモーショングッズ(ブローシャー、ビルボード、ウェブサイト) に載せている。このチャーターは、この劇団のコミュニケーションに一貫性を持たせており、彼らの力強い演技スタイルを反映している。

5.2.5 マーケティング・ミックス

マーケティング部門が成功に向けての戦略を定義したら「どうやってそこに到達しようとするのか」という問いに答えなければならない。いよいよ、すべてのマーケティング・ミックスの変数、すなわち製品Product、価格Price、場所Place（流通Distribution）、プロモーションPromotion（コミュニケーションCommunication）という4Pのそれぞれについて決定をするときである。市場中心の団体は、製品がどのような特徴を持つべきかを熟考する。その一方、ミッション中心の団体は製品の特徴を再確認しようとする。なぜなら、それらの特徴は予め決められているからである。

どちらの場合においても、価格政策と流通の可能性が決定され、コミュニケーション変数の4つの構成要素（広告、PRとパブリシティ、プロモーション、人的販売）すべてのバランスが決められる。

マーケティングの熟練者の中には、マーケティング・ミックスに対してより顧客志向の強いアプローチを提唱してきた人たちがいる。例えば、ロバート・ラウターボーンRobert Lauterborn、ドン・シュルツDon Schultz、スタンリー・タネンバウムStanley Tannenbaum[10]は、4Pを4Cに置き換えることを提案している。これは、伝統的なマーケティングの変数に新しい視点を与え、それらの持つ意味に以下のものを加えることを可能にする。

- 消費者の価値Consumer Value（vs. 製品Product）
- 消費者の利便性Consumer Convenience（vs. 場所Place）
- 消費者のコストConsumer Cost（vs. 価格Price）
- 消費者のコミュニケーションConsumer Communication（vs. プロモーションPromotion）

〈消費者の価値〉：これまでに見てきたように、非営利の文化事業体は製品主導product-drivenである。何かが「売れる」からという理由だけで作品を修正するレジデント・アーティストやキュレーターを見いだすことは考えにくい。製品は、4Pのうちアーツ・マーケターがこれまでその潜在可能性を十分に開拓してきたものではない。しかし、製品そのものについて考えるのではなく、パトロンにとっての価値や関わりを考えれば、パトロンを説得する機会を発見できるだろう。あなたは、マーケティング活動によって、なぜパトロンが作品を観るべきか、今このときになぜそのことがパトロンにとって重要で、パトロンにとってどのように価値があるのかをパトロンに理解させなければならない。

〈消費者の利便性〉：場所placeは、マーケティング・ミックスのうち、アーツ・マーケターにとって利用できる機会があまり多くないもう一つのツールである。場所placeとは、通常は「流通distribution」のことを意味している。すなわち、製品が購入され、消費される物理的な立地のことである。コンサートホールであろうと、劇場、ギャラリー、博物館であろうと、ほとんどの文化組織において場所や流通の地点は固定されている。しかし、もし、アクセスの利便性を考えるなら、戦術的な機会が無数に出てくるだろう。どのように、いつ、あるいは、どこでチケットを買えるのかは利便性を表すことがある。シーズン・チケットを部分的に利用できるようなパッケージにすることも利便性である。早い時間からコンサートを始めることも、人気のある展覧会を見るために予め時間を予約できるようにすることも、作品やクリエーターの背景となる情報に簡単にアクセスできることも利便性である。特別なアメニティ（例：駐車場、会員制ラウンジ、優先座席など）も利便性である。

〈消費者のコスト〉：展覧会や公演が組織的に行われるようになった最初の頃から、アーツ・マーケターはずっと価格戦略を利用してきた。マーケターは、変動価格設定やそれに関連する様々な戦略を使って、コストに敏感な市場セグメントを作品に引き寄せ、あまり人気のない座席を売ったり、人気のない日にちや時間を受け入れてもらいやすくする。マネージャーの中には、最初の定価を高く設定し、その後に値下げをすることによって組織のイメージに高級感をもたせたり（当初の高価格による）、いくつかの市場セグメントに対して行動の動機づけを与えたりする（後で割引をする）ものもいる。だが、大切なのは、顧客がそれに参加する際のすべての「コスト」を見ることである。イベントに参加するにはどのような追加の金銭的コストがかかるのか。それには、駐車場、ガソリン、道路通行料、それに食事もベビーシッター費もかかる。時間と手間を考えるとチケットを買うためのコストはいくらなのか。顧客にとっての社会的、心理的、情動的なコスト（「関与のリスク」)はどういうものであるのか。

〈**消費者のコミュニケーション**〉:プロモーションの戦術や仕掛けを超えて考え、オーディエンスとの間でコミュニケーションを行い、単に作品のプレゼンテーションを超えるレベルのサービスを提供するプロセスを考慮するべきである。私たちは、高速道路での食事と違って、旅行者が1度でなく何度も来てくれるよう希望するし、パトロンとの間に長期にわたる関係を築き上げなければならない。私たちは、ターゲットとなる市場セグメントを誘引するためにプロモーション・ツールを使っているが、双方向の関係性を築き、時とともにそれを強化する。文化組織にとっては、民間セクターで「顧客サービス」や「顧客関係」と呼ばれるパトロンへのサービスは贅沢などではなく、伝統的な定期会員やメンバーへのサービス以上のものでなくてはならない。ホテル経営者は、どのホテルもベッドと風呂とテレビと電話を提供していることを知っている。ということは、あるホテルを他のホテルよりも優れたポジションに位置づけるのは、コミュニケーションやサービス、スタッフとのやりとりの質である。苦情や問題にどのようにうまく対応しているのか。客席係は何時にコンサートが終わるかを知っているか。博物館の警備員は展示されている作品について基本的な知識を持っているか。チケット売場[ボックス・オフィス]の職員は、特別なニーズを持ったパトロンに素早く答えるノウハウを持っているだろうか。

5.3　統制

〈統制[コントロール]とは、マーケティング行動の結果のすべてまたは一部を検証し、戦略と戦術のインパクトについて判断し、想定と現実との間に乖離があった場合、必要なあらゆる変更を行うことである。〉マーケティング計画を用いるマーケティング・マネージャーは、構成要素のうちの1つ、いくつか、あるいはすべてをモニターすることができる。すべての要素を統制するという場合はマーケティング監査と見なされる。

5.3.1 サイクルによる統制

マーケティング活動は、特定の測定基準を使って継続的、定期的にモニターされ評価されるべきである。統制は、このサイクルの一部であり、その中に計画と是正措置の実行を含んでいる。当然のことだが、どのような形の統制であっても、それは計画が生じて初めて存在する。

マーケティングの単位の目標とマーケティング・ミックスのそれぞれの変数や構成要素の目標は、一連の活動やプログラムに翻訳される。これらの目標や活動方針は、想定と現実の乖離を測る規範や基準に対応しなければならない。違いがある場合は、その原因を分析し、目標や活動、あるいはその両方に影響を与える是正措置を採ることにつなげるべきである。

5.3.2 統制の測定基準

すべてのマネージャーは、企業の目標を確実に達成するように業務を統制しなくてはならないことを知っている。このことは、政府が組織のビジネスの統制の程度を考慮に入れるのであれば、さらに重要度が増すことになる。

マーケティングの統制に用いられる測定法は、分析されるものや分析によって光が当てられること、マーケティング部門の目標、マーケティング・ミックスのそれぞれの変数の目標、提示される予算などによって様々である。これらのそれぞれはモニターされて、売上高、マーケット・シェア、利益、集客数、顧客満足、あるいはイメージの改善などの特定の測定基準が必要とされるだろう。マーケティング・マネージャーは、目標とした販売量が実際に達成されたかどうかを知りたい。これは、販売報告書から得られるデータを、マーケティング計画に書かれているのと同じ詳細さで目標ごとに比較することで確かめられる。同じように、マーケット・シェアは、需要に対する売上をマーケティング計画において設定された目標に沿って比較することでチェックできる。利益率は、財務諸表を見てそれをマーケティング計画に設定された目標と比較することによって点検できる。

次のステップは、マーケティング・ミックスのそれぞれの構成要素（製品、価格、流通、プロモーション）について、目標が達成されたかどうかを見るだけではなく、それが効率的に達成されたかどうかについても見ることである。マーケティング・マネージャーや執行役員は、製品ごとに時間の経過による売上高の推移をチェックし、製品や土地ごとの利益率を細かく検証することができる。また、自社の製品価格のレベルを競争相手の製品価格のそれと比較検討することができ、それと同じように、現在あるいは以前に使っていたプロモーション・ツールの効果の度合いも比較することができる。

マネジメント情報システム（MIS）で集めた内部データと2次データは、これを行うのに不可欠である。統制では、1次データの使用も含むかもしれない。1次データの場合、マーケティング・マネージャーは製品のポジショニングが本来のポジショニングになっているか、また、プロモーション・キャンペーンで作られた製品の認知度は設定された目標に対応しているか、流通ネットワークのメンバーは満足しているか、などを測ることができる。

マーケティング・マネージャーや執行役員は、業務をモニタリングするための特定の基準を開発し、期ごとに結果を比較し、同じ基準が使われているかどうかを確かめるべきである。異なった基準は役に立たない。なぜなら、得られる結果と現実的な比較ができないからである。同じように、不正確な測定は、疑わしい、間違った決定に導かれるおそれがある[11]。

マーケティング・マネージャーがマーケティング活動の成果をモニターするために開発できるひとつのツールがバランスト・スコアカードである。これは、いくつかの業績指標を組み合わせて進捗状況を追跡するための分析用ドキュメント・ツールである。バランスト・スコアカードは、キャプランKaplanとノートンNortonによって1992年に紹介されたもので[12]、マネージャーが組織の変化を遂行するために必要なすべての指標を含むことができる効果的な業績管理のツールである。これは広く使われているツールであるが、マーケティング・マネージャーがそれに含めるべき指標を選ぶ時には、注意深い考慮が必要である。

バランスト・スコアカードは、企業のマーケティングの目標と戦略を反映していなければならない。それに加えて、マネージャーは因果関係を理解し、内部的および外部的な事柄に由来する財務的および非財務的な測定を用いなければならない。この道具は、企業の活動をモニターするのに役立つだけでなく、マーケティング・マネージャーと団体の経営陣との間のコミュニケーションのツールとしても役立つ。

5.3.3 マーケティング監査

マーケティング監査とは、その固有の環境における団体のマーケティングの方向性について、深く、体系的に、期ごとに批判的調査を行うものである。この監査は、団体が現在の問題を解決し、競争的な強みを強化し、団体のマーケティング活動における効率性と利益率のレベルを上げることを可能にするべきである。

マーケティング監査は、団体の目標、方針、組織、手順、スタッフを点検する。監査は、団体が危機にあるときだけではなく、定期的に行うべきである。それは、困難を抱えている活動だけでなく、企業のマーケティング活動のすべてをカバーするべきである。客観性を確実にするために、団体の役員会や執行役員が信頼できると考える独立した企業または同一企業内の他の部門が監査を実施すべきである。

表5.5は、マーケティング監査のためのチェックリストである。これには、組織が監査のときに問うべきすべての問題が含まれている。

表5.5 マーケティング監査において問うべき主要な問題
A. 状況分析
市場と環境 ・自社は、どの市場にすでに到達しているか。 ・顧客は誰か。 ・市場セグメントはどのように定義されるか。 ・現在および将来の需要はどうか。 ・競合他団体は誰か、どの程度大きいのか、どのような戦略を用いるのか。 ・環境のどの要素が自社に影響を与えるのか。 ・それらはどのように変化してきて、これからどのように変化して行くのか。 団体 ・団体のミッションは何か。 ・団体の目標は何か。 ・団体の全体的な戦略は何か。 ・団体の強みと弱みは何か。 ・団体には明確な優位性があるか。それは何か。 ・団体には長期計画があるか。短期計画はあるか。
B. マーケティング計画の分析
目標と戦略 ・マーケティングの目標は何か。 ・これらの目標を通してどのような成果が得られたか。 ・団体はどんなマーケティング戦略を取るのか。どの市場セグメントをターゲットとしているのか。団体のポジショニングは何か。

<table>
<tr><td></td><td>・これらの戦略は全体的な企業戦略に対応しているか。
・団体は、マーケティングの目標と企業戦略の効率的達成を評価するためにどの統制基準を適用しているか。
マーケティング・ミックス
・マーケティング・ミックスの変数に対してどの目標が定義されているか。
・製品の戦略は何か。
・それぞれの製品でどのようなポジショニングを得ようとしているのか。
・製品の構成には一貫性があるか。
・提供されているサービスは適切か。
・製品そのものが団体のマーケティング目標を達成することにどのように役立っているか。
・価格戦略はどういうものか。
・製品の価格を設定するのにどのような要素が考慮されたか。
・競合他団体の価格と比較してどうか。
・企業 corporate のマーケティング目標達成のために、価格戦略はどう機能しているか。
・どの流通戦略が採用されているか。
・流通ネットワークは適切か。効果的か。
・流通チャネルのメンバー間の関係は良好か。
・企業 corporate のマーケティング目標達成のために、流通戦略はどう機能しているか。
・コミュニケーション戦略は何か。
・コミュニケーション・ミックスの各要素の役割は何か。
・コミュニケーション・ミックスは検証されているか。どのようにしてか。結果はどうだったか。
・企業 corporate のマーケティング目標達成のために、コミュニケーション戦略はどう機能しているか。
・マーケティング・ミックスの各変数に関する戦略は、全体のマーケティング戦略に対応しているか。</td></tr>
<tr><td colspan="2">C.　マーケティング・プログラムの分析</td></tr>
<tr><td></td><td>・マーケティング・ミックスの各変数に関して、活動（プログラム）が書面で作成してあるか。
・マーケティング計画の成功において、マーケティング部門のそれぞれのメンバーが果たす役割は何か。業務は明確に割り当てられているか。
・予定表はあるか。それは守られているか。
・様々な機能がどのようにコーディネートされているか。
・代替のマーケティング計画はあるか。それは現実的か。</td></tr>
<tr><td colspan="2">D.　予測</td></tr>
<tr><td></td><td>・環境と競合他社はどのように変化して行くのか。
・それらは、組織にどのように影響してきたのか。
・団体は、予見される環境の変化に適応する準備ができているのか。
・団体にとって、どのような興味深い事業機会が可能なのか。
・団体にとっての成功の鍵は何か。団体はどのようにして必要とされる新しい技術と知識を獲得するのか。</td></tr>
<tr><td colspan="2">E.　提案</td></tr>
<tr><td></td><td>・団体は、その目標と戦略を、どのように変化させるか。
・団体はどのようにこれらの変化をもたらすことができるか。
・コストはどのくらいか。
・関連する決断を下すためにどのような追加情報が必要か。</td></tr>
</table>

要約

マーケティング戦略は団体を動き出させる。マーケティング戦略は、マーケティング・リサーチ、消費者リサーチ、状況分析における発見を用いて、明確な目標と行動計画を定義する。

団体は、鍵となるいくつかの意思決定の中で、ターゲットとするセグメントを特定する必要があり、また、競合他団体との関係において、ターゲットとされる消費者に自社の製品について何を信じさせたいのかを定義する必要がある。

競争戦略は、そのセクターで活動する企業の間に存在するパワーの比率を考慮に入れる。これらの戦略は、リーダー、チャレンジャー、フォロワー、スペシャリストと呼ばれる企業のそれぞれのポジションの違いに基づいている。

開発戦略は製品と市場に基づくパラメーターを設定する。新奇性あるいは新規性の度合いに応じて、団体は、現行の製品で現在の市場に集中するか、現行の製品を新しい市場に投入するか、または新製品を新しい市場に売り出すかを決定することがある。

マーケティング計画は5つのステップを含んでいる。すなわち、状況分析、マーケティング戦略の定義（マーケティング目標、ターゲット・マーケット、ポジショニング、その他の戦略）、財務的・人的資源の割当（予算）、マーケティング・ミックスに関する決定、そして、実行（代替計画、統制の仕組み）である。

マーケティング計画と統制（コントロール）は、同じプロセスの2つの補完的な側面である。計画すること —— 事業目標の設定と特定の方針の起草 —— は、必然的にマーケティング活動のあらゆるモニタリングに先立って行わなければならない。目標と方針を参照することによってのみ、マーケティング・マネージャーはマーケティング活動の結果を評価できる。

マーケティングの統制は、質的量的な標準に基づいて、目標がどのようにうまく達成されているかを追跡し、評価することからなる。それは、サイクルとして見なされるべきである。マーケティング・マネージャーは、売上高とマーケット・シェアによって示される結果を超えて、普段からマーケティング・ミックスのそれぞれの変数の結果を統制する。マネージャーはまた、すべてのマーケティング業務を十分にかつ体系的に点検したい —— 言い換えれば、マーケティング監査を実施したいと思うだろう。

問題

1. TOWSマトリックスにおいて挙げられている4つの戦略とは何か。
2. ミッション·ステートメントとは何か。
3. 文化組織をどれかひとつ選んで、説得力のあるミッション·ステートメントを書くことができるか。
4. マーケティング·ビジョンが要請するものは何か。
5. なぜターゲティングは選択の問題なのか。
6. ポジショニングとは何か。
7. 戦略と戦術の違いとは何か。
8. 4つの競争戦略を説明できるか。
9. 多角化戦略は浸透戦略よりもなぜリスキーなのか。
10. マーケティング計画の主要な要素とは何か。
11. なぜマーケティング計画と統制は結びついているのか。
12. マーケティング監査とは何か。

注

1. *American Heritage College Dictionary*, 2015, Houghton Mifflin, Boston, p. 1203.
2. American Marketing Association. Dictionary: https://www.ama.org/resources/Pages/Dictionary.aspx?dLetter=S
3. "TOWS Matrix" from Dan J. Martin, *Marketing Planning for Culture and the Arts*, 2008.
4. Weihrich, H. 1982. "The TOWS Matrix: A Tool for Situational Analysis." *Long Range Planning* 15(2), 54–66.
5. http://namp.americansforthearts.org/sites/default/files/documents/practical-lessons/lesson_4.pdf
6. Jackson, E. 2014. "Sun Tzu's 31 Best Pieces of Leadership Advice." *Forbes*, May 23.
7. Debenedetti, S. 2003. "Investigating the Role of Companions in the Arts Museum Experience." *International Journal of Arts Management* 5(3), 52–63.
8. Interview, Charlie Rose. PBS, February 26, 2009.
9. Kolb, B.M. 1998. "Classical Music Concerts Can Be Fun: The Success of BBC Proms." *International Journal of Arts Management* 1(1), 16–24.
10. Robert Lauterborn, Don Schultz, and Stanley Tannenbaum, *Integrated Marketing Communication: Pulling it together and making it Work*. (Lincoln wood, IL: NTC Business Books, 1993), pp. 12–13.
11. Silderberg, T. 2005. "The Importance of Accuracy in Attendance Reporting." *International Journal of Arts Management* 8(1), 4–8.
12. Kaplan, Robert S., and David Norton. "The Balanced Scorecard: Measures that Drive Performance." *Harvard Business Review* 70, no. 1 (January–February 1992): 71–79.［＝ロバート・S・キャプラン，デイビッド・P・ノートン「バランス・スコアカードによる戦略的マネジメントの構築」、ハーバード・ビジネス・レビュー編集部編『戦略の教科書：ハーバード・ビジネス・レビュー戦略論文ベスト10』（DIAMONDハーバード・ビジネス・レビュー編集部訳）、ダイヤモンド社、2019年所収］

さらに参照するときは

Kolhede, E., and J.T. Gomez-Arias. 2017. "Distinctions between Frequent Performing Arts Consumers: Implications for Segmentation and Positioning." *International Journal of Arts Management* 20(1), 31–53.

Chapter 6

Product

第6章

製 品

目 標

- 「文化的製品」を定義する
- 文化的製品の主な特徴を述べる
- 製品ライフサイクルのアイデアを探求する
- ライフサイクルの概念を文化的製品に応用する
- 文化組織が直面するリスクを理解する

イントロダクション

製品［プロダクト］はすべての文化事業体の基礎となるものであり、よって、すべてのマーケティング戦略の基礎でもある。この章の第1節では、様々な視点から製品について考察し、定義を提案する。文化的製品固有の特性についても議論する。

第2節では、顧客サービスの概念を検討し、オーディエンスの中核となる芸術的な体験の前とその周辺と後に起こる顧客のすべての相互作用について考察する。サービスが失敗したときのコストを測定し、顧客満足を改善する方法を特定する。

第3節では、製品を管理していく際の重要な概念である製品ライフサイクルについて紹介する。このモデルは市場と企業の環境がどのように展開するかに従い、製品の生命の異なる段階を説明するものだが、このモデルによってマーケティングのプロフェッショナルは様々な企業の生き残り戦略を立案することができるようになる。

最後の第4節では、新しい製品──特に大量消費製品と比べての文化的製品──がデザインされる方法について調べることによって、文化団体が直面する特定のタイプのリスクについて考察する。

6.1　製品

6.1.1　定義

効果的なマーケティング戦略を開発するためには、団体は消費者の視点を考慮して用いるのが賢明であろう。別の言い方をするならば、「顧客の身になって」考えるということである。このことは特に製品の変数を考える場合には真実である。マーケティングの専門家の視点を採用するのならば、製品を〈消費者により知覚される便益のセット〉と定義することがある。

製品は技術的な次元あるいは象徴的な価値により説明されることがあるが、結局は顧客が買うものは、現実のものであれ仮想のものであれ、便益のセットである。顧客は自分たちのニーズや利用できる資源に基づいた製品を得る際に、金銭や労力を投資することに同意する。

この行動は他のセクターと同じく文化セクターにもあてはまる。読書家は物質的な外観――印刷された言葉が書かれている製本された紙――のために本を買うのではなく、それを読むことから得られる楽しみや知的な刺激のために買うのである。音楽愛好家は、単にニューヨーク・フィルハーモニックのチケットを購入しているのではなく、1人かあるいは仲間と共に快適な夜を過ごす期待を購入する。テレビの視聴者は、テレビのセットを単に入手しているのではなく、日中の大変な仕事の後のくつろぎとエンタテインメントの瞬間を入手する。同様に、スポンサーは、実演芸術団体のミッションに投資をするのではなく、――公演やフェスティバルのような――消費者に到達するためのプロモーションのビークル［特定の媒体］を求める。スポンサーが他ではなくその団体を選ぶ理由は、提携についての知覚便益と関係がある。文化事業体の他の市場の経済主体にも同じことが言える。

6.1.2　製品の異なる構成要素

製品の概念は、消費者にとって重要ないくつかの追加の要素を含んでいる。ほとんどの製品は3つの構成要素を持っている[1]。

1. 〈製品の中核〉とはその製品を消費者にとって価値があるようにする本質的な便益のことである。便益とは、実用的なもの（利便性、入手しやすさ）、象徴的なもの（社会的な威信、報酬）、感情的なもの（思い出、愛する人と共有する瞬間）、あるいは消費者がその製品に結びつけるかもしれない他の価値の可能性がある。特定の製品を選ぶ理由は消費者により異なる。思い出されるのは、ダラス交響楽団（第3章〔3.2〕を参照のこと）の例である。ダラス交響楽団のパトロンは3つのタイプの便益を求めている。すなわち、ロマンティックな相互作用、社会的なディスプレイ［誇示］、優れた音楽家の技量を楽しむことである。
2. 〈製品の実体〉とは団体により生産され販売される財やサービスのいずれか一方あるいは両方のことである。すべての製品の特徴、顧客サービス、知覚品質、ブランド属性は、製品の実体の部分である。上記の例で言えば、舞台上の演奏が顧客の求める中核となる便益のただひとつのものであるとき、ダラス交響楽団は舞台上の演奏だけ努力すればいいという不適当な意見をされるであろう。ダラス交響楽団はロマンティックな相互作用や社会的なディスプレイに望ましい環境を創造し、それを市場で適切に売買しなければならないのである。

3. 〈製品の付随機能〉は通常は製品の実体の価値を高める追加的なサービスからなり、消費者はそのサービスに対し割増の代金を支払うかもしれないし支払わないかもしれない。製品の付随機能は、製品の中核と実体をそれぞれの顧客のニーズに合うように作るために重要なツールなのである。ダラス交響楽団にとってはこれらのサービスは、会員の特典、払い戻しと交換の方針、キャンセルの際の保証、近隣のレストランや駐車場施設での提携の割引、交流イベント等々である。製品の付随機能、あるいは製品の付随機能の特徴は、個人に対する便益に転化することができる。

いくつかの組織では、アーティスティック・ディレクター［芸術監督］が作品と一体化した製品の3つの構成要素を考え、構成要素に関する意思決定をしている（純粋な製品志向）。他の組織では、これらの構成要素はマーケティング・ディレクターの責任である（純粋な市場志向）。また他の組織では、芸術的なミッションと財務上必要な判断の間のバランスをうまくとらなければならないアーティスティック・ディレクターとマーケティング・ディレクターとが共同で責任を担っている。

6.1.3　文化的製品の特殊性

専門化した購買

マーケティングでは、製品を分類するいくつかのやり方がある。ここでは最もよく知られた方法を説明する。その方法とは、消費者が費した労力の量によるものであり、最寄品、買回品、専門品に分けられる。

1. 〈最寄品〉とは、計画性はあまりなく、ブランド・ロイヤルティもなく、消費者が日常的に買う製品である。例えば、ミルクやパンやバターといった普段のブランドは、消費者がはるばるスーパーマーケットまで行きたくないときに、街角の店で売っているどんなブランドにも簡単にとって代わられてしまう。

2. 〈買回品〉は、消費者のリサーチとブランドの比較を必要とするものである。例えば、衣類のショッピングのときは、ほとんどの消費者は自分の最近の基準に最も合った一着を見つけるまでに、似通った服いくつかでスタイルや色や生地を比較する。

3. 〈専門品〉は、顧客にとって特別の重要性を持つ。顧客は専門品に愛着を持ち、かなりの労力を払って探す用意があり、価格感度は低く、代わりのものを買おうとはしない。

文化的製品は普通は最後のカテゴリー[専門品]に入る。消費者は特定のショーや映画を見たいと思うし、好きな演奏家の特定のレコーディングを買いたいと思う。消費者は妥協はせず、前売りチケットを購入したり、何時間も列に並んだり、イベントが行われる会場までの長距離の旅行すらしたりして、労力を割くであろう。

いくつかの状況では、文化的製品は買回品に分類される可能性もある。例えば本を買うとき、消費者は何か自分の気分に合うものを探して店内をあちこち見て歩くかもしれない。その消費者は小説と決めて、それから興味を持った書籍の中から1冊を選ぶにあたって、ベストセラー何冊かを見たり、ジャケット[カバー]の広告を読んだりするかもしれない。

製品の複雑性

製品の複雑性は、製品固有の特徴、消費者の特徴、または、製品についての消費者の知覚によって大きく異なる。製品の中には、より複雑であると見なされるものがある。製品の特徴について消費者が分かるためには、買物客側が製品の技術的仕様を理解するのにかなりの個人的な努力を要するという理由からである。例えば、パーソナル・コンピューターを初めて買う、経験に乏しい人は、技術的な複雑さに直面する。この買物客は、コンピューターを買うことに関する情動面の負担を、むしろ不安に感じるかもしれない。新車を買う前に、消費者は何人かの友人にアドバイスを求めるかもしれない。情動面の複雑性と向き合うには友人の意見は重要であるからである。しかしながら、「単純な製品」と呼んでもよい多くのありふれた最寄品の場合でおこるように、この消費者は他の製品を買うときには自動的といっていいくらいに買い物をすることもあるだろう。

ほとんどの文化的製品は複雑なものと定義できる。生産された作品が特定の知識を要求したり、あるいは、鑑賞に特別の能力を求める抽象的なコンセプトによっているときには特に複雑であると言える。複雑性は、消費者が特定のタイプの製品をよく知らないときに、より大きくなりさえする（準拠の不足）。

にもかかわらず、文化セクターあるいはアート・セクターは、その製品の中に複雑性の少ないものを含んでいる。例えば、ほとんどの人が知っているステレオタイプで描かれる作品や、あるいは非常に具体的なコンセプトを使用している作品である。これらの製品はしばしばポピュラーというレッテルを貼られている。ポップ・ミュージックとアクション映画は、古典的なレパートリーや前衛的なプロダクションと比較すれば、単純な製品と見なすことができる。

サービスの特性

多くの文化的製品は、サービス事業を定義する4つの特性を共通して持っている。すなわち、無形性、消滅性、同時性、状況の次元である。例えば、パフォーミング・アーツ、映画館、博物館の展覧会の場合には（図1.3マーケティングと文化事業体の第1象限と第4象限で見つけられる）、消費者は有形の製品を購入していない。消費者は作品を家に持って帰らないので、無形のものを購入したと言うことができる。公演は貯蔵できないし、博物館への来場の体験を再現することはできないので、文化的製品は消滅性もある。前もってチケットの購入をすることは可能であるけれども、作品を入手することはできないという点と、（衣料品の場合のように後で消費できるものとは違い）後になって消費することはできないという点で、作品の消費は購入と同時に起こると言える。そして最後に述べる特性は、公演の質はそのときの条件によって左右されるということである（状況の次元）。これらの特性は、顧客と接触する被雇用者が果たす役割に更なる重要性を与えることになる。顧客と接触する被雇用者は顧客満足に影響を与えることが可能だからである。電話やボックス・オフィスの担当職員、会場案内係、警備員、ガイドや、その他サービスを届ける役割を果たすすべての人は、文化的製品の質と消費者の体験にインパクトをもつ。この側面は第4章〔4.4〕で考察している。

6.1.4 ブランド

第1章で述べたように、ブランドは顧客や見込み客の心の中に製品のポジショニングを思い起こさせる「装置device」(語、フレーズ、形、音、色、これらの項目の組み合わせ)である。単一で明瞭で首尾一貫した視覚的イメージを持つことは、製品を即座に認識するための消費者の能力の中で最も重要である。

すべての文化事業体は、たとえ団体の名前だけのことでも、ブランドやトレードマーク[商標]を持っている。有名な団体の名前は、(消費者であれ寄付者であれ)人の心の中にイメージを思い描かせ、その人はその名前を特定の製品と結びつける。ミラノ・スカラ座やニューヨーク近代美術館(MoMA)に入ったことのない人であっても、これらの機関が表しているものについて何かしら知識を持っている。実際に消費者は、会場がそれ自体の性格を持っているかのように知覚する。その性格というのは、威信や流行を示すものであるかもしれない。そして消費者は、他ではないその特性と結びつけて見られたいのかもしれない。

強いブランドは消費者を惹き付けるだけでなく、フランチャイズを創り出すこともできる。グッゲンハイム美術館は、市場を拡大して世界中にフランチャイズを確立するために、ブランド名の強さを利用しており、今のところヴェネツィアのペギー・グッゲンハイム・コレクション、ドイツ・グッゲンハイム・ベルリン、ビルバオ・グッゲンハイム美術館[2]がある。

このようにブランドの役割は、ある企業の製品を他の企業の製品と差別化するか、あるいは企業自体を競争から優位に立たせることである。ブランドは、団体が提供する便益を簡潔に述べるのに役に立つ。ブランドは消費者の期待への応答を表すこともできる。例えば、シルク・ドゥ・ソレイユのファンは、ショー1公演のチケットを買うときには、何を期待しているか正確に分かっている。衣料品のあるブランドの場合のように、ブランドは意識的にしろそうでないにしろ、あるグループの一員であることのシンボルになる。言葉を換えて言えば、ブランドと自分たち自身を結びつけて考えるくらいまでの「ブランド愛」になりうるのである。その意味では、ブランドは、「アイデンティティ(例:パッケージング、ロゴ)、品質とパフォーマンス、親しみ、信頼、ブランドが象徴化する感情や価値についての知覚、ユーザーの心象を含んだ、ブランド名により特定された品目について消費者が持つ知覚と感じ方の総体」[3]を表している。

ブランドの特性

ブランドは通常は5つの特性によって定義される。

1. 〈知覚品質〉:

品質は定義するのが難しいコンセプトであり、多くの要素が反映される。これらの要素をよりよく把握するために、3つの属性の下にまとめてみることとする。

a. **探索品質属性**は、購入前に評価できる。チケット価格、プログラミング、会場のアクセスしやすさ等である。

b. **経験品質属性**は、購入後にのみ評価できる。例えば、オーケストラの解釈や博物館の展示や映画の魅力を、顧客はイベントを体験するまでは評価できない。その上、消費者はこれらの属性を伝えるのに積極的な役割を果たすことができる[4]。イベントの前のムード、イベントの最中のエンゲージメント、一緒に行く人は、体験の質に大きく影響するであろう。

c. **信頼品質属性**は、ある程度の信頼を要し、1回かあるいはそれ以上の購入の後でさえ簡単には評価されない。したがって、買い手はブランドや組織の評判、アーティストの評判、または自分たちが知っていてその判断に価値を置いている誰かの言に頼る傾向がある。例えば、消費者は、会場側が自分たちの安全を保障するだけのできるかぎりの対策をとっていることを期待するはずであるが、その建物が法令に従っているかどうかは評価することはできない。ということは、消費者はその組織を信頼しなければならないのである。同じように、来館者は博物館の収蔵品が本物であると思っているが、贋作を見破るのに必要な専門知識は持っていない[5]。ということは、それらの来館者は暗黙のうちにその博物館とキュレーターを信頼しているのである。剽窃行為は、それが明らかになったときには、アーティストへの信用とすべての信頼品質属性を壊すことになる。

品質の定義はセグメントにより異なるかもしれない。クラシック音楽をよく知っている愛好家の基準は、クラシック音楽に親しんでいない人の基準とは異なるであろう。同様に、音楽フェスティバルの品質は、単に雰囲気のあるイベントを求めている人々によるのと、フィーチャーされたアーティストを聴きたいからチケットを購入する人々によるのとでは、違った定義をされるであろう。しかし、エキスパート（批評家や他のアーティスト）によって定義される品質と、一般大衆によって定義される品質とを区別することは重要である。

2. 〈名前の認知〉：人口のうち、あるブランドの名前を（助力ありで、あるいは助力なしで）あげることができるパーセンテージがより大きくなるほど、そのブランドはより強くなる。
3. 〈顧客ロイヤルティあるいは満足〉：ロイヤルティは反復購入の数と定期会員の更新率を使って測定することができる。
4. 〈関連性のある要素との連想〉：例えば、市場は博物館の収蔵品の質とブランドを結びつける。
5. 〈ブランドで連想させる有形資産と無形資産〉：シドニー・オペラ・ハウスの建築はブランドの市場の知覚における鍵となる要素である。このパフォーミング・アーツ・センターは世界的にそのユニークな形状を認識されていて、その建物はオーストラリアの観光部門によってエンブレムとしても使用されている[6]。

これらの特性それぞれのブランド・スコアが高くなればなるほど、より強いブランドと見なされて、市場価値がより高くなるであろう。文化の分野では、文化的製品の購入は特定のものを購入するという性質を持つので、強いブランドであるということは特に重要である。

ブランド志向

ブランドの強さにおけるもうひとつの鍵となる要素は、組織のブランド志向である。すべての組織は、トップ・マネジメントにより推進され、すべての被雇用者により理解される〈価値 value〉を持つべきである。これらの価値は、グラフィック・デザインに対する決まりのような、従うべき〈規範 norm〉を定める。これらの規範は、スタッフの制服、組織のストーリーのような、〈人工物 artifact〉という別の層に移し替えられる。最後に、4 番目の層である〈行動 behaviour〉は、外部からブランドをサポートするためにとられるすべての具体的な行為を含む。外部というのはつまり、組織によってターゲットとされる種々のセグメントのことである[7]。ブランド志向におけるすべての要素が実施されているとき、市場の業績と文化的な業績の両方の点から結果はプラスに働く[8]。

6.2 顧客サービス

前の章で議論したように、今日のアートと文化のセクターは、ソーシャル・メディア、グローバリゼーション、増加する一方のエンタテインメントの選択の多様性、ブランド・ロイヤルティあるいは顧客サービスの品質に対応して歩んでいる。というのは、優良な顧客サービスは、マーケット・セグメントが違えば（例えば、ベビー・ブーマー対ミレニアルズ）違ったように知覚されるからである。

6.2.1 不十分な顧客サービスのコスト

文化事業体は人の心を動かすアートを上演することで存在している。しかし、それだけで十分であるのか? 皮肉なことに、エネルギーすべてをステージ上や壁面のアートに向けてしまい、顧客体験の他の側面を顧みないことで、多くの芸術組織は文化的体験を作品にまつわることだけのように感じさせてしまっている。顧客に対し横柄なスタッフ、融通のきかないチケット交換の方針、なかなか発表されないシーズンの情報、直前のスケジュール変更、チケット発行時の間違いなど、「オーディエンス・アビューズ」の多くの例を目撃することができる。新しい劇や新しい展覧会へのオーディエンスの反応は制御できないのに対し、サービスは制御可能なだけに、これらの失敗は残念なことである。組織は顧客に親切なスタッフを雇ったり、訓練したり（あるいは、この目的のためにボランティアを使ったり）、問い合わせには迅速に対応するということを確実にしたりする等々ができるのである。不十分な顧客サービスは、アート体験の質を台無しにし、顧客満足を低下させ、結局はブランド・イメージを毀損する。このように、顧客サービスは販売の提案の不可欠な一部である。

言うまでもないことだが、すべての消費者が提供されるサービスの品質に対し同じように反応するわけではない。例えば、知識ある玄人や熱心なファンは、初めてにせよたまの機会にせよ、軽い気持ちで出かける来場者よりも、受ける顧客サービスの品質によって影響を受けることが少ないかもしれない。忠実なパトロンは、たまにくる来訪者よりも不満足になりにくい傾向がある[9]。ただ、不十分な品質が繰り返し起これば、最も忠実なパトロンでさえ離れさせる、ということはひとつ確実なことである[10]。

以下の統計[11]で示される通り、不十分な顧客サービスは顧客の体験総体を台無しにし、顧客の満足を減少させ、結局は団体のブランド・イメージを色褪せさせるはずである。

・不満足を感じている顧客25人のうち1人だけが、団体に不満足を表明している。他の24人は単に来なくなるだけである。

・不満足を感じている顧客は、ネガティブな体験について他の12人ほどに話している。

・既存顧客を維持するより新規顧客を誘引する方が5倍から6倍のコストがかかる。

他方、優良な顧客サービスは団体を競争から優位に立たせ、顧客ロイヤルティを高めることができる。このことは収支に直結するであろう。

・幸福な顧客は自分のポジティブな体験について少なくとも4人に話す。

・顧客維持を2%増加させることは、10%のコストを削減することと利益の点で同じ効果がある。

・顧客利益率は、継続する顧客の生涯を通じて増加する傾向がある[12]。

6.2.2　顧客サービスを定義する

アート作品の消費には3つの違ったフェーズがある。すなわち、作品とのコンタクトに先立つ活動、作品を前にして過ごす時間、消費後の反応である（図6.1）。

フェーズ1：作品とのコンタクトに先立つ活動

公演や展覧会にまつわる消費者の体験は、実際のショーや作品とのコンタクトのかなり前に始まる。会場に到着する以前でも、いくつかの要因が顧客を困惑させる可能性がある。チケットを購入するために消費者が行う会場との最初のコンタクト（オンラインかあるいはボックス・オフィス）、入手できる情報のわかりや

図 6.1　組織のサービスの図解

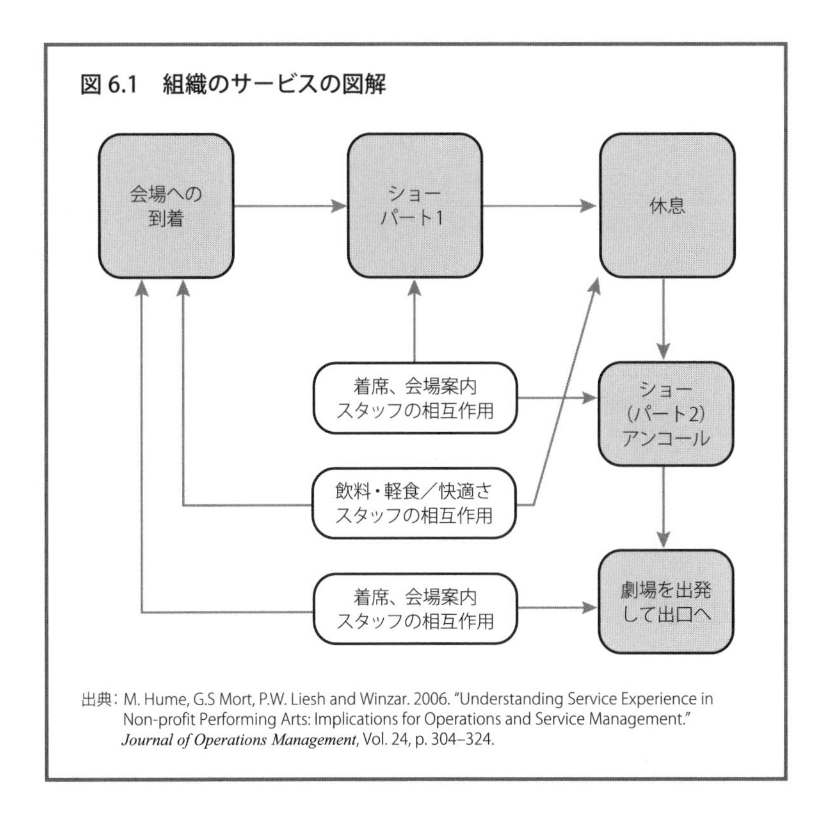

出典：M. Hume, G.S Mort, P.W. Liesh and Winzar. 2006. "Understanding Service Experience in Non-profit Performing Arts: Implications for Operations and Service Management." *Journal of Operations Management*, Vol. 24, p. 304–324.

すさ、立地へのアクセスのしやすさ（公共交通機関、駐車場、建物の入り口）、ボックス・オフィス、クローク・ルーム、バーやカフェ、近隣のレストラン、混雑の流れ、これらはみな消費者の気分に影響を与える要素であり、文化の提供である鑑賞を高めるか損ねるかするものである。

フェーズ 2：作品を前にして過ごす時間

団体は、アート作品を前にしている間の消費者の体験のいくつかの側面を、コントロールすることができる。それらの側面には、会場係の態度、座席の快適さ、見え方や音の質、温度も含まれる。他方、マネジメントのコントロールを超えるいくつかの要因もある。他のパトロンのふるまい、観客の雰囲気、アーティストのステージ上でのパフォーマンス、作品を鑑賞するための観客の理解力がそれらに含まれる。

フェーズ3：消費後の反応

クローク・ルームのサービスのような第1のフェーズで示された多くの要素は、消費後の反応に影響を与える可能性がある。会場や駐車場を去る際の容易さ、苦情の扱い方、そして顧客のパトロネージやエンゲージメントを維持継続するために開発されたすべてのタイプのコミュニケーションを含んだ、新しい要素がこのフェーズで加えられる。

6.2.3　顧客サービスを向上させる

顧客サービスの役割は、組織との取引の際にできるかぎり最良の体験を顧客に提供することであり、体験を通じて顧客の期待をうまく扱うことである[13]。優良な顧客サービスは競争から抜け出して優位に立たせ、顧客ロイヤルティを築く方法である。最終的には、既存顧客を保っておくよりも新規顧客を誘引する方がより高くつく。

顧客の期待を分析し理解することは、組織にとって不可欠である。その期待の主なものは信頼性である。他の期待には、対応の良さ、アクセスの良さ、迅速さ、コンピテンス、礼儀と敬意、配慮、案内・誘導、共感、顧客を認識していること（常連客の場合）、慎重さと守秘性、柔軟性と順応性、利便性と公平性がある。

真に顧客に配慮をする効果的な組織は、組織と顧客の間の「真実の瞬間」について研究するであろう。これはすなわち、電話であれ、オンラインであれ、ボックス・オフィスであれ、書店であれ、レジであれ、顧客が組織にコンタクトするあらゆるとき、あるいは、顧客が苦情を言うあらゆるときのことである。組織はこれらのコンタクトの地点、つまり真実の瞬間を分析し、顧客満足を向上させる方法を探す。このプロセスを通して、顧客の期待を理解するために相手の立場になる。その後、団体はこれらの真実の瞬間から顧客体験の基調を決める一貫したカスタマー・ジャーニーへとつなげるのである。顧客の反応の最初から最後まで、一貫したストーリーが語られるべきである。

そのとき団体は、その活動を3つのカテゴリーに分類する。

1. 顧客と相互に作用しながら実行される活動（駐車場、チケッティング、ロビーでの活動、コンシェルジュ・サービス、会場案内）
2. 顧客の目の前で実行されるが相互作用がない活動（ショーと他のステー

ジ活動）

3. 公衆に見られることを想定していない活動（すべてのサポートとメンテナンスの活動）

団体の職員も3つのカテゴリーに分類することができる。

1. **コンタクター** Contactors：日常的に顧客と直接のコンタクトがある人々（ボックス・オフィスの職員、警備員、会場係）
2. **モディファイアー** Modifiers：顧客と直接関与するわけではないがコンタクトがしばしばある人々（俳優、キュレーター、マネージャー）
3. **アイソレーター** Isolators：事務所のスタッフ、サポート・スタッフ

次に、団体は、以下のような総合的な顧客サービスの方針を開発すべきである。

・顧客満足に関する迅速で重要な決定をするために、（公衆に最も頻繁に交わる人々である）「フロント・オブ・ハウス」スタッフ［表まわり担当］に権限委譲をする[14]。

・よくある質問 Frequently Asked Questions をリストにし、迅速な援助を提供するために、標準的な答えや解決法を開発する[15]。

・重大なサービス・エンカウンターのためのシナリオを開発する。
  – 順応性 Adaptability：顧客のニーズと要望への迅速な対応
  – 自発性 Spontaneity：他からうながされたのではない、言われていないことまでやるふるまい。それらは記憶に残る瞬間を生み出す傾向がある。
  – 修復 Recovery：サービスの失敗への対応
  – 適切な対処 Coping：難しい顧客への対応

文化事業体のミッションは、アートを開発して公開するだけではなく、公衆とアートを分け合うことである。組織は顧客サービスの文化を開発すべきであり、後知恵とかもっと悪い言い方をするなら必要悪としてとらえるのではなく、被雇用者全員が顧客サービスを組織の文化の一部として見るということを確実にすべきであろう。このことは、サービスが多くの産業で向上し、人々は優良なサービスに慣れ

てきているので、なおさら重要である。顧客のロイヤルティはあたりまえと受け取られるべきではないし、また顧客の忍耐が試されるべきものでもない。オーディエンスと組織の間のすべての相互作用は――電話であれ、オンラインであれ、駐車場のエリアであれ、ボックス・オフィスであれ、イベントの途中であれ、苦情を言われている最中であれ――真実の瞬間である。というのは、その相互作用が、顧客満足を高めたり打ち消したりするからである。これらの瞬間は、もしうまくシナリオが書かれているならば、イベントに来場している間と後に続いておこる、顧客に対する論理的で途切れのない快適な道筋を創り出すことができる。優良な顧客サービスは態度と適性の問題である。団体は人柄が良くて簡単には平静を失わない人を採用すべきである。そして、公衆にどのように接遇するか、すべての問い合わせにどのように適切に応ずるかを彼らに教育するべきであろう。

最も重要なのは、被雇用者は例外的なサービスの状況に意識的になるべきであり、もしパトロンのために必要であるならば、手続きを無視するのに必要とされる自主性が与えられるべきである。柔軟性は常に苦情の数を減らすのに役に立つ。何気ない小売の交換以上のものとして顧客がその体験をとらえることができるよう、スタッフは個々のやり方で提供するよう訓練されるべきである。

何を届けることができるか、芸術的体験に関して顧客は何を知るべきか、顧客は芸術的体験を楽しむために何を期待しているかということについて、組織は明確であらねばならない。顧客は、事務スタッフと同様に、定期的に調査されるべきである。オーディエンスの体験を向上させるためには何がなされる必要があるかを決めるのに、これが最良の方法だからである。しかし、顧客のフィードバックは闇に葬り去るべきものではない。懸念事項は請われ求められるだけでなく、取り組まれるべきである。団体は、懸念事項を聴いているということ、改善策が取られているということについて、懸念を感じている顧客に話すべきである。

最後になったが、組織のマネージャーは顧客自身になるべきである。チケットを買ってイベントに来場するプロセスをマネージャーは経験すべきである。こうすることが、顧客が自分たちの製品をどのように体験するかを理解するための最良の方法だからである。ウォルト・ディズニーはディズニーランドのチケットを購入するために列に並び、顧客体験の質を直接評価するためにアトラクションをそれぞれ試してみることで知られていた。これが団体にとって顧客サービスを評価するための簡単な方法である。念頭に置くべきなのは、組織との顧客の唯一のコンタクトがかなり頻繁にフロントライン――つまり受付係、カウンター係、チケット・エージェント、会場係――を通してであるということと、顧客が組織の提供するものを受け入れて製品を購入するかどうかを決定しうるのはこのコンタクトによるということである。顧客満足に焦点をあてるこのことが、文化事業体の他の市場にとってと同じく、消費者市場にとっても重要である。

6.2.4 満足と再購買意図を理解する

製品の中核と周辺のサービスはいずれも、オーディエンスの情動をひき起こすことができる[16]。実際に、コンサートに来場している間にポジティブな情動を体験する消費者は、そのオーケストラを奨めることが見込まれる。その一方で、ネガティブな情動は逆の効果を生む傾向がある。

消費者の満足は、イベント、情動、信頼、価値、関与、満足、再購買意図、口コミWord of Mouth、レコメンデーション［推奨］といった要素から成る、イベントの連鎖という観点で見ることができる。製品の中核あるいは周辺のサービス、加えて社会環境によって顕在化されたポジティブな情動（あるいはポジティブな評価）は、信頼を築くのに役立つだけでなく、消費者の目から見た価値を創り出す。信頼と知覚価値は関与へとつながり、次に関与は満足に影響する。満足した顧客が同じ作品を二度体験したいということはあまりありそうにないが、その人が同じオーケストラの別のコンサートを聴きに再来するということはありそうであるし（再購買意図）、またその作品について良く言ったり（口コミ）、そのコンサートやオーケストラを他の人に奨めたりする（レコメンデーション）ということもありそうである。逆もまた真実である。文化的提供の3つの次元に関係したネガティブな情動は、組織への信頼を低下させ、関与を減らし、更に不満足や失望へとつながる。

失望に対する寛容性

文化的製品の消費は、新たな芸術的提供物それぞれが以前のものとは異なるという事実ゆえの、本来的なリスクを帯びている。例えば、劇場は常に新しい製品を提供している。定期会員はシーズン中に他の演劇に行くことによって、よくない公演の体験を相殺して、潜在的な失望を緩和することができる。同じように、サービスの中核（ショーのこと）に関するネガティブな情動は、周辺のサービスやイベント中の社会的相互作用によってひき起こされるポジティブな情動によって相殺できる。

例えば、シカゴのステッペンウルフ・シアターの定期会員に提供される作品は非常に挑戦的なものであるが、定期会員はたとえ特定のショーが気に入らなくても、ひときわ優れた演技をいつも期待しているわけであるので、ステッペンウルフに対する忠誠を失わない[17]。これらの定期会員はステッペンウルフ・シアターに共鳴しているわけであり、一定量の失望は喜んで許容するのである。

持続する定期会員のロイヤルティは2つの次元、すなわち定期会員券の更新意図とレコメンデーションの意図に反映される。

よくないコンサートで生まれた失望の感情は、良いコンサートに加え、周辺サービスや社会的相互作用のあるポジティブな体験によっても相殺されるので、許容されてしまうのである。

定期会員が定期会員券を更新するときや、他の人にポジティブなレコメンデーションをするときにはっきり見える継続的なロイヤルティは、真のロイヤルティの形である。このロイヤルティ行動は、芸術的製品の多次元的な性質を反映した情動的、社会的、個人的、状況的な要因の組み合わせにより説明できる。

定期会員がある種のイベントに関連して失望を体験するかもしれないとしても、定期会員のロイヤルティを築いたり維持したりするために、シーズンの定期会員券を提供する組織のマネージャーにとって重要なのは、すべての周辺サービスと社会的相互作用に特別な注意を払うことである。これらのマネージャーは、あたたかい歓迎と歓待される環境、会場の快適さ、顧客の個人的な関係、集まって話すためのフレンドリーな雰囲気のスペース、飲食サービス等々を確実に作ることに焦点をあてるべきである。

マネージャーは、社会的な結びつきを創り出す者として、会場でのオーディエンスの体験を高めるよう努めるべきでもある。オーディエンスは一般には、アーティストと会ったり、他のオーディエンスと公演について話したり、芸術部門で働く人々と議論したりする機会があれば感謝するし、スタッフからのあたたかい歓迎を受けることから特別な満足感を得る。例えば、オーケストラのコンサートがエリートのためのものであるという伝統的なイメージに反論するために、オーディエンスを多様化することを通して、社会的なアイデンティティを作る役割もマネージャーにより認知されるべきであろう。

忠実さへの道

図6.2で示すように、顧客サービスはアート・セクターにおける美的体験の重要な構成要素である。作品や会場に対する拒絶か、あるいはロイヤルティとポジティブなレコメンデーションのどちらかにつながる要素の連鎖の一部である。

前に述べたように、情動は製品の中核と周辺のサービスによりひき起こされる。これらの要因に私たちは3つ目の要因を加えよう。すなわち、社会的相互作用である。誰か他の人かあるいはあまり親しくない知り合い、すなわちオーディエンスの中で認識する他の見覚えのある顔ぶれ、あるいは単にこの劇場を支援しているようなタイプの人々と公演に来場するとき、人々は「小さな世界」を築く。これも特定の会場を選ぶときに作用しうる要因である[18]。アプロプリエーション[自分のものにすること]のサイクルを通過して経験し、公演の新しい要素を自分の「巣 nest」に統合するオーディエンスの能力は、これらの3つの構成要素自体に影響を与える[19]。消費者は、自分たち自身とアート作品の間の知覚される距離を縮めることによって、夢中になれる体験を創り出すことに関わっていく。このアプ

図 6.2　アートの購買／再購買モデル

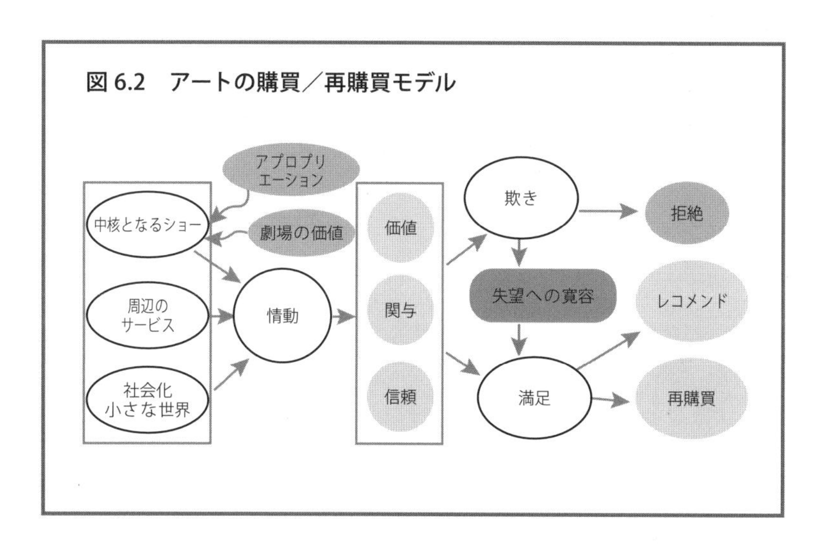

ロプリエーションは3つのステップのプロセスを含む。まず第1に、芸術的な要素のうちから、よく知っていて体験への足場を提供するような1つの要素を特定する(巣作りnesting)。次に、知識の領域を広げるために、あるいは快適な地帯を広げるために、関連はあるが新しい要素を芸術的製品に探し求める(探索investigating)。最後に、美的体験に特異な意味を認める(類別stamping)。これらの3つのステップである。それらの意味は最終的には巣nestに加えられる。同様に、コンサート会場によって示される向社会的な価値は、その団体の音楽愛好家の鑑賞行為にはポジティブな影響を持つ傾向がある。女性の場合にはとりわけあてはまる[20]。

これらの要素すべては、オーディエンスの情動をひき起こし、そして自分の体験に価値づけをするように導く。次にその体験は、オーディエンスが会場への関与を深めて、組織への信頼を置くように導くことができる。

もしこの連鎖がネガティブな場合には、失望に対し寛容さがある消費者は、それでもなお満足感を感じていて、2度目の来場をするか、あるいは他の人に団体を奨めるかもしれないし、それらを両方するかもしれない。失望に対する寛容さがない消費者は、組織を拒絶するリスクがある。

このようにアート組織のマネージャーは、アート作品それ自体に関係がなくても(これは芸術監督の責任である)、魅力的な環境を創り出すことによってライブ・パフォーマンスの体験にポジティブな影響を与えることができる。

6.3 製品ライフサイクル

6.3.1 ライフサイクルの概念

製品に対するライフサイクルの概念は、人から製品に至るまですべてのものは生まれ、成長し、死を迎えるという考えからきている。栄光の瞬間がくる製品も中にはあるが、やがて廃れたり忘却されたりする。パピルス、羽ペンとインク壺、蓄音機(これは筋金入りのファンの影響で復刻されているらしいが)のケースがそうである。これらの製品すべては、前のものよりも一定のニーズをよく満たす、より使いやすくもっと能率的な製品にとって代わられている。

要するに、製品ライフサイクルのアイデアは、消費者のニーズと選好がテクノロジーの進化につれて変化するがゆえに存在していることになる。嗜好とテクノロジーは、お互いに影響し合う相互依存的な現象であり、しばしば製品ライフサイクルのスピードを上げる。

製品のライフサイクルは、開発期、導入期、成長期、成熟期、衰退期という5つの段階から成る。ある製品がその瞬間に位置している段階を正確に示すことは難しいけれども、それぞれのフェーズは特定の性質をもっている。図6.3はライフサイクルの理論的な曲線を示している。

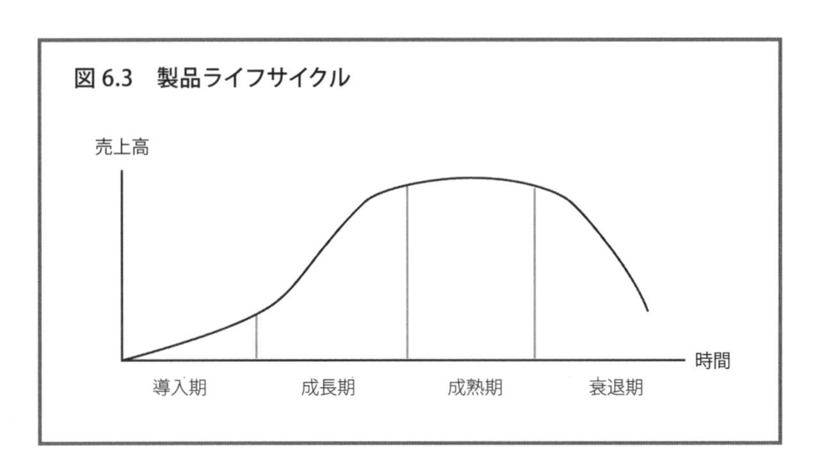

図 6.3　製品ライフサイクル

この曲線は実際にはある一定の期間にわたる製品の需要曲線である。図6.3に示されるようなきれいな線は現実にはめったに再現されることはない。実際の曲線では、それぞれのフェーズは同じ長さではないことがある。製品に対する需要は、単に一瞬だけの成功であるかもしれないし、あるいは導入期の段階の後に何年かだけゆっくりと成熟期に到達し花開くかもしれない。可能性の数は無限である。例えば、芸能人の中には1回だけレコーディングをした後に徐々に消えていく人たちもいる。他方、ザ・ローリング・ストーンズのようなグループも含め、別の芸能人は無期限に成熟期の段階に留まることができるように見える。

「製品ライフサイクル」というフレーズは、最も広い意味で捉えられるべきであろう。その概念は、市場で提供される製品のグループ（市場ライフサイクル）にあてはまる場合もあるし、あるいは、特定のブランドや製品にあてはまる場合もあ

図 6.4　カナダ・ケベックのサマー・ストック劇場の進展（1957–2010）

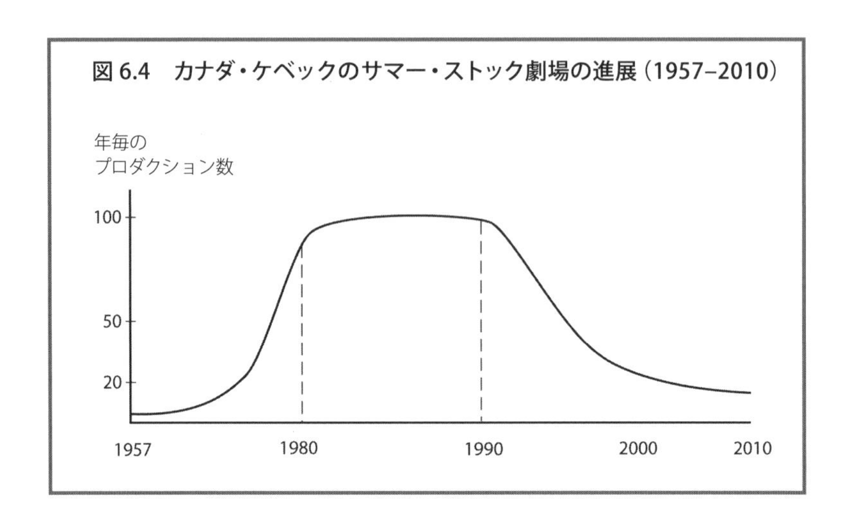

る。一般的には、市場のライフサイクルは積み重ねられた一連の製品ライフサイクルからなり、製品ライフサイクルはブランド・ライフサイクルが積み重ねられたものからできあがっている。組織もライフサイクルを持っている。例えば文化セクターでは、創立者と密接に関係している団体、あるいは創立者が組織と同義である団体は、その人が亡くなったり引退したり辞任するとき、突然の終焉を迎えることがある。

アートにおけるライフサイクルの考えを、サマー・ストック劇場（夏季だけ上演しているステージ・プロダクション）と夏の演劇フェスティバルの例を用いて示すことにする。図6.4はカナダのケベックのサマー・ストック劇場の創設から2000年までのライフサイクルを追ったものである。製品［サマー・ストック劇場］は次第に紹介されていく。その結果、サマー・ストック劇場の公演数は、導入期のフェーズにあたる1957年から1974年までゆっくりと上昇している。1974年は著しい成長の起点となる。市場が頭打ち（100プロダクション）になる1980年代初めに成長は終わり、そのときが成熟期のフェーズの始まりにあたる。実演団体と製品の数は1990年までに安定する。1990年以降は、フェスティバルや他のポピュラーのイベントの増加が原因となりおよそ30にまでプロダクションの数が減少することとなる。

総括的に見ると、博物館が提供する製品は、長らくエリート主義と見なされてきた。1970年代には、顧客の基盤が広がり、来館者数が増加した。このことを博物館来館の民主化と呼ぶ人もいる。他方、マーケティングの専門家はこのことを、あるレベルで何年か経過した後に、新たに成長期を経験した市場ライフサイクルの一例と見なす。しかし、この市場は均一に発展してきたわけではない。例えば美術館は、多くの顧客を引き付けるには時間がかかった。確かに、美術館がどうにか人気を増したのは過去10年だけである。他方、文明博物館は、より新しい製品と言えるが、即座に成功を収め、人気を保ったままである。科学博物館も来館者を惹き付け、数は常に増加している。

多くのアート・フォームでのオーディエンスの高齢化は、成熟期のフェーズに入って、著しく減少するということへの兆候であるかもしれない。そうではあっても、新しい表現形式は常に導入され、公衆の美的な渇望は今まで通り癒されなければならない。

6.3.2 ライフサイクルの5つの段階

開発期

製品を送り出す前に（ライフサイクルが始まる前に）、文化事業体は開発の期間に携わらなければならない。文化産業では、開発期のフェーズはしばしばかなり大きな人的資源と財務資源への投資を伴う。多くの映画やテレビのシリーズの場合には、開発期のフェーズは何か月かあるいは何年かさえも続く可能性がある。

導入期

ライフサイクルにおいて、開発期のフェーズの後の新製品の導入は、販売の数字がなかなか伸びず、財務上の損失がおこり、競合が存在しないことにより特徴づけられる。このフェーズは、消費者の反応に左右されながら、長期間続くことがある。消費者が習慣を早く変え、イノベーションに適応すればするほど、成長期の段階により早く到達する。市場への浸透は、様々な要因により遅くなる場合がある。消費者の変化への抵抗、新製品へのアクセス可能性を制限する流通ネットワーク、代替製品を売っている団体の頑強な攻勢、高すぎる価格等々のような要因である。

通常は、売価が最も高いのは、製造業者がまかなうべき大きな費用がある導入期の段階の間である。単位あたりの製造コストが高いことに加え、イノベーションが確実に受け入れられるようにするために、売価の中にプロモーション・コストが含められなければならない。製造業者は、製品のデザインと開発を償却するために一定のパーセンテージを含めることもしなければならない。

表6.1は、価格とプロモーションについての2つの仮定の組み合わせに基づく4つの製品導入期の戦略を示している。2つの仮定とは、価格の高低とプロモーションの多少である。

表 6.1　製品の導入期の戦略

		プロモーション	
		多	少
価格	高	トップ・オブ・ザ・ライン戦略	選択的ペネトレーション戦略
	低	マス・ペネトレーション戦略	ボトム・オブ・ザ・ライン戦略

トップ・オブ・ザ・ライン戦略［高級品の戦略］は強力なプロモーション・キャンペーンを通じて製品を高価格で売り出すことを含む。この戦略は潜在市場がまだ製品――例えば本当に目新しい品目――を知らないが、十分な数の消費者が高価格でも買いそうなときに、適用可能である。この場合には、団体は近い将来に競争になることを予見し、強いブランド・イメージを築こうとする。

マス・ペネトレーション戦略は、非常に強いプロモーション・キャンペーンを用いて比較的安い価格で製品を売り出すことから成る。団体は高いレベルの市場浸透度を達成し、市場で大きなシェアを獲得する可能性がある。製品がほとんど知られていないけれども価格に関して意識的な消費者の幅広い市場の関心をひきそうであるならば、この第2の戦略は有用である。生産される単位数は、収益性を確実にするために、規模の経済[21]を可能にするものでなければならない。

ボトム・オブ・ザ・ライン戦略は、プロモーションのコストを節約することで団体が利益を増加させられるようにするものである。この場合は、市場は極めて大きくなければならず、平均的な消費者は価格に意識的でなければならず、ブランドが新しいものであっても製品のタイプはすでに知られたものでなければならない。

最後は選択的ペネトレーション戦略である。これは、プロモーションの投入を少なくして高い価格で新製品を売り出すことを含む。競争が弱く、ジェネリックな[一般的な]製品が知られていて、消費者はその価格で支払う準備があるのならば、このアプローチが使われることがある。この製品をマーケティングすれば、プロモーションに費やされるお金を少なくして高い利幅を可能にする。

成長期

より多くの消費者がイノベーター[革新者]に加わっていくにつれて、製品は成長期の段階に入る。「アーリー・アダプター[初期採用層]」のランクは、「アーリー・マジョリティ[前期追随層]」によって膨れ上がる。この時点では、価格を下げることができるほど需要は強くなり、製品を買うよう他の消費者のグループに促すのである。

この段階では、市場は新参の競争者を吸収することができるので、この段階の特徴としては売上の急増と競争の顕著な激化ということになる。新たに加わる消費者がいるので、新参の製造業者は現存する団体の売上を脅かさずに稼ぐことが可能である。消費財のセクターでは、この期間は消費者の数と1人あたりの消費の率が上昇する期間である。

この期間には、団体は次のジレンマに直面する。すなわち、企業は生み出される短期的な利益をすぐに利用するか、あるいは、製品ライフサイクルの次の段階で有利な競争上のスタンスを展開することを期待してそれらの利益を投資するかである。2番目の選択肢をとる際には、執行役員は企業の利益の一定割合を何に割り当てるのか、製品の改良か、流通経路の拡大か、新しいカテゴリーの消費者を探すのか、プロモーション・キャンペーンを増大させるか等々を選ぶことができるだろう。これらの場合すべてにおいて、目前の利益は団体の未来のポジションのために犠牲にされる。

成熟期

早かれ遅かれ、いったんすべての潜在顧客に到達し、1人あたりの消費率が安定化すると、総需要は水平状態になるだろう。この時期は成熟期の段階であり、一般的にはその前の段階よりも長く続く。

成熟期の段階は3期に更に分割できる。第1期は成熟度が上昇し、この地点で売上の成長率が鈍り始める。ラガード[遅滞層]が製品を採用し始め、現在の購入者のグループに加わるけれども、ラガードは数の点では相対的に少ない。次に[第2期には]、製品の売上は水平の状態に達する。これは飽和期であり、需要は基本的に買い替えからくる。第3期は成熟度が下降に向かう時期であり、消費者の中にはすでに代替品や新製品の方を考えている人もいるので、販売量の下落が特徴である。

需要レベルが低下するとき、競争の観点では深刻な結果になる。市場は飽和状態になるけれども、新しい団体や製品ブランドがしきりに出てきて、ニッチを見いだそうとする。ますます激化する競争のために、一番体力のない団体は事業を畳まざるを得なくなる。

そのとき団体は戦略的に次の3つの異なるアプローチのうちどれかを選択することがある。3つのアプローチとは、市場に修正を加える、製品に修正を加える、マーケティング・ミックスにおける他の変数に修正を加える、である。

新しくまだ未開発のセグメントを探し出すことで、市場は修正されるかもしれない。次に、団体は消費者に製品をもっと買うよう説得するか、あるいは平均的な消費者の製品に対する知覚を修正することでブランドをリポジショニングしなければならない。

製品の修正は、品質を向上させるか、スタイルを変化させるか、その製品に特有の特徴を開発するかによって売上を回復させることからなる。この戦術は、消費者がこういった変化を本物であり実際的だと知覚する限りは有効である。

最後に、団体はマーケティング・ミックスにおける他の変数を調整することを選ぶことがある。価格を下げたり、強力なプロモーション・キャンペーンを通して市場に攻勢をかける、コンテストを催したり、クーポンを提供したり、ディスカウント・ストアのような大量の流通チャネルに転換したりするかもしれない。

製品がライフサイクルのどこにあるのかを決定するのは必ずしも容易なことではない。導入期と成長期の段階は通常は正確に位置を示すことが最も簡単であるけれども、他の段階は詳細に分析することは難しいことがわかるだろう。例えば、一時的な売上の停滞は飽和のフェーズとどのように区別するのか。診断のアプローチにはおそらく次の3つの要素が含まれる。それらはすなわち、製品の浸透率、新しいマーケット・セグメントを発見する可能性、1人あたりの消費の量である。もし団体が所定のセグメントにおいて消費者の数を増加させることができないのならば、または製品を買いそうな他のセグメントを探して見つけ出すことができないならば、それに加えて1人あたりの消費を増加させることが不可能ならば、その市場の飽和点に到達していると言える。

団体はブランドをリポジショニングする新しい芸術的な方向性を採用することで製品のライフサイクルを再出発させることができる。アート・セクターは極端に動的なセクターであるので、多くの団体はそのような方向性の見直しに時々取り組むことが必要とされる。これは、モントリオールのレ・グラン・バレエ・カナディアン(ここではブランドとして考えられる)が、レパートリーにモダン・バレエの作品をより多く加えることによって、クラシック・バレエ団としてのイメージから方向性を変えた際に採用した戦略であった。プログラムに外国の団体を含むことにより、流通業者の役割を果たしてもいる。他の興味深い例としては、オーストラリア・バレエ団[22]やシカゴのステッペンウルフ・シアター[23]の例がある。そのような戦略は、ポップ・ミュージックのセクターのような文化産業においてもよくあることである。一例を挙げると、セリーヌ・ディオンは、ポップ・スターが年を経てそのキャリアをいく度かリポジショニングさせ、子どもから大人の女性、母へと進化した例である。

衰退期

衰退期の段階は、疑う余地なく、いかなる団体にとっても対処するのが最も困難である。実際に、その製品が本当に衰退を始めているのか、あるいは単に一時的に販売が不振であるかどうかさえも、団体は言うことができないかもしれない。状況の詳細な分析だけがこの疑問への回答を与えられる。でもそのときでさえ、誰も確かとは言えない。売上の一時的な減少か決定的な落ち込みかを区別するという問題は過小に評価されるべきではない。特に製品が長期間にわたり市場で売買されているのならば、この種の不確実性は、意思決定の難しさに通ずることになる。このタイプの決定に関与するどの人的要因も、過小に評価されるべきではない。製品への感情的な愛着心や負けという考えへの抵抗感は、興行主が頑として言うことを聞かずプロジェクトの続行を主張する原因となる。

団体はその製品をお蔵入りにしたり、現状を維持したり、集中戦略を採用したりすることを好むかもしれない。この戦略を用いれば、最も利益をもたらすマーケット・セグメントと流通チャネルに労力が集中されることになる。団体はまた圧迫戦略を用いることを決定し、プロモーションのコストを下げ、短期的な利益を生んでいる間は「流れにまかせて」おくかもしれない。

衰退期の段階を診断する際に使用される主な指標は、優れた代替製品の存在である。凌ぐことができない優れた代替製品が市場で発売されるとすぐに、通常はこの段階に達する。ビニール製のレコードを市場からほとんど駆逐したコンパクト・ディスク(CD)はこの指標の良い例であるし、現在CDと競合しているDVDと、CDの売上に影響を与えているインターネットの音楽ダウンロードも同様である。しかし、この指標を使っても、確実ではない。テレビがラジオの終焉を告げると考えた人もいたが、事実はそうではなかった。テレビとラジオは、2つの異なる技術的なサポートを使うものであるが、全く同一の市場が想定されていたので、同様の製品のように思えた。ラジオの「ソープ・オペラ」からテレビの「昼ドラマ」へという例のように、いくつかの製品は移り変わっていった。けれども、それぞれのコミュニケーションのモードが、他と共存しはするが、異なるニーズを有し異なる環境にある同一の顧客の役に立つように、それぞれの特色を発展させてきた。

6.3.3 製品ライフサイクルの限界

いく人かの著者は製品ライフサイクルの概念の価値に深刻な疑問を呈している[24]。この概念は、厳密な時間的定義がある人間のライフサイクル(幼少期、青年期、成人期、老年期)にちなんでモデルが作られているというのが、これらの著者たちの主な議論の点である。他方、製品はリバイバル[25]があるかもしれないし、成長期の段階が延びる可能性もあるし、時の試練に耐えるかもしれない。図6.3に見られるようなきれいな曲線を描く製品は実際にはまれである。がたがたしていて対称でない曲線が普通である。

例えば、アーティストのパブロ・ピカソPablo Picasso(1881–1973)はアートの世界での自分のポジションを確実にするために、申し分のないスキルで作戦的に行動した。キャリアの半ばまでにピカソはブランドをうまく確立したので、代理となるディーラーたちより優位に立って、彼の作品は世界中で売られた。このレベルの成功を達成するために、ピカソは自分が操作する文化を読みとらなければならず、それに従って様式を変化させなければならなかった。彼はモダン・アートの最前線で常に自分のポジションを維持し、真に永遠となった[26]。

製品の現在の段階は、ことに衰退期と成熟期の段階に関して言えば、確実にわかるということはない。いくつかの指標は、その製品がおおよそライフサイクルのどこにいるかをマーケティングのプロフェッショナルが決定するのに役立つけれども、多くは不確かなままである。結果として、売上の落ち込みは製品が衰退期にあるということを必ずしも意味しておらず、その時点での性急な企業の意思決定をするとのちに後悔することになるかもしれない。

いくつかの文化的製品に対しては、特に技術的な次元で購入されることがないものでは、このモデルは全く有用ではない。実際に、ある製品のライフサイクルはしばしばその投入のときに予め運命づけられている。多くの文化的製品は、特にアート・セクターにおいては、上演されるために創造され、あるいは限られた期間にのみ展示される。それらは決められた数の公演や決められた展覧会のスケジュールがあって、そのあと消滅する。たとえそのプロダクションが成功であっても、一定の期日までに終わる。このプロダクト・マネジメントのスタイルは、本来文化セクターに備わっている制約によって負わされる。例えば、劇団はシーズンの定期会員券を提供し、それゆえに期日を定めて席を確保しておくことを義務づけられる。これに対して、実演家は最後の公演の日にちがいつであるかによって新しい契約のオファーを受けるか断るかする。多くの場合には、劇場とキャストとで契約に署名されるので、団体はライフサイクルを無期限に「引き延ばす」ことはできない。芸術的な理由か財務上の理由のいずれかのために（追加のリハーサル、別のプロモーション・キャンペーン、異なる実演家、それゆえ異なる製品）、少しの劇場しか再演をしたいとは思わない。ツアーは製品のライフサイクルを伸ばす興味深い方法を提供してくれるが、そのことは団体のミッションと必ずしも一致しないかもしれない。

それゆえ、上述した文化的製品の典型的なライフサイクルは、図6.3に示された曲線と類似した曲線に従う。いったん上演準備されたら、需要がまだある限り上演することが許容されるプロダクションに関しては、一般には標準的な製品ライフサイクルの曲線に従う。これはニューヨークやロンドンのステージ上演される多くの商業的なプロダクションの場合であるが、団体が持っているレパートリーの中で他のプロダクションとローテーションをして、需要が尽きるまで週に1回か2回プロダクションを上演するレパートリー・シアターの場合にもあてはまる。この概念はパリのコメディ・フランセーズや、いくつかの東ヨーロッパの国々でも見られる。典型的には、団体にはある程度の枠で、ほとんどすべてのプロダクションにおいて登場する常雇いの俳優の一団がいる。俳優はしばしば、午前中に新しいプロダクションのリハーサルをして、午後はその夜に演じる予定となっているプロダクションのリハーサルにあてるであろう。

6.3.4 製品採用プロセス

消費者の中には製品の使用を中止するのをためらう人もいるけれども、常に目新しさを探していつも何か新しいものを試す用意がある消費者もいる。これまで見てきたように、ある製品への需要は、消費者によって購入された単位数に対応している。単位数が大きくなればなるほど、需要も増す。しかし、すべての潜在消費者が同時に顧客となるわけではない。よりリスクをとって紹介されたばかりの製品を消費することをよいと思う人もいれば、より保守的でその製品が公衆の支持という試練を経るまで待つ人もいる。

著名なアメリカのコミュニケーションの理論家であり社会学者でもあるニュー・メキシコ大学の特別教授エベレット・ロジャーズ Everett Rogers（1931–2004）は、どのようにイノベーションが普及するかを説明するモデル[27]を開発した。図6.5はロジャーズの研究結果を示している。

いわゆるイノベーターは新製品をそれが市場に出るとすぐに消費する人たちである。一定期間の後、強い個人的なリーダーシップで特徴づけられるグループである初期消費者は、イノベーションを広めるのに重要な役割を果たす。これら初期消費者は、それに続くアーリー・マジョリティ［前期追随層］とレイト・マジョリティ［後期追随層］を引き寄せる。ラガード［遅滞層］は製品の使用を開始するのも中止するのも一番後である。

図6.5で示されるようなサイクルが発生するとき、時間の経過とともに消費者の購買が需要を表す曲線を創り出す。この曲線はその製品のライフサイクルと考えることができる。実際にはいわゆるイノベーター［革新者］だけが新製品を買うときには、その製品のライフサイクルは導入期の段階を超えない。しかし、製品の

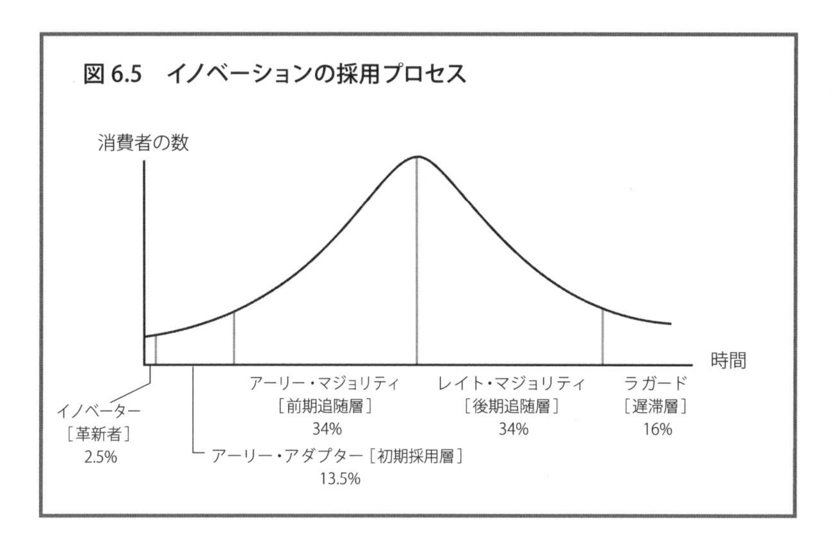

採用がもし素早く進むのなら、成熟期の段階にはすぐに到達するであろう。ほんの2〜3年のうちに北アメリカの人口の80％がDVDプレーヤーを入手したし、今やスマートフォンで私たちは同じ現象を目にしている。もちろん、もしターゲット・マーケット内の消費者の特性のために、採用プロセスが迅速である場合は、他の要因が主要な役割を果たしているかもしれない。耐久財であれば、1つの要因は確実に製品の売価がより安いことである。ビデオカセット・レコーダー［VCR］やプレーヤーは非常に良い例である。VCRは世界中の産業化された国・地域で燎原の火のごとく広がり、VCRを所有している世帯のパーセンテージは1980年には0％にとどまっていたが、10年後には70％にまで達し、ついには所有率が多くの国で90％を超えた。VCRは初期には数千ドルかかっていたが、後には百ドル以下で購入できるようになった。VCRの猛攻は、ビデオクラブの数を急増させ、全く新しい産業を生み出した。この現象は次々にVCR自体の市場の潜在性を開発するのに役立った。同様のブームがDVDや携帯電話の市場でも起こっている。携帯電話の市場は、映画や音楽、写真などをスマートフォンにダウンロードすることが現在は可能なので、特に重要である。

要するに、イノベーションの普及を表している曲線は、製品を購入している消費者の数を図示したイメージである。製品ライフサイクルを表している曲線は、その製品の需要を示している。

6.3.5 製品ポートフォリオ

いったんライフサイクルの成長期あるいは成熟期の段階に達すると、様々な文化セクターの多くの団体はいわゆる「製品ポートフォリオ［プロダクト・ポートフォリオ］」を管理する。ポートフォリオ内のそれぞれの製品は──製作会社の映画のカタログであれ、出版社のタイトルのカタログであれ──ライフサイクルの異なる段階にいることがある。これらの製品の初期のインパクトは強いかもしれないし弱いかもしれないが、たとえ限られた量のみであっても、製品は団体のために長期にわたり売上を生み続けることができる。これはいわゆる「ロングテール」のことである[28]。

いくつかの団体は、製品ライン（すなわち単一のブランドの下の関連した製品のグループ）に従って製品ポートフォリオを構成する。例えば、ユニバーサル・ミュージック・グループ（UMG）は異なるジャンルにおいて専門化された100に近い異なる音楽レーベルを所有し流通させている[29]。UMGのモータウンはリズム・アンド・ブルースのアーティストをプロデュースし、デフ・ジャムはヒップホップに、マーキュリーはロックに、ブルーノートはジャズに、ドイツ・グラモフォンはクラシック音楽に焦点をあてている。

製品ポートフォリオは、広さ（製品ラインの数）と深さ（それぞれの製品ラインにおける異なる製品の数）の点で評価することができる。UMGの製品ポートフォリオは、広くて（100近いレーベル）深い（それぞれのレーベルにサインした多くのアーティスト）と説明することができる。

シカゴに拠点を置くそれぞれブルースとオルタナティブ・カントリーを専門とする2つの伝説的なレーベルであるアリゲーター・レコード[30]とブラッドショット・レコード[31]は、両方とも狭くて（もっぱら1つの音楽ジャンルだけに焦点をあてている）深い（それぞれ多くのアーティストにサインさせている）。6つの異なる劇場で1つのショーをプロデュースする実演団体であるブルーマン・グループ[32]は、狭くて浅い。ある団体はいくつかの製品を1つの提供物にまとめ一括販売することがある。例えば、ディズニー・テーマパークはすべて、ホテルの部屋、レストランのバウチャー、駐車場のチケットも含んだパッケージを提供している。

6.4 新しいアート製品・文化的製品を開発する

2013年に世界中で7,610本の長編映画が製作された[33]。UNESCOの統計によると、映画がたくさん作られている国5つは、インド(22.7%、1,724本)、アメリカ合衆国(9.7%、738本)、中国(8.4%、638本)、日本(7.8%、591本)、フランス(3.5%、270本)である。新しいブロードウェイのショーの数は、2011–2012シーズンには41、2012–2013シーズンは46、2013–2014シーズンは42、2014–2015シーズンは37、2015–2016シーズンは39であった[34]。ロンドンでは文化的な消費者は、ある1つの週末でも博物館やギャラリーでの145ものアートに関連した活動から選択をすることができる[35]。

アートと文化の両方のセクターの組織が、イノベーションに関しては非常に動的であることをこれらの数字は示している[36]。これらのセクターの組織にとって、創造的なインプット[投入]と、最終的なアウトカム[成果]に関する顧客の選好がほとんど予測しがたいこととは、新製品の開発プロセスの基本である[37]。これらの2つの特質の結果として、「需要と嗜好の予測はとらえがたく、文化的財は過剰生産され続け、提供される多様な製品に絶えずアクセスしようとする状態になるであろう」[38]。

6.4.1 アートにおけるイノベーティブネス・スペクトラム

これまで考えてきたように、多数の文化的製品が消費できる状態である。しかし、すべて同じように新しいものであるわけではない。新規性の違いをとらえるためには、第5章にあるアートに合うように修正したアンゾフの製品・市場マトリックスにより、新しい芸術的・文化的製品を分類することができる。このマトリックスは、製品を開発している企業と、製品が投入される市場にとっての新規性の程度によって、製品を分類する。この分類の仕方は、イノベーションの学者が使うイノベーティブネス・スペクトラムと関係している。イノベーティブネス・スペクトラムの両極には「ラディカル[急進的、根本的]」と「インクリメンタル[漸進的]」な新製品がある。

連続体の一方の端には、企業にだけでなく市場にとっても新しいラディカルな新製品がある。その例としては、2016年のブッカー賞を授与されたポール・ビーティPaul Beattyによる小説『ザ・セルアウトThe Sellout』の初版や、ビジュアル・アーティストであり作曲家でもあるローリー・アンダーソンLaurie Andersonが監督をつとめた最新の映画『ハート・オブ・ア・ドッグHeart of a Dog』の初公開がある。もう一方の端には、その組織にとっては新しいが市場にとってはそれほど新しくないインクリメンタルな製品がある。その例としては、ミゲル・デ・セルバンテスの有名な小説『ドン・キホーテ』のペーパーバックの新版や、古典的な戯曲・ウィリアム・シェイクスピアの『夏の夜の夢』の新プロダクションがある。芸術・文化企業によって市場に出された多くの新製品は、市場と団体に関しての新規性のレベルを変えながら、これら両極の間に置かれる。

表 6.2　アートにおけるイノベーティブネス・スペクトラム

ラディカル［急進的、根本的］		インクリメンタル［漸進的］	
世界に対しての新しさ	市場に対しての新しさ	企業に対しての新しさ	企業に対しての新しさ
新しい劇の世界初演	比較的新しい劇の地域初演	現代劇の新しいプロダクション	古典劇の新しいプロダクション

出典：Voss, G.B., and Z.G. Voss. 2000. "Strategic Orientation and Firm Performance in an Artistic Environment." Journal of Marketing, Vol. 64, no 1 (January), p. 67–83.

6.4.2　新製品のリスク

製品の新規性の程度が異なれば、開発に関与する文化組織にとってのリスクのタイプとレベルも異なるということは言うまでもないことである[39]。新製品はすべて芸術的なリスクと財務上のリスクを伴っている。芸術的なリスクは新製品への市場の受容の不確かさからくることがある。市場での受容レベルが低いということは、少ない来場者（あるいは売上）と悪い批評と言い換えられる。財務リスクは、これら売上が限定される結果として起こる。数多ある世界に対して新しい製品［世界初の新製品］の場合のように、開発プロセス自体にコストがかかるのなら、このタイプのリスクは特に重要なはずである。このようにして、これらのリスクの関連性は、前節で議論された連続体に沿って変化する。

古典的な製品、ポピュラーな製品、なじみのある製品のような、企業に対して新しい［その企業では初の］製品は、両方のタイプのリスクを伴うが、それは低いレベルではある。これらの製品はある程度の親しみやすさをオーディエンスの間ですでに得ていて、標準から大きくは外れていないと知覚されている。逆に、世界に対して新しい製品は高いレベルの財務上のリスクと高いレベルの芸術上のリスクの両方を有している。これらの製品の開発にはコストが高くなる。同時に、高い程度の芸術的な新奇性のために、顧客から慎重に迎えられるかもしれない。したがって、革新的な製品を開発している文化組織は、財務上のリスクを低くし、組織の長期的な生き残りへのインパクトを減少させるために、助成金や政府の補助金に相当に頼る必要がある。

生産者、流通業者、実演芸術組織は、いくつかの新しいプロダクションの定期会員券を潜在顧客に提供することで、これらのリスクを弱めようとする。個々のプロダクションを別々に販売するのではなく、「保証された」製品を消費者に売ることにより知覚リスクを減らすというのがそのアイデアであり、「保証された」製品とは実際にはその組織自体のことである。つまり、その組織がブランドとなっているわけである。したがって観客は本当は、モリエールの『病は気から』やプッチーニの『蝶々夫人』やベートーヴェンの『交響曲第2番ニ長調』を買うというよりも、コメディ・フランセーズやモントリオール・オペラやニューヨーク・フィルハーモニックを買っているのである。文化産業においては、団体は評判によって創られたハロー効果を利用し、顧客の知覚に影響を与える。例えば、カナダの子どものための出版社であるレ・ゼディシオン・ドゥ・ラ・クール・テシェル Les Editions de la Courte Echelle は、若い読者への新刊を出すときに、ブランドの強固な評判の恩恵を受けている。その製品のポジティブな体験に基づいて、消費者が会社に信頼を置き続けることを期待するのである。

組織レベルでこれらのリスクに対処するために使われる別の戦略は、ポートフォリオ・マネジメントである。すなわち、開発中の個々の製品（あるいはプロジェクト）を超えて、企業の提供物全体を同時に検討することである[40]。いくつかの芸術組織は1度に1つの製品に集中してしまうが、ほとんどの芸術組織は「シーズン」としばしば呼ばれる期間中にいくつかの製品を一緒に開発して提供している。それゆえシーズンは、イノベーションの論文における新製品のポートフォリオの概念と、芸術組織において同等のものと見なすことができる。例えばシドニー・オペラハウスは、2016–17シーズンの一部として、シャルル・ルコックCharles Lecocqのストーリーに基づいてロバート・グリーンRobert Greeneにより書かれたオペレッタ『Two Weddings, One Bride』の世界初演と、プッチーニの『トスカ』やヴァーグナーの『パルジファル』のような、オペラのレパートリーにおける古典のいくつかを上演した[41]。よりリスクの大きいプロダクション（すなわち、世界に対しての新しさ）とより安全なプロダクション（すなわち、企業に対しての新しさ）を取り混ぜて開発することによって、芸術組織は自分たちのポートフォリオの全般的なリスクのバランスをとることができる。

6.4.3 アートや文化における新製品の開発プロセス

個々の製品レベルでは、ロバート・クーパーRobert Cooperによって開発されたステージ・ゲート®・モデルのような、公式化された新製品開発new product development［NPD］プロセスを用いることによって企業はリスクを軽減することができる（図6.6を参照のこと）。このモデルでは開発プロセスは、企業の労力をアイデアから市場投入へと導く連続した活動（すなわち、ステージ）と、関係する経過点と「やるか・やらないか」の決定（すなわち、ゲート）である。製品開発のコストは各ステージとともに増加するので、このプロセスは団体に対して失敗しているプロジェクトを早く正確に指摘し、それによって少なからぬ量のお金を節約する手助けとなる。公式化されたNPDモデルは、ハイテク製品から非営利セクターに至るまで、いくつかの状況で応用されてきている。

文化事業体も新製品の開発を意図する活動に従事している。書籍から映画やビジュアル・アートや音楽のレコーディングにいたるまで、文化セクターで発表される新製品の数の多さによってそれは示されている。事業体の主たる重点に寄りつつ、団体は市場に出す新しい文化的製品を作るか、または買うか、またはその両方を行うことができる。「作る」ということは、組織内で新製品を創造すること（すなわち、自主制作をする劇場producing theatres）からなる。一方、「買う」ということは、その組織がプロダクションやショーの権利や台本を外部の主体から購入すること（すなわち、買い公演をする劇場presenting theatres）を意味する。しかし、すべての組織で利用可能な作るか買うかという選択をすることに加えて、NPDプロセスへのアプローチも、文化産業やアート・セクターにおける団体が市

図 6.6　ステージ・ゲート製品イノベーション・システム®

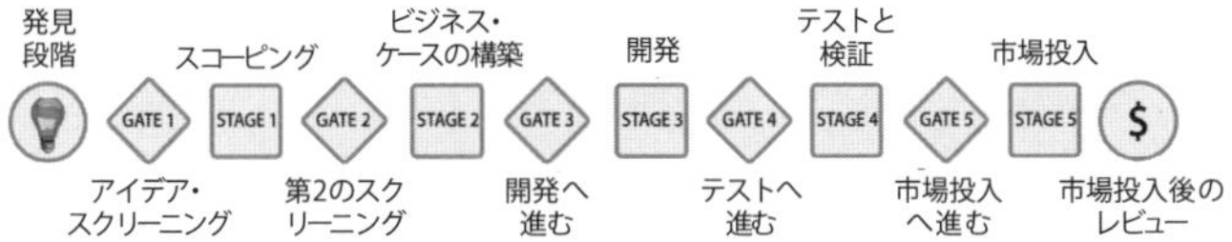

発見段階　GATE 1　STAGE 1　GATE 2　STAGE 2　GATE 3　STAGE 3　GATE 4　STAGE 4　GATE 5　STAGE 5　$

発見段階／スコーピング／ビジネス・ケースの構築／開発／テストと検証／市場投入

アイデア・スクリーニング／第2のスクリーニング／開発へ進む／テストへ進む／市場投入へ進む／市場投入後のレビュー

ステージ 0	**発見**：機会を発見するためと新製品のアイデアを生み出すためにデザインされた活動
ステージ 1	**スコーピング**：プロジェクトの技術的な利点と市場の見込みについての安価で素早くできる評価
ステージ 2	**ビジネス・ケースの構築**：ここは重大な下調べのステージ ―― つまり、プロジェクトを作るか中断するかというところである。製品とプロジェクトの定義、プロジェクトの正当性、プロジェクトの計画といった3つの主要な構成要素をもつビジネス・ケースに帰する技術的、マーケティング上、ビジネス上の実行可能性に触れる。
ステージ 3	**開発**：計画は具体的な送付物に言い換えられる。実際の新製品の開発とデザインが始まり、製造計画あるいは作業計画が精密に計画され、マーケティングの始まりと作業計画が開発され、次のステージのテスト計画が定義される。
ステージ 4	**テストと検証**：このステージの目的は、プロジェクト全体の検証を提供することである。それらは、製品自体、生産・製造プロセス、顧客の受容、プロジェクトの経済性である。
ステージ 5	**市場投入**：製品の完全な商品化 ―― フル生産と商業的な投入

出典：http://www.prod-dev.com/stage-gate.php.
(Use authorized by the Product Development Institute®)

場のニーズを重視するか、プロトタイプの生産を重視するかによって変わってくるということも証拠がある。

文化産業におけるNPDプロセス

一般的には、文化産業における組織は（図1.3の第3象限）より構造化されていて、組織構造内に部や課があり、あるいは（映画や書籍のような）新製品を開発したり新しいアーティストを新たに起用したりするのをフォーマルに担当している人がいる。かなり多くの場合には、これらの組織は開発プロセスの最初から市場のニーズを考慮に入れている。特に新製品のいくつかの構成要素が市場投入に先立ってテストをされるときには、販売予測と見込みオーディエンスの受容の予測が実際に開発プロセスを通して使用される鍵となる基準である[42]。オーディエンスによるテストを行うことは、エンタテインメント産業においては一般的である。マーケットキャストMarket Cast[43]のような団体は、例えば最も受け入れられる映画のエンディングを決定するための、専門化されたマーケット・リサーチのサービスを提供している。ブラジルの〈テレノベラtelenovelas〉[テレビ小説]は、どのように新しい文化的製品の開発が顧客の受容により形作られるかということの別の例である。ヘジ・グローボRede Globo de Televisãoのような、〈テレノベラ〉のプロデューサーと放送局は、連続して撮影され放映される〈テレノベラ〉の筋書きとキャラクターへの視聴者の反応を常にモニターしている。この広範で恒常的なモニタリングの結果として、オリジナルの台本の著者は、撮影されて放映される〈テレノベラ〉の次のエピソードを調整するよう、現在の台本を見直すことを求められるかもしれない[44]。

アート・セクターにおけるNPDプロセス

アート・セクターの団体(図1.3の第1象限)は新製品を開発するが、非常に多くの場合その新製品はプロトタイプなものである。それゆえ開発プロセスのゴールは、ユニークな製品を創り出すことである。それらは、そのユニークさを楽しめる彫刻や絵画やインスタレーションや展示やコンサートのようなもののことである。その製品の開発プロセスは、長期にわたる複雑なものであって、商業的な目標というよりも主に芸術的な目標によって導かれている。かくして、芸術組織におけるNPDに目を向けるとき、より複雑な状況が起こる。

フォーマルなNPDモデルはアート・セクターには不適と説明されている。アート・セクターでは、芸術的なゴールと創造的なインプットが第1という考えがあり、ステージ・ゲート®・モデルのようなフォーマルな統制メカニズムに従うことはうまくいきそうにない。その上、専門の研究開発(R&D)の部署は、アート・セクターのほとんどの組織の業務遂行には異質である。商業的な成功よりも芸術的な成功を優先し、高度に革新的な製品を創造することで自分たちの領域の境界を押し広げるという責任を担っている専門的な制作団体が存在する。そういう団体は存続を確保するために政府の助成金に依存している。

しかしながら、一定の創造的な領域においては、製品開発を成功させるのに

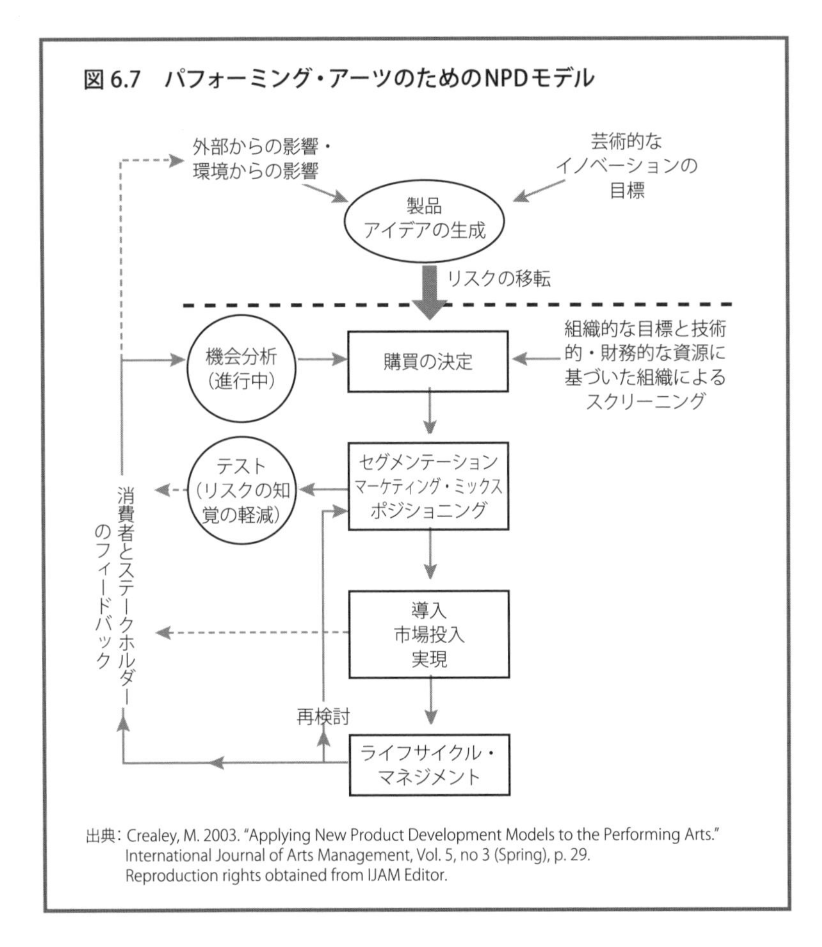

必要な一定の活動が繰り返し行われるという性質のために、NPDモデルはアート・セクターに適合されてきた。確かに、新製品それぞれは、組織により管理されるべき個々のプロジェクトと見なされうる。創造的なインプットが高度に関与しているにもかかわらず、いくつかの活動は標準化され、プロジェクト全体にわたって繰り返される。このように適合していく中で、クリアリーCrealey（2003）はパフォーミング・アーツのためのNPDモデルを開発した（図6.7を参照のこと）。

プロセスは創造的なステージ（すなわち、戯曲の執筆）に始まる。創造的なステージが支配されるのは、ある形態の外部の影響と、創作者により採用された価値構造の基底にある創造性によってである（ハーシュマンHirschmanの創造性の分類を参照のこと。自分自身に向けた創造性、アーティスト仲間に向けた創造性、商業化された創造性。図1.1)。購入の決定の段階には、リスクは創作者から製品を最終的に購入する実演芸術組織に移転される。この購入の決定は、購入をする実演芸術団体の組織目標と技術的・財務的な資源に基づくものである。購入の後、実演芸術団体はマーケティングに関連する活動(すなわち、セグメンテーション、マーケティング・ミックス、ポジショニング)と実際の劇の制作に携わる。後者の劇の制作はいくつかの活動(読み合わせ、リハーサル、その他)と多くの人的資源(演出家、俳優、技術、照明や衣装の専門家等々)を含む。モデルでは、ワークショップとドレス・リハーサルは、製品の最終的な形態を作る助けとなる「試験的」な活動と考えられる。試験的な活動の結果生ずる修正には、製品の中核となる芸術的価値に影響があるのではなくて、ステージ・セットや俳優の声の通り方のような、いくつかの周辺的な要素を含む。初演は実演芸術組織により配置された労力すべてにとっての真実の瞬間であり、芸術的な次元とマーケティングの次元の両方の観点から慎重に計画される。消費者と他のステークホルダーからのいくつかの形態のフィードバックがクリアリーのモデルに含まれていることは注目すべきであろう。

製品ライフサイクル・マネジメントの重要性

アート・セクターと文化産業の組織にとって、開発した新製品の効果的なライフサイクル・マネジメントは同じように重要である。確かに、製品の多くが、プロトタイプなものである(すなわち、彫刻やインスタレーション)か、限定された期間(すなわち、展覧会や特定の期間に上演している劇)であるか、あるいはその両方ではあるが、その一方でそれらのライフサイクルを管理することで組織の持続可能性に貢献することができる。コスト高は製品開発初期に関わってくるので、より幅広いオーディエンスに到達することによって、そしてそれに伴う付加的な収入を生み出すことによって、ライフサイクル・マネジメントは持続可能性に貢献することができる。芸術組織も文化組織も、(演劇やコンサートにとっては)ツアーとかフェスティバル、(ビジュアル・アーツや出版にとっては)巡回展、(映画やミュージカル、テレビ放送、音楽レコーディングやDVDにとっては)他の支援策を通じての普及とか流通チャネルのような、自分たちの製品のいくつかの販路を、ライフサイクル・マネジメントの一部として、見つけることが可能である。デジタル技術とオンライン・プラットフォームは現在、製品の寿命を延長するための新しい機会を創り出している。例えば、ニューヨーク近代美術館（MoMA）は、1929年ほどの年代からの範囲をカバーした、展覧会のデジタル・アーカイブを開始した[45]。このように、オリジナルの新製品は限定されたライフ・スパンのみを持つはずであるが、ライフサイクル・マネジメントは、オリジナルの新製品の潜在性を最大化するために団体が意識すべき現実味のある戦略である。

アート・セクターからのNPDの教訓

ここまでアートに関係がない商業セクターのために開発された既存のNPDモデルが、どのようにアート・セクターに適応されることができるかを議論してきた。同時に、アート・セクターは、アート以外の利益志向のセクターにおける高度に創造的なNPDの努力のためのガイドラインとモデルの源泉となってきた。

今日の高度に競争的なビジネス環境のような、柔軟性と構造の間のバランスを必要とする文脈において、ジャズの即興[46]はNPDプロジェクトのためのメタファーとなってきた。ジャズの即興では、アーティストたちは技術的なスキルと音楽のレパートリーの知識の点において共通のバックグラウンドを有する。この共有化されたバックグラウンドは即興が行われる暗黙で無言の地平を提供する。責任と優先順位と手順の事前の取り決めをしておくことで、即興に関わるアーティストたちは新しい音楽作品を創造するのに必要な「最小限の構造」を得ることができる。

ラインハルトとかスタニスラフスキーとかブルックのような一流の演出家による演劇制作へのアプローチは、NPDプロジェクトにとってのいわば上演モデルに示唆を与えてくれる。演劇の制作は、台本の選択の始まりから劇の初演に至るまで探求されるものである。このモデルの基礎となるのは、鍵となる動機づけのゴールとしての新製品の投入（すなわち劇の初演）とともに、プロジェクト（すなわち劇）、リーダー（すなわち演出家）、公演に関与するスタッフ（すなわち俳優）とが適合するかどうかである。

要約

製品を定義するいくつかの認められている方法がある。1つの方法としては、消費者が購入するために費やした労力に従って分類するということがある。これは人気のある消費者向け製品がどのように類別されるかということである。しかし、製品の概念は単なる物理的な存在よりずっと広いものである。それゆえ、中心となる製品、関連するサービス、象徴的な次元を区別するのである。アートと文化セクターにおいては、製品の概念は4つの構成要素に分解することができる。4つの構成要素とは、芸術的製品、スピンオフ製品、顧客サービス、消費体験である。実際に消費者はこれらの構成要素のうち1つか複数以上を買うことを望むことがある。

文化的製品は3つの次元によって定義することができる。3つの次元とは、準拠の次元、技術の次元、環境の次元である。

文化的製品はしばしば複雑なものとして知覚される。なぜなら、美学の概念、つまり趣味［嗜好］と教育に関する主観的で定量化できない要素が含まれるからである。文化的製品の複雑さの程度は、企業［ここでは営利と非営利の両方を含む意味で使用されている］のミッションにより変化することがある。マーケターにとって、製品は顧客が知覚する便益のセットとして定義することができる。

製品中心の組織であれ、市場中心の組織であれ、どんな文化組織も顧客に提供する体験の質に焦点をあてるべきである。オーディエンスの中核となる芸術的体験の事前・その周辺・事後におこったすべてのサービスと顧客の相互作用をマネージャーは考慮に入れるべきである。どんな顧客サービスの失敗も芸術的製品の公衆の知覚にネガティブなインパクトを与えうる。

製品のライフサイクルはマーケティングにおいては鍵となる概念である。製品ライフサイクルは通常は5段階の視点で定義される。5段階とは、開発期、導入期、成長期、成熟期、衰退期である。ライフサイクルは需要を表す曲線によって表される。ライフサイクル曲線のタイムラインは、ターゲット・マーケットの消費レベルによって変化する。ライフサイクルの概念は有用であるが、完全に定義されているとは言い難い。製品がそのライフ・スパンを予め定めている文化事業体にとって、実務的な応用は極端に限定される。

新製品の投入はいかなる企業にとっても主だったリスクになる。アートと文化のセクターにおける生産は、製品それぞれが実際には新しいものなので、特に高リスクのベンチャーと見なされなければならない。通常のリスクは文化的製品の3つの特性により更に悪くなる。第1に、例えばパフォーミング·アーツでは、製品はオープニングの夜より前にテストすることができない。よって、生産コストとプロモーション·コストは事前に想定されなければならない。第2に、文化的製品は、商業的に成功を収めたとしても、しばしば予め決められたライフ·スパンを持っている。第3に、このタイプの製品は生産者にも消費者にも貯蔵することができない。結果として、リスクのレベルが上がり、競争の性質に影響を与える。

問題

1. 文化セクターにおける製品についての消費者の定義の例を挙げることができるか。
2. 主要な製品あるいは中心となる製品は、なぜ消費者が購買をするためには必ずしも最重要な側面ではないのか。
3. なぜ芸術的製品の環境の次元はパフォーミング·アーツにおいて二重のインパクトを持つのか。
4. 文化セクターにおいて顧客サービスの重要性を示すいくつかの例を挙げることができるか。
5. 顧客サービスを向上させるためのいくつかの方法を特定することができるか。
6. 製品ライフサイクルの概念はどのように有用なのか。
7. どのようにイノベーションが流布するか説明することができるか。
8. 製品のライフサイクルの成長期のフェーズの特徴は何か。
9. 成長期の段階において団体が利用可能な戦略は何か。
10. 製品が衰退期の段階にあるということを決める手助けとなる3つの要素は何か。
11. 新製品を投入することに関して通常は何のリスクが関係するのか。
12. 文化的製品のリスクはどのように特別であるのか。

注

1. Kotler, P., G. Armstrong, V. Wong, and J. Saunders. 2008. *Principles of Marketing*. Upper Saddle River, NJ: Prentice Hall. ［原著『PRINCIPLES OF MARKETING』第14版の翻訳として、フィリップ・コトラー / ゲイリー・アームストロング / 恩藏直人『コトラー、アームストロング、恩藏のマーケティング原理』（丸善出版、2014年）がある。］
2. Caldwell, N.G. 2000. “The Emergence of Museum Brands.” *International Journal of Arts Management* 2(3), 28–34.
3. Rajeev Batra, Aaron Ahuvia, Richard P. Bagozzi. 2012. “Brand Love”, *Journal of Marketing*, 76, 1–16.
4. Carù, A., M.C. Ostillio, and G. Leone. 2017. “Corporate Museums to Enhance Brand Authenticity in Luxury Goods Companies: The Case of Salvatore Ferragamo.” *International Journal of Arts Management* 19(2), 32–45.
5. Colbert, F. 2003. “The Sydney Opera House: An Australian Icon.” *International Journal of Arts Management* 5(2), 56–69.
6. Baumgarth, C. 2009. “Brand Orientation of Museums: Model and Empirical Results.” *International Journal of Arts Management* 11(3), 30–45.
7. ブランド監査を実施することは可能である。以下を参照のこと。C. Baumgarth, M. Kaluza, and N. Lohrish. 2016. “Brand Audit for Cultural Institutions (BAC): A Validated and Holistic Brand Controlling Tool.” *International Journal of Arts Management* 19(1), 54–68.
8. Obaidalahe, Z., F. Salerno, and F. Colbert. 2017. “Subscribers’ Overall Evaluation of a Multi-experience Cultural Service, Tolerance for Disappointment, and Sustainable Loyalty.” *International Journal of Arts Management* 20(1), 21–30.
9. Hume, M., G. Sullivan Mort, P.W. Liesh, and H. Winzar. 2006. “Understanding Service Experience in Non-profit Performing Arts: Implications for Operations and Service Management.” *Journal of Operations Management* 24, 304–324.
10. [1] Stevens, M. 2001. *Extreme Management: What They Teach at Harvard Business School’s Advance Management Program*. New York: Warner. [2] Murphy, E.C., and M.A. Murphy. 2002. *Leading on the Edge of Chaos: The 10 Critical Elements for Success in Volatile Times*. Upper Saddle River, NJ: Prentice Hall.
11. Ibid.
12. Caru, A., and B. Cova. 2005. “The Impact of Service Elements on the Artistic Experience: The Case of Classical Music Concerts.” *International Journal of Arts Management* 7(2), 39–55.
13. http: //namp.americansforthearts.org/sites/default/files/documents/practical-lessons/lesson_5.pdf
14. http: //namp.americansforthearts.org/sites/default/files/documents/practical-lessons/lesson_5.pdf
15. Palmer, A., and N. Koenig-Lewis. 2010. “Primary and Secondary Effects of Emotions on Behavioural Intention of Theatre Clients.” *Journal of Marketing Management* 26(13/14), 1201–1217.
16. Ravanas, P. 2006. “Born to Be Wise: The Steppenwolf Theatre Company Mixes Freedom with Management Savvy.” *International Journal of Arts Management* 8(3), 64–76.
17. Gainer, B. 1995. “Rituals and Relationships: Interpersonal Influences on Shared Consumption.” *Journal of Business Research* 32, 253–260.
18. Caru, A., and B. Cova. 2005. “The Impact of Service Elements on the Artistic Experience: The Case of Classical Music Concerts.” *International Journal of Arts Management* 7(2), 39–55.
19. Voss, Z.G., and V. Cova. 2006. “How Sex Differences in Perceptions Influence Customer Satisfaction: A Study of Theatre Audiences.” *Marketing Theory* 6(2), 201–221.
20. 「規模の経済」とは、団体が大量生産をすることによって単位コストをどのように減らせるかということについて言っている。

21. Radbourne, J. 2000. “The Australian Ballet: A Spirit of Its Own.” *International Journal of Arts Management* 2(3), 62–69.
22. Ravanas, op. cit.
23. Dhalla, N.K., and S. Yuspeh. 1976. “Forget the Product Life Cycle Concept.” *Harvard Business Review* January–February, 102–112.
24. Marchand, A. 2016. “The Power of an Installed Base to Combat Lifecycle Decline: The Case of Video Games.” *International Journal of Research in Marketing* 33, 140–154.
25. Muniz, A., T. Norris, and G.A. Fine. 2014. “Marketing Artistic Careers: Pablo Picasso as Brand Manager.” *European Journal of Marketing* 4(1/2), 68–88.
26. Rogers, E. 1962. *The Diffusion of Innovations*. New York: Free Press.
27. [1] Benghozi, P.-J., and F. Benhamou. 2010. “The Long Tail: Myth or Reality?” *International Journal of Arts Management* 12(3), 43–53. [2] Peltier, S., and F. Benhamou. 2016. “Does the Long Tail Favor Small Publishers?” *Journal of Cultural Economics* 40(4), 393–412.
28. http://www.universalmusic.com/labels/
29. https://www.alligator.com
30. https://www.bloodshotrecords.com/about-us
31. [1] https://www.blueman.com/. [2] Caldwell, N.G. 2000. “The Emergence of Museum Brands.” *International Journal of Arts Management* 2(3), 28–34. [3] Carù, Ostillio, and Leone, op. cit.
32. http://www.uis.unesco.org/culture/Documents/average-film-production-2009.xls, consulted February 3, 2017.
33. https://www.broadwayleague.com/, consulted February 3, 2017. The figures are for musicals, plays, and new shows.
34. 2017年2月3日に実施された調査。ウェブサイト http://www.visitlondon.com/
35. 芸術的・文化的なコンテクストにおけるイノベーションとは、広くは、新しい製品やサービスだけではなく、マネジメント、組織、アートの開発のことも指す。例えば、芸術上のイノベーションは、Cloake (1997) によって、「特定の芸術の媒体の内容の形での新しい実践や使用……自分が選んだ1つまたは複数の媒体の伝統の中で、現在の状況の変化に関連するやり方で、アーティストがアイデアを表出するときにイノベーションは起こる」と定義される (272–273頁)。読者はイノベーションの概念の範囲の広さについて認識すべきであるが、製品レベルでは個々の文化組織がより効果的にイノベーションを管理することができるので、この節では製品レベルのイノベーションに焦点をあてる。
36. Voss, Z.G., and G.B. Voss. 2000a. “Exploring the Impact of Organizational Values and Strategic Orientation on Performance in Not-for-Profit Professional Theatre.” *International Journal of Arts Management* 3(1), 62–76.
37. Hirsch, P. 2000. “Cultural Industries Revisited.” *Organization Science* 11(3), 356–361 (see p. 360).
38. 潜在的なオーディエンスにとって、リスクは関連する構成要素でもあることに注意すべきである。この消費者側のリスクは第3章で詳細に議論されている。
39. Voss, G.B., M. Montoya-Weiss, and Z.G. Voss. 2006. “Aligning Innovation with Market Characteristics in the Nonprofit Professional Theater Industry.” *Journal of Marketing Research* 43(2), 296–302.
40. https://www.sydneyoperahouse.com/, consulted February 3, 2017.
41. Finn, A., S. McFadyen, and C. Hoskins. 1995. “Le développement de nouveaux produits dans les industries culturelles.” *Recherche et Applications en Marketing* 10(4), 47–63.

42. http://www.mcast.com/, consulted February 3, 2017.
43. テレノベラの発展についての更なる情報は、以下を参照のこと。L.M. Bittencourt Oguri, M.A. Chauvel, and M. Carvalho Suarez. 2009. "TV: o Processo de Criaçao das Telenovels." In *Industrias Criativas no Brasil*, T. Wood Jr., P.F. Bendassolli, C. Kirschbaum, and M. Pina e Cunha, eds. (pp. 84–96).
44. http://www.itsnicethat.com/news/moma-creates-digital-exhibition-archive-allowing-access-to-decades-of-images, consulted February 3, 2017.
45. Kamoche, K., and M. Pinha e Cunha. 2001. "Minimal Structures: From Jazz Improvisation to Product Innovation." *Organization Studies* 22(5), 733–764.
46. Lehner, J.M. 2009. "The Staging Model: The Contribution of Classical Theatre Directors to Project Management in Development Contexts." *International Journal of Project Management* 27(3), 195–205.

さらに参照するときは

Anton, C., C. Camarero, and J. Rodriguez. 2013. "Usefulness, Enjoyment and Self-Image Congruence: The Adoption of e-Book Readers." *Psychology and Marketing* 30(4), 372–384.

Arboleda, A.M., and J.F. Gonzalez. 2016. "Creating a Competitive Advantage: The Exoticism of Tango and Salsa from Cali, Colombia." *International Journal of Arts Management* 19(1), 42–53.

Bertacchini, E., and F. Morando. 2013. "The Future of Museums in the Digital Age: New Models for Access to and Use of Digital Collections." *International Journal of Arts Management* 15(2), 60–72.

Capelli, S., L. Fayolle, and W. Sabadie. 2016. "When Placement Becomes Collaborative Branded Entertainment: The Case of Music Concerts." *International Journal of Arts Management* 14(3), 37–50.

Darveau, J., and A. D'Astous. 2014. "Bundle Building in the Arts: An Experimental Investigation." *Psychology and Marketing* 31(8), 591–603.

Delre, S.A., T.L.J. Broekhuizen, and T.H.A. Bijmolt. 2016. "The Effects of Shared Consumption on Product Life Cycles and Advertising Effectiveness: The Case of the Motion Picture Market." *Journal of Marketing Research* 53, 608–627.

Evans J., K. Bridson, and R. Rentschler. 2012. "Drivers, Impediments and Manifestations of Brand Orientation: An international museum study." *European Journal of Marketing* 46(11/12), 1457–1475.

Hee Lee, S., and J. Woo Lee. 2016. "Art Fairs as a Medium for Branding Young and Emerging Artists: The Case of Frieze London." *Journal of Arts Management, Law and Society* 46(3), 95–106.

Holmes, K., and J. Ali-Knight. 2017. "The Event and Festival Life Cycle: Developing a New Model for a New Context." *International Journal of Contemporary Hospitality Management* 29(3), 986–1004.

Legoux, R., and Y. St-James. 2010. "A Taste of What's to Come: The Appetitive Value of Sequential Product Launches." *International Journal of Arts Management* 13(1), 4–11.

Liu, C.-R., H.-K. Liu, and W.-R. Lin. 2015. "Constructing Customer-Based Museum Brands Equity Model: The Mediating Role of Brand Value." *International Journal of Tourism Research* 17, 229–238.

Mark, A.A., and M. Leenders. 2010. "The Relative Importance of the Brand of Music Festivals: A Customer Equity Perspective." *Journal of Strategic Marketing* 18(4), 291–301.

Miquel-Romero, M-J., and J.D. Montoro-Pons. 2017. "Consumption Habits, Perception and Positioning of Content-Access Devices in Recorded Music." *International Journal of Arts Management* 19(3), 4–18.

Plaza, B., S.N. Haarich, and C.M. Waldron. 2013. "Picasso's Guernica: The Strength of an Art Brand in Destination e-Branding." *International Journal of Arts Management* 15(3), 53–64.

Preece, S., and J. Wiggins Johnson. 2011. "Web Strategies and the Performing Arts: A Solution to Difficult Brands." *International Journal of Arts Management* 14(1), 19–31.

Chapter 7

Price

第7章
価 格

目 標

- 価格の変数の構成要素を理解する
- この変数に関連する目標について考察する
- 価格設定の主な方法を説明する
- 弾力性の概念を理解する
- ダイナミック・プライシング［動的価格設定］と他のよく知られた価格戦略について議論する
- ボウモル効果を紹介する

イントロダクション

この章では、価格の変数を扱うが、消費者市場の視点からの価格というものに特に焦点をあてる。次に、意思決定プロセスに関与する要因、企業の価格の目標、価格決定プロセスを容易にする確実な方法を考察することにより、団体がどのように製品の価格を決定するのかに目を向ける。

それに続くのは、製品のコストと収益性を計算する様々な方法についての簡潔な概観であり、アート・セクターの極めて独特なコンテクストに重点を置く。

次に、弾力性という経済学上の概念について説明する。弾力性は、需要と価格の変化の間の関連を明らかにするものであり、マーケティング・ミックスにおける他の変数にそれを利用する。

もし製品の需要曲線がそれぞれマーケット・セグメントをあらわすより小さい曲線の組み合わせであるという考えを受け入れるなら、価格の変数をマーケット・セグメンテーションに関係づけることができる。この章の終わりには、ボウモル効果と呼ばれる有名なパラドックスと共に、最もよく知られている価格戦略が示される。

7.1　定義

〈消費者の視点からは価格とは、人が製品やサービス（適用される各種税金も含む）を購入するために支払わなければならない量のことである。〉しかし、消費者によって支払われる価格は必ずしもこの狭い定義に限定されるわけではない。製品の価格を計算する際に、その消費に関係する様々な費用（交通費、食費、ベビーシッターなど）、投資される余暇時間、購買に関するリスク、消費者により費やされる物理的な労力（移動や旅行、駐車場など）のことも考慮に入れなければならない（図7.1を参照のこと）。たとえ団体が無料のイベントを提供したとしても、消費者は外出の際には様々な種類の労力の形で「支払い」をしなければならない。

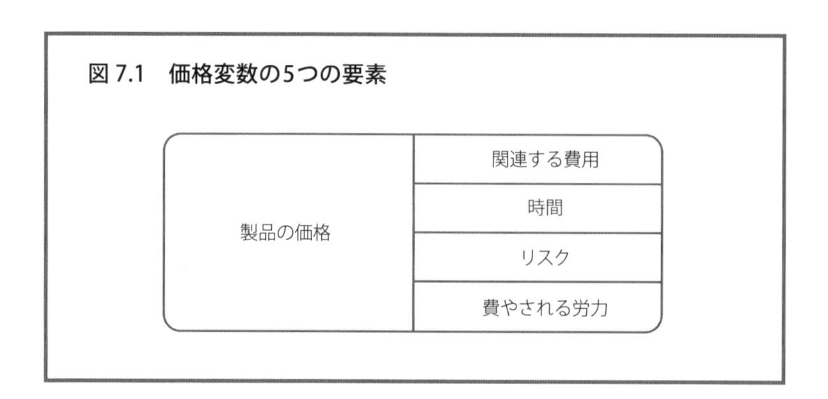

図 7.1　価格変数の5つの要素

この視点から見るならば、製品は実際は無料ということはなくて、価格は消費者への総コスト（金銭的に、心理学的に、社会学的に、必要とされる労力）として見られなければならない。

第１章で見たように、消費者が利用できる余暇時間の量は増加していないし、実際にはあるカテゴリーの労働者には減少しているかもしれない。結果として、可処分所得と共に、余暇活動のための時間と外出は、貴重なコモディティになっている。消費者は多かれ少なかれ自分の時間と金銭を選好と予算に従って割り当てるよう求められる。

購買に関連するリスクは、購買時に必要とされる心理学的労力（第３章）と同じようなものである。それらは例えば、特定のグループに結びつけられる社会的リスク、製品を理解しないあるいは好まないリスク、困惑させられるリスクである。そのときのリスクとは、ニーズと期待が確実に満たされることがないということである。リスクは人によって異なる個人的な知覚に基づく。

消費者がより製品を知って理解すればするほど、自分自身の判断力を用いることができるので、リスクはより少なくなる。逆に、知ることが少なければ少ないほど、消費者は関与するリスクの量を判断するために外部の情報源をより信頼しなければならない。例えば、カナダのストラトフォードで行われるストラトフォード・フェスティバルやニューヨークのリンカーン・センターといった２つの名声のある会場での、有名なプロフェッショナルにより演出され演じられる古典的な演劇は、消費者の仲間が誰も見たことのない、レビューされていない前衛的な作品とかオルタナティブなプロダクションよりも、リスクが低いことを示している。しかし、個人的な嗜好によって、消費者はリスクが少なくよく知られた古典作品を鑑賞することを止めて、よりリスクが大きい知られていない作品から心地よい驚きをもたらされるかもしれない。このリスクの知覚は、小説であってもパフォーマンス・アートであってもコンサートであっても展覧会であっても、すべての文化的な製品にあてはまる。

物理的な労力とは、ショーに行くために移動したり、書籍や音楽のレコーディングのような製品を購入したりするような、消費者により費やされた労力のことを言う。それぞれの場合で、消費者は購入をするためにまたは会場に到着するために必要な移動を受け入れなければならない。インターネットがある製品を購入するのに必要な物理的労力を（これによりそれらの製品のコストも）確実に減らすことができる一方で、団体のウェブサイトは使用者に十分使いやすく、購入を容易にするために効率的でなければならない。

基本的な製品とスピンオフの製品の売上により生み出される収益は、通常は団体の４つの財源の単に１つであると考えられる。政府、民間セクター、パートナーも財務上で貢献をする。助成金や補助金を通して、民間セクター、政府、パートナーは、消費者が支払う価格を下げるために資金を供給する。公演のチケットの購入者は、製品の本当の費用の一部のみを支払う。政府の補助や民間の資金は、市場の中の価格に敏感なセグメントに興味がある製品を買うよう促す意図がある。

価格の全体的な低下の結果としての市場の需要の増加は、政府のアートへの関与の実現可能なゴールの１つとみられる場合がある。しかしながら、このあとの第７章（7.2.2）に書かれているように、その効果には限界がある。

7.2　プロセス

7.2.1　正しい質問をすること

「団体の価格設定の能力を向上させるために、マネージャーはアウトカム［成果］ではなくプロセスに焦点をあてて始めるべきである。問うべき第１の質問は『価格がどうあるべきか？』ではなく、むしろ『正しい価格を決定するすべての検討事項に取り組んだのか？』である」とハーバードのロバート・J・ドラン Robert J. Dolan 教授は書いている。彼によれば、価格設定はいくつかのステップがある[1]。

1. 〈消費者があなたの製品に置く価値を評価する。〉顧客価値は、顧客が得るものと支払うものの差である。
   a. 顧客が得るもの（総顧客〈価値〉）は、買い手があなたの提供物から受け取る、製品全体、それに結びついたサービス、人員、イメージ価値といった価値を表す。
   b. 顧客が支払うもの（総顧客〈コスト〉）は、あなたの提供物に関連する金銭、時間、エネルギー、心理学的そして時には物理的なコストとリスクのことであり、顧客があなたの製品を購入することにより投資するものである。
2. 〈顧客があなたの製品に価値を置く方法の変化を探す。〉異なる顧客が異なる理由で同じ製品を買うかもしれない。そして、同じ顧客が異なる時に異なる理由で同じ製品を買うかもしれない。例えば、顧客の中にはあなたのショーに傾倒していて、決して見逃すことはない人もいるかもしれない。ところが一方、他の顧客の中には単にエンタテインメントの1つの選択肢と見ていて、あなたが特別価格で提供するときにのみ来場するという人もいるかもしれない。なぜ人々はあなたのショーを観に来るのか、そしてこれらの理由がどのようにあなたの製品に結びついた価値の知覚に影響するのかを理解する必要がある。
3. 〈消費者の価格感度を評価する。〉もし価格を下げるなら、製品はもっと売れるだろうか。必ずしもそうではない。価格の変化とそれに伴って起こる需要の量の変化の間の関係性を理解する必要がある。
4. 〈取引レベルでの価格をモニターする。〉もしそのショーが常に割引販売されているのなら、チケットの額面の価格にはたいして意味をなさないことがある。すべての割引、リベート、他のプロモーション上の提供を考慮して、消費者があなたの製品を買う実際の価格を決定する必要がある。
5. 〈最適な価格設定の構造を特定する。〉上述のステップにより集められたすべての情報を使用して、種々の製品の特徴についての顧客の評価に基づき、価格の尺度を定義することができるだろう。

企業の観点からは、価格を設定することは、市場に製品の価値についてのシグナルを送ることに似ている。価格の設定によって、損益分岐点と容認できるレベルの財務上のリスクに到達するために組織が供給しなければならない労力の量が決定される。新製品の価格を設定するということは、消費者がまだ試しておらず意見も形成していないので、多くの場合チャレンジングである。

価格設定の決定は、顧客の潜在的な反応、競争、いくつかの場合には政府機関や規制する側の当局までも含め、いくつかの要因を考慮に入れなければならない。

製品の価格を設定するときは、価格設定が上に示したプロセスの結果であることに加えて、数多の妥協の結果であるので、団体は単純ないかなる公式もあてにすることができない。団体は状況に応じて可能な限りの最善の価格を設定することに努めなければならない。

7.2.2 価格弾力性

価格設定の戦略は、需要の価格弾力性にも影響される。経済学者によれば、製品の設定価格と販売単位数の間には、因果関係がある。要するに、価格が高くなれば、販売単位数は少なくなる。逆に、価格が低くなれば、販売単位数は多くなる。

単純に言って、この理論によるならば、消費者は可能な限り低い価格で品物を買うことを望む。他方、企業は価格が高くなるとそれだけ多くの量を生産する傾向がある。企業にとっては大量生産は、明らかに、単位あたりの利益率を増加させる重要な規模の経済を可能にする。販売数だけでなく、販売あたりの利益率も増加する。

図7.2では、供給と需要をあらわす曲線が交差するところで、均衡となる。消費者が支払う意思がある価格がもし非常に高いのなら、製造業者はもっと多く生産する準備をする。もし価格がより低いのであれば、たとえもっと多くの消費者が買う意思があるとしても、製造業者は製品を作ることへの関心が薄くなる。

図7.2において2曲線の交点であるA点で均衡点に達する。1ドルの販売価格は100単位の消費となり（B点）、500単位の供給へと導かれる（C点）。言い方を変えると、団体は利益の可能性に応じてこの単位数を製造するよう準備する。逆に、20セントの販売価格は100単位に等しい供給を生み出し（D点）、それに対し、消費者の関心は500単位に等しい需要を生み出すであろう（E点）。均衡は

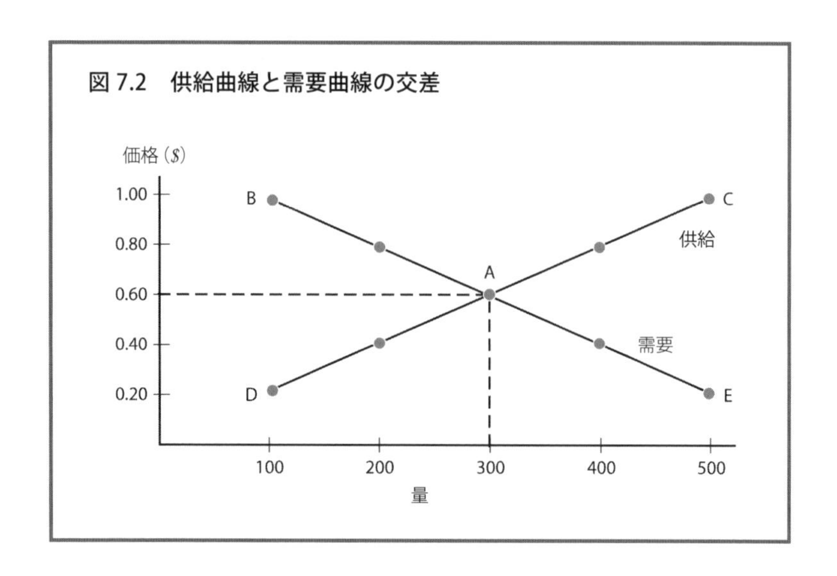

最大数の団体と最大数の消費者が満足する最適点と一致する。この場合には、300単位で60セントになるであろう。

価格弾力性は、価格と購入される量の関係性を説明するために使用される用語である。購入される量は価格に対して反比例に変化するので、価格の変化後にもし消費される単位や製品の数がこの価格の変化に対して正比例よりもっと変化するのなら、需要は弾力的と考えられる。

逆に、もし価格が変化した際に価格に対し消費が正比例よりも少なく変化するのなら、需要は非弾力的と考えられる。理論的に言えば、完全な弾力性とは、わずかな価格の動きによってさえ、消費される量に無限の増加を生じさせるということを意味する。完全に非弾力的な需要とは、いかなる価格の変化に対しても需要が同じ状態であることを意味する（図7.3を参照のこと）。需要は、程度は様々だが、弾力的かあるいは非弾力的になるはずである。もし価格の変化と量の変化が等しいのならば、弾力性は中立である［どちらでもない］場合もある。

今日でも依然として価格は製品を買うための決定の際の重要な要因であるが、製品のタイプや、個々の消費者の金銭的状況や余裕によって違いがある。それゆえ、需要の変化を説明するために、製品の弾力性、プロモーションの弾力性、流通の弾力性といった、マーケティング・ミックスの他の変数に弾力性の概念を当て

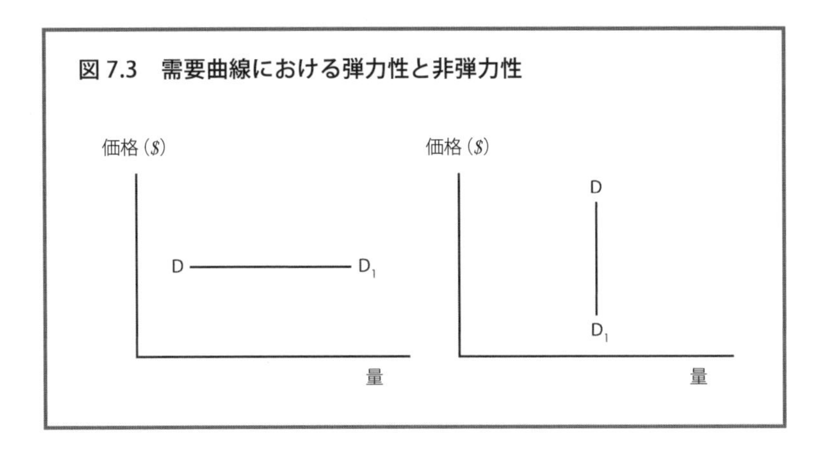

図7.3　需要曲線における弾力性と非弾力性

はめることは有用である。広告キャンペーンやサービスの向上やよりふさわしい流通ネットワークは、需要に影響を与える可能性がある（図7.4）。それゆえ、販売場所やホールや巡回展をより多く提供することにより、あるいはクレジット・カード使用とか、自動窓口機、オンライン、電話、カタログのような販売のテクニックを向上させることにより、製品の売上を増加させることは可能である。消費者をひきつけるもうひとつの方法は、いまやほとんどの博物館がしているように、文化的あるいは教育的な性質の補完的な製品（子どものためのワークショップ、ガイド・ツアー、レクチャー、カンファレンス、メンバーシップ・カード）を提供することである。特定の変数を修正することで消費される量にポジティブな影響を与えることができるということを、これらの例は示している。他方、プロモーションあるいは販売場所の数の減少は、製品の需要を低下させるだろう。

商業の世界での同じような立場の組織とは違い、芸術事業体は通常は需要を増加させるための戦略として製品を変更しないという選択をする。このやり方で、アーティストは自分の創造的な（芸術的な）完全性、あるいは自分たちの関心があるユニークな質を維持することができる。このことは、文化産業については必ずしもあてはまらない。文化産業においては、製品の弾力性は戦略的な変数として使用されることがある。もちろんこれは、製品を変更することが現実にポジティブな消費者の反応をもたらすということを前提としている。

マーケティング・ミックスの種々の変数に従って、需要の観点から弾力性は製品

図 7.4　広告の支出に関して示される需要の変化

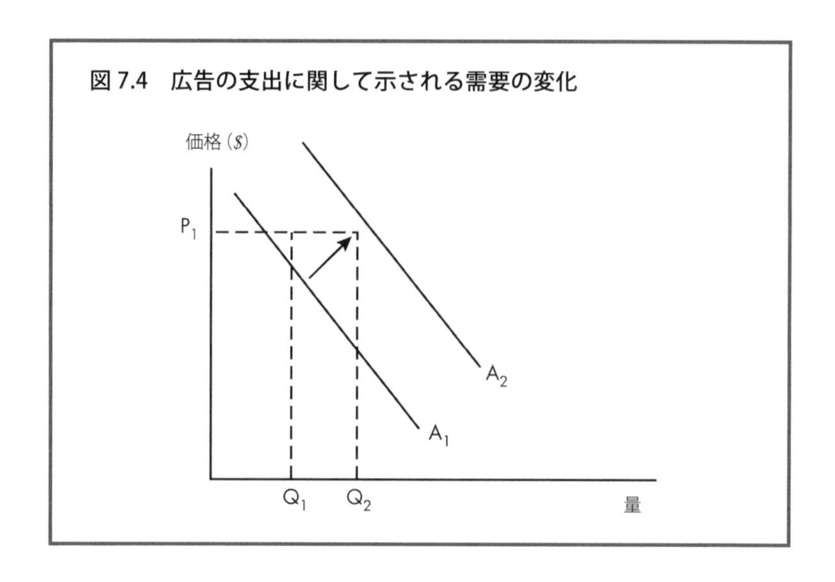

やターゲット・マーケットにより変化する。広告にしても批評家にしても交響楽団の素晴らしさを声高に言うが、すべての人が言われる便益に興味を持つわけではない。オペラ団体は学生料金で提供するかもしれないが、すべての学生が行こうと興味を持つわけではない。レコーディングや手作りの物がいくつかの店頭で陳列されても、消費の増加はほとんどないかもしれない。

実際に、マーケティング・ミックスにおける変数は、全く首尾一貫した全体を形作らなければならない。これまで見てきたように、1つの変数に関する良くない選択は戦略全体を危うくする可能性がある。ある製品に対する需要は、マーケティング・ミックスにおけるいくつかの変数によっては弾力的であるかもしれないし、その他の変数によっては非弾力的であるかもしれない。その上、学生や高齢者を含む人たちのようないくつかの市場は、他の市場よりも価格の変数に対してより反応する。要するに、需要を予測したり過去の売上の変化を説明したりするどんな試みでも、マーケティング・ミックスを構成する4つの変数についての弾力性の効果を考慮に入れなければならないということである。

7.3 目標

もし価格の変数の目標がマーケティング・ミックスの他の変数と合致させることであるならば、その目標はより一般的で総合的で全般的なゴールから導き出された企業の方針に基づいていなければならない。

価格の目標は、4つのカテゴリーに分けることができる。すなわち、利益あるいは剰余金に関するもの、売上、競争上のバランス、コーポレート・イメージの4つである[2]。これらはときどき、ターゲットとなるセグメントによっては、補完的になりうる。

7.3.1 利益あるいは剰余金に基づく目標

第1章で「市場志向」と特徴づけられた文化事業体は、何よりも高いレベルの利益を生み出すことに関心を向ける。

消費を促進するためであれ、すべての人に製品をアクセスしやすくするためであれ、顧客基盤を拡大するためであれ、あるいは最低でも、知覚される価格のバリアを下げるためであれ、製品志向の組織はできるだけ低い価格に設定すると決めるかもしれない。これらの団体にとっては、利益は第1の目標ではない。その団体の主な関心は、必ずしも剰余金を生み出すことではなく、収益と費用のバランスをとることである。

他の企業は、これらの2つの両極のどこかに位置をとる。すなわち、高いレベルの利益を求めるのではなく、少なくとも予知できない費用に備えての準備金を作れるくらいのわずかな剰余を望む。

7.3.2 売上に基づく目標

企業の1つのゴールとして、その団体の売上高あるいはマーケット・シェア[市場占有率]を拡大することがありうる。団体は、価格を下げ、それに伴い利幅も減少させることによって、一定割合の競合の顧客を取り込んで売上を増加させ、これによりマーケット・シェアを増加させるのを期待することができる。もちろんこの戦略は競合の価格を下げる原因にもなる。消費者がブランドに関心を持たない状態の競争が激しいセクターでは、この戦略は最終的には消費者だけに益をもたらす価格の総力戦を開始させるかもしれない。

売上を増加させるためのもうひとつの方法は、費やされる労力の量のような、価格変数の他の構成要素を減らすよう試みることである。例えば、良い顧客サービスは消費者から要求される（あるいは消費者に知覚される）物理的な労力を減らすことが可能である。このタイプの価格政策は、（もしターゲット・マーケットが価格に敏感ならば、）団体が新市場の開発に関する目標を満たす一助ともなりうる。あるいは（定期会員制度の場合のように）顧客ロイヤルティの構築に役立てることができる。

7.3.3　競争上のバランスに関連するゴール

ライフサイクルの成熟段階にあるセクターでは、団体はときには競争バランスを維持し、価格競争を避けようとする。そういうときには市場内で競合する他団体は、マーケット・リーダーの後について価格を横一線に並べ、マーケット・シェアを持ちこたえさせるためにマーケティング・ミックスの他の変数に関連する戦略に頼る。

パフォーミング・アーツは近年はこのような状況にある。このセクターの団体は、同じカテゴリーの他団体と同じレベルのチケット価格に設定する。最高価格は一般的に最も規模が大きく最も名声があると考えられる団体の価格である。映画興行（上映）産業でも同じ現象を観察することができる。

7.3.4　コーポレート・イメージに関連するゴール

団体は自分が投影したいと願うイメージに従って価格を設定することがある。これまで見てきたように、価格は消費者の目に高度に象徴的な面を示すことができる。高い品質というイメージを投影したい組織は、価格を高く設定するかもしれない（これは強い高級なブランド・イメージがある企業の場合である）。それに対して、その製品がほとんどの人に求めやすいというメッセージを伝えたい組織は、価格をより低く設定するであろう。中には高級さと求めやすさの両方のイメージを投影することを選択する組織もあるかもしれない。例えば、ある劇団は、学生や高齢者には割引価格で提供するのに対し、通常価格は高めにするかもしれない。これらすべての例において、マーケティング・ミックスの他の変数に適用される政策と価格が一致している場合にのみ、加えて消費者がこの価格を製造業者の見方と同じように見ている場合には、目標は達成されるであろう。

7.4　メソッド

価格設定に関連するゴールは、マーケティング・マネージャーが決定をするのに役立つ可能性がある様々なメソッドとうまく適合する。この章では4つのメソッドが示される。第1は消費者、第2は競争、第3はコストに基づくものであり、第4はpay-what-you-want method［払いたい額を支払う方式］である。団体は1つかあるいはいくつかの組み合わせを選ぶことができる。

7.4.1　消費者に基づくメソッド

伝統的なマーケティング理論によれば、最良の価格とは消費者が支払う意思のある価格である。実際に消費者は価格に関する事柄の最終的な審判である。消費者が支払う意思のある額より低く価格を設定するのは、利益を失うことを意味する。消費者が支払う意思のある額より高く価格を設定するのは、売上を失うことを意味する。消費者の価格の閾値を知る最も信頼できる方法は、質問してみることである。質問の方法はいろいろあるので、マーケティング・リサーチのテクニックは非常に有用である。例えば、ある消費者は1階席にはもっと支払う意思があり[3]、興行が延長されるショーのチケットには25%余分に支払う[4]ということを、研究は明らかにしてきた。

消費者に基づくメソッドが重大な限界が1つあることは、注目すべきである。というのは、競争により設定された価格は、この領域の団体の自由を抑制することになるからである。たとえ消費者が団体の製品にもっと支払う用意があるといっても、もし競合他団体が著しく低い価格をつけるならば、その団体は注意を払わなければならない。さもないと、売上を失うかマーケット・シェアを減らすというリスクを負うことになる。

7.4.2 競争に基づくメソッド

このメソッドを選ぶ際には、団体は競争の価格に従って、価格設定をする。マーケット・リサーチは必要ないので、このメソッドは簡単で安上がりである。しかし、このメソッドはその製品に消費者がいくら支払う意思があるかを他者に決めさせることになる。言い換えると、団体の製品が持つ他と区別される特徴が無視され、価格を通してのいかなるポジショニングの可能性も失われる。もし消費者が競合している製品を同様のものだと知覚して、それらの知覚を変えることができないのであれば、買物客は価格の変化に敏感であるので、競争価格をもとに価格の判断をすることは最も適切なメソッドである。それゆえ、競合他団体の価格の変更に迅速に反応するために、市場の価格をモニターすることは重要である。

7.4.3 コストに基づくメソッド

コストに基づくメソッドは簡単である。というのは、このメソッドは、公正な利益と見なすものを製造業者が生み出せる価格設定を含んでいるからである。この価格の設定は、生産される単位あたりの原価について多少の計算を要する。もうひとつの量、つまり利幅がそのあと加えられる。

このメソッドの主な利点は簡単さである。しかし、2つ欠点がある。第1に、このメソッドは消費者の反応を考慮に入れていない。第2に、単価が製品レベルに直接反応して変化する場合（生産される量に基づく規模の経済）、あるいは、他の製品の製造によって団体に吸収される一定のコストを均すことが難しい場合、このメソッドはうまくいかないかもしれない。

執行役員は価格を設定するために通常はすでに説明した3つのメソッドのうちの1つを使用する。それと同時に、他の2つの方法の基礎をなす一般原則を心に留めておく。例えば、価格の決定は競合他団体の価格に基づいてのみなされるのではない。企業はコストを精査し、消費者の反応も予測しなければならない。

7.4.4 Pay-What-You-Want Method

いくつかの劇場は入場料を請求しない[5]。それらの劇場は自分たちのパトロンに対しショーを観た後に自分がしたいだけ寄付するよう求める。これがpay-what-you-want method［払いたい額を支払う方式］である。このメソッドで、前もってチケットの価格が定められているときよりも、顧客あたりではより多くの収益を団体が受け取る場合があった。

ウィギンスとクイWiggins and Cuiの研究[6]によれば、「企業は近年、最低価格、最高価格、希望価格も含め、pay-what-you-wantの価格設定において消費者が選択する価格に影響を与えるために、いくつかの外的参照価格戦略を使用している。しかし、希望価格が、提案される最低価格と最高価格よりも多くの収益をもたらすということを、企業のリサーチの知見は示している。希望価格戦略は、特に希望価格が消費者の内的参照価格と近いときには、消費者には自分自身の価格を選択する自由を与える一方で、企業の生産額を最大化する効果的な手段であるようである」。内的参照価格は、提供を検討するときにパトロンが心の中で思っている価格を意味している。

7.5　戦略

価格戦略は、価格の変数のために設定したターゲットに合わせるように団体によって用いられるメソッドのことである。以下の例で示されるように、同じ目標を達成するためにいくつかの異なった戦略を使用することができる。

7.5.1　スキミング

スキミング［上澄吸収価格］戦略とペネトレーション戦略は、プロトタイプを再生産する団体が新製品を市場に投入する際に主として使用される戦略である。

スキミング戦略を選択する団体は、売られる単位あたりの最大の利益を獲得するために、高い価格でその製品を紹介している。この戦略は、特定の製品に対し高い価格を支払う用意がある公衆をターゲットとする。初期にスキミングする［上澄みを掬う］ことによって生み出される実質的な稼得から益を得るため、売り手は少数の単位を高い価格で売る。より価格に敏感な消費者に到達するために、団体は後で次第に価格を下げることがある。もし製品が他にない唯一のものであったり、独自の属性を持っていたり、高級さを投影していたり、独占に近い状態であるのであれば、この戦略を用いることができる。豪華版の小説の、ペーパーバック版での再発売がその一例であろう。明らかに価格には敏感でないがその製品を買いそうなマーケット・セグメントが不可欠である。

7.5.2 ペネトレーション

他方、マーケット・ペネトレーション戦略［市場浸透戦略］は、価格を可能な限り低く設定することによって可能な限り多くの単位を売ることからなる。団体が得る単位あたりの利益は比較的少ないが、実質的な利益を生み出すための販売単位数を見込む。この戦略は大きなマーケット・セグメントと予算を意識する消費者をターゲットとする。ペネトレーション戦略では通常は、団体はスキミング戦略よりも時間をかけて製品デザインと製品投入のコストを賄うことができる。

これらの戦略は通常は新製品の発売時に用いられるが、スキミングはときどき製品の成長期の段階でも用いられることがある。例えば、新しいショーが非常に人気を博しているので延長されることとなった。この場合、追加の公演日を告知するときには、そのショーの人気によりオーディエンスは価格についてあまり気にしなくなっているので、団体はチケット価格の値上げを選択するかもしれない。

7.5.3 プレステージ価格設定

価格は、消費者の製品の評価に対して心理学的な影響がある。高価格の値札は期待を高めるし、逆説的なことに、知覚リスクを減らす。実際に、高価格はたいてい買物客を安心させ、ゴールド・シール［品質保証］を表す。

品質はほとんど常に高価格と結びついているけれども、高価格は必ずしも品質とは関連していない。すべての買物客は一度くらいは高い授業料を払った個人的な経験があるだろう。高価格であることにより品質が良いと連想するのは主観的な基準にもとづいており、必ずしもすべての消費者にあてはまるわけではない。この連想は消費者の過去の経験、製品の知識と認知、その製品をプロモーションしている団体への信頼に大きく依存している。

しかし、この品質と価格の間の関連は、ある製品の消費から連想されるプレステージ性を強調することによって、団体が比較的高価格に設定することを可能にする。これは、組織が富裕層から寄付を募るとき、あるいはベネフィット・ガラ［チャリティー・イベント]を開催するときに使用される戦略である。

プレステージ価格設定[威光価格設定]は、製品を消費することから連想される価値を増加させる。こうして、「付加価値」を与え、知覚リスクを減らす傍ら、より大きな利益を団体にもたらす。価値を付加する構成要素は、ラベル[ブランド]やデザイナーを意識するようなカテゴリーの消費者を惹き付ける。市場のこのセグメントは、マーケティング・ミックスにおける他の変数に基づく戦略では、これまでは選ばれてこなかったかもしれない。プレステージ価格に基づく戦略では、ターゲットとなる顧客が求める真の心理学的、物理的な利点が提供されなければならないし、そうでなければその戦略は逆効果となる。

図7.5で示されているように、[上方から]A点に到達するまで価格が下がるにつれて、消費される単位数つまり需要は増加する。そののち関係が逆転し、価格に沿って需要は減少する。プレステージ製品を求める消費者は群衆から際立ちたい、というのがこの現象に対するひとつの説明である。もちろん、いったん誰も彼もその製品を持つことができると、それを買う理由はなくなる。逆に、自分たちの消費者行動によって別の社会階級と同一視されたくない人たちは、たやすく入手できるときでさえも、その製品を買うことを拒む場合がある。

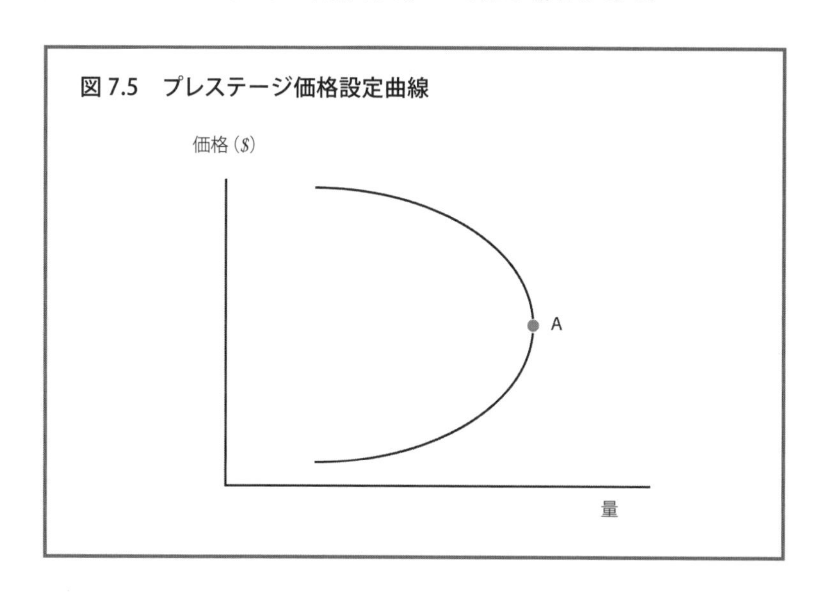

7.6　制約

文化事業体は、他と孤立して運営されるわけではない。価格設定をする際に、考慮に入れるべき3つの主要な制約がある。

7.6.1　競争上の制約

マーケット・シェアに基づけば、団体は競合他団体の価格設定の実際の行動に多かれ少なかれ制限されるだろう。市場におけるほんの小規模なプレイヤーである企業の価格の決定は、マーケット・リーダーによって設定される価格の影響を受けるだろう。逆に、市場において優勢な位置を有している団体、あるいはマーケット・リーダーである団体は、もし価格の修正の決定をするならば、市場が追随することを予期することができる。

7.6.2　消費者の制約

製品の価格弾力性に基づけば、もし値上げを決定するならば、団体は多かれ少なかれ消費者を失うリスクに巻き込まれる可能性がある。組織はターゲットとしているマーケット・セグメントに従った価格弾力性の変化に基づいて、価格を設定することを選ぶ場合がある。例えば、高価格を品質と結びつける消費者や、プレステージ価格を支払う意思がある消費者で構成されるセグメントは、企業がその製品をより高い価格に設定するのを余儀なくさせるだろう。もし企業が高価な製品を探していないセグメントをターゲットにしたいならば、可能な限り廉価な価格にする戦略を選ぶだろう。

7.6.3　団体のコストの制約

その志向（製品に基づく志向、市場に基づく志向）が何であったとしても、すべての団体は財務上の義務（給与、保険、賃料、生産とマーケティングのコスト）を果たさなければならない。最低でも、収支均衡（つまり、すべての固定費と変動費をまかなう。カプセル7.1を参照のこと）にならないといけない。政府あるいはプライベート・パートナーは、運営費への支援をすることによって、文化事業体が損益分岐点を低くする手助けをすることができる。

7.6.4 規制の制約

たいていの国は価格設定の慣行に関して、特に文化的製品に対しては、規制を設けている。例えばアメリカ合衆国では、自由競争を妨げる慣行から消費者を保護するため、（1975年の消費者製品価格法Consumer Goods Pricing Actのような）一連の法律が可決されている。アメリカ合衆国や他の多くの国で違法とされているのは、価格操作（価格をつり上げたり、廉売したり、価格や競争条件を固定化する競合他団体間の合意――書面、口頭、行為からの示唆であっても――）[7]、価格差別（売り手が競合する買い手に同じ製品なのに異なった価格をつけること）[8]、略奪的価格設定または原価割れ販売（原価割れ販売により、優勢な競合他団体がライバルを市場から占め出して、その後かなりの期間にわたって市場レベル以上に価格を上げることができるようになる場合）[9]、その他の欺瞞的価格設定の慣行（例：おとり商法、作為的割引）である。

他の国では、文化へのアクセスを促進するために、文化的製品の価格について規制を設けている。例えばフランスでは、書籍の価格設定に関するlaw81-766が、書籍毎に単一価格を設定し、大規模な流通会社との競争に直面している小規模な書店を保護するために割引を制限している。国や自治体の支援を受けている多くの組織は、公的補助と引き換えに製品の価格に制限を設けなければならない。

カプセル 7.1

用いられる価格の応用理論によって異なる損益分岐点

公演あたりの固定費は、アーティストの給与も含め10,000ドルということがショーのプロモーターにはわかっている。プログラム、保険、チケット発行手数料、クレジット・カード手数料といった変動費に関しては、チケットあたり2ドルのコストがかかる。販売されるチケット数を掛けてプロモーターの費用すべてを賄えるレベルで、平均チケット価格は設定されるだろう。1枚あたりのチケット価格が30ドルなら357単位［枚］、25ドルなら435単位、20ドルなら555単位売られなければならない。もし会場が1,000席あるのなら、達成されるべきキャパシティの最低数は、それぞれのチケット価格に基づくなら、35%（収容可能な1,000席のうち350）、43.5%、あるいは55.5%である。

もしプロモーターが20ドルの価格で1,200席売れると考えるならば、実演家は1晩だけ出演することになるだろう。これはもう1晩に売ることができる200席のチケットの損失を意味する。

コスト構造を考慮すると、1晩だけ公演を打つとする仮定では8,000ドルの利益を生み出すだろう。

（20ドル/チケット－2ドルの変動費/チケット）×1,000席のチケット
－10,000ドルの固定費

2晩の仮定では1,600ドルの利益を生み出すだろう。

（20ドル/チケット－2ドルの変動費/チケット）×1,200席のチケット
－10,000ドル×2の固定費

1晩だけとする最初の仮定は、財務的にはより利益が多いことがわかる。ましてや、キャパシティの60%程度のホールと対比して、満席のホールにインパクトがあることは言うまでもない。プロモーターは、1,000人だけに絞って利益を増やすために、価格を上げるという決定をすることもできる。他方、チケット価格を下げることによって、プロモーターはもっと多くの消費者を惹き付けるということもありうる。少なくとも、考えられる最も低いチケット価格は12ドルであるだろう。それが1,000席のホールの損益分岐点だからである。

（12ドル/チケット－2ドルの変動費/チケット）×1,000席のチケット
－10,000ドルの固定費

7.7　その他の考察

7.7.1　コストと収益性の計算

使用されるメソッドに関わらず、企業の執行役員は、製品を製造する際に生じるすべてのコストの合計を、いつも考慮に入れなければならない。

簡単に言えば、どんな製品の総コストの中にも計算される2つのタイプのコストがある。すなわち固定費と変動費である。固定費は生産される単位数に影響されない。固定費には、賃料、永続的な給与、保険一般、団体の生産レベルに関係しないいかなる費用をも含む。変動費は、製造される単位数に直接的に比例して関係するものである。変動費には、原材料（例：書籍を印刷する際に使用される紙）あるいは旅費交通費・輸送費（例：劇団のツアーに加えられる都市への追加の輸送費）が含まれる。

しかし、コストを峻別するのは難しいことがわかるであろう。何種かのコストは、企業活動のレベルに比例して変化するのではなく、製品単位の製造での段階に従って変化する。映画館のオーナーは、ボックス・オフィスへの追加のスタッフを、客単位で割り当てるのではなく、一定数のパトロンに達したら割り当てるかもしれない。例えば、1晩あたりのパトロンの数が500人を下回っている間は1人だけボックス・オフィスに必要とされるかもしれないし、500人から1,000人の範囲の数なら2人のスタッフ、パトロンの数が1,000人を超えるときには3人のスタッフが必要とされるかもしれない。

総生産コストを構成する固定費と変動費がいったんわかれば、損益分岐点を計算することができる。損益分岐点はどんな価格決定においても重要な概念である。損益なしということになるのは、販売単位数、単位あたりの販売価格、固定費と変動費のレベルと分配の具合による。損益分岐点は、総固定費を粗利益すなわち追加1単位に関しての貢献で割ることにより決定される。それは、単純化するならば、単位あたりの販売価格から単位あたりの変動費を引くことで表される。

$$\text{損益分岐点［販売数量］} = \frac{\text{固定費}}{\text{粗利益}} = \frac{\text{50,000ドル}}{\text{50ドル}-\text{25ドル}} = \text{2,000単位}$$

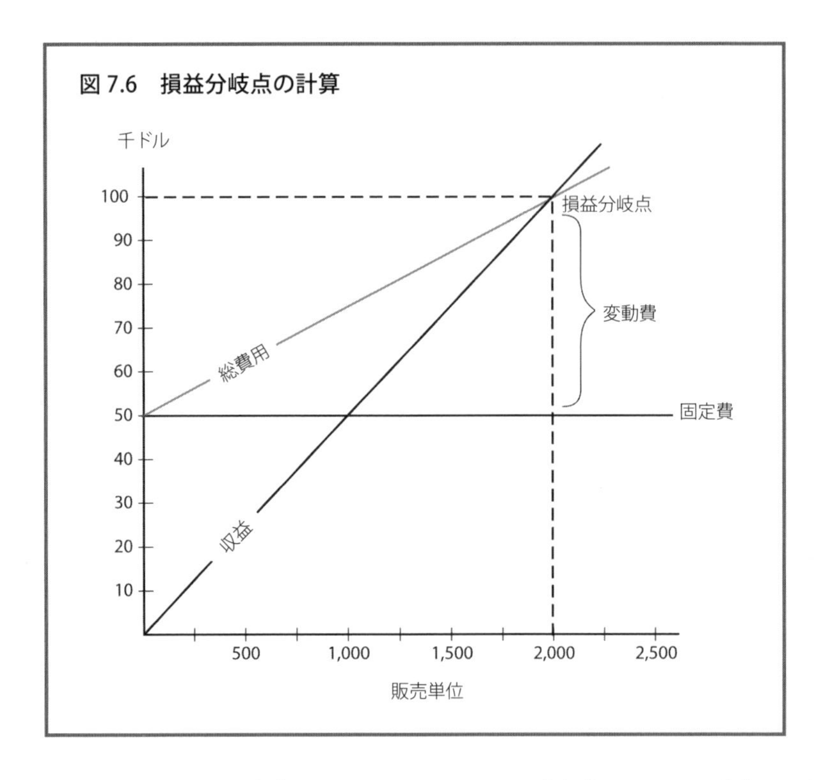

この例では、もし総固定費が50,000ドルならば、販売価格は50ドル、単位あたりの変動費は25ドルであり、2,000単位売れるときに損益分岐点に達する。これは、もし2,000単位より少ない売れ行きなら団体が赤字に直面し、販売が2,000単位を超えるのなら利益（あるいは剰余）を生む、ということを意味する。

執行役員は、様々な価格レベルに関する仮説に従って、新製品を市場に投入するリスクを評価するために、このテクニックを使用することがある。カプセル7.1と図7.6で示されるように、損益分岐点に達するために売られなければならない単位数の観点から、そのリスクは表される。

7.7.2　価格とマーケット・セグメンテーション

これまで需要は連続する曲線として表されてきた。しかし実際には、市場のそれぞれのセグメントの需要を表すいくつかの小さな曲線のまとまりである。図7.7はこの概念を示している。

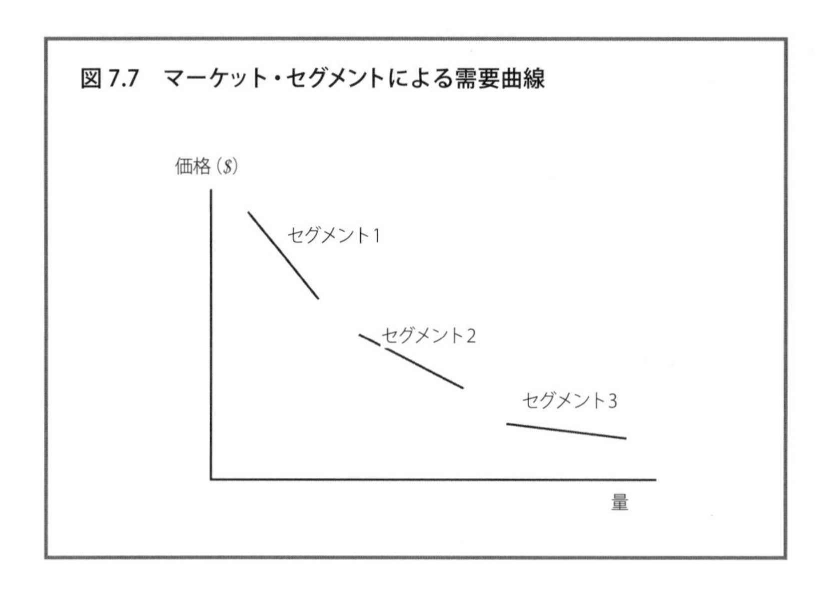

例えば演劇の市場では、1階席に高い価格を支払う用意がある人もおり（セグメント1）、劇場のどこでもいいから安いチケットを探している人もおり（セグメント3）、中くらいの価格のチケットを欲しいと思う人もいる（セグメント2）。それぞれのセグメントに対して価格を少し変動させても必ずしも売れ残りにはつながらない。しかしある点を超えると、劇場通いはその製品を完全にのがしてしまうよりは、安価だが良くない席を選択するかもしれない。

セグメンテーションの概念と価格の変数の関連は2つの主要な要因を説明する手助けになるものである。その2つの要因とは、何がパフォーミング・アーツのイベントにより頻繁に行く妨げとなるのかという質問に対し、調査の回答者により示されたものであるが、それらは時間がないことと、価格の高さである。実際に、これらの2つの要因は、2つの異なったマーケット・セグメントと対応している。パフォーミング・アーツのオーディエンスの大きな部分を占める専門職とホワイト・カラーの労働者は、自分たちが観たいと思うショーに行く時間がなく、柔軟な定期会員制度や、（公演日の延長があるショーの場合のように）公演を楽しむ保証にはより多く支払う意思さえある。それとは対照的に、学生や低収入の人々は、しばしば予算の制約がきついので、より安いチケットに興味を持つ。すべてのオーディエンスのカテゴリーに全券種の値下げをすると、そのオーディエンスのうち1

つのセグメントは価格に敏感でないので、団体は望ましい効果を達成せずに無駄に収益を減らすことになる。

需要曲線は実際には、その製品に対する需要の視点からの市場のそれぞれのセグメントと、平均的なトレンドを考慮しつつ、ある所定の製品の全体的な需要を表すものである。

7.7.3 ボウモル効果

ボウモル効果、ボウモルの法則、ボウモルのコスト病といま呼ばれるものへの言及をしないことには、変数としての価格に関するどんな本の章でも、十分なものにはならないであろう。ウィリアム・ボウモル William Baumol（1922–2017）はニューヨーク大学の経済学の教授であった。萌芽的な彼の論文[10]では、生産コストの上昇の点から、多くの文化事業体が経験する構造的な問題、特にパフォーミング・アーツ分野を検証している。ボウモルは問題を次のように定義している。第1に、経済全体を通して実演家の給与は、他の労働者が得る収入に比してなかなか上昇しない。第2に、実演家の給与はパフォーミング・アーツの生産コストにおいて大きな割合を占める。最後に［第3に］、逆説的なことに、ライブのショーのための生産コストは経済全体の生産コストよりも速く上昇する。この状況の理由を考察してみよう。

商業的な事業体は、自分たちが負う費用に従って価格を設定する。財やサービスを生産するためには、利益を確保するべくこの価格に別の額すなわち上乗せ分が加えられる。大量生産は、固定費や給与の率をより大きな単位数に均して分散することで、実質的に商業的な企業に節約をさせている。これが単位コストを著しく低下させる。しかし更に重要なことには、これらの企業は技術的な進歩や製造時間の減少を通して、生産性の向上の恩恵をこうむることができる。生産性を高めることにより、企業は価格を下げることと、被雇用者の給与を上げることの両方を可能にする。昇給しても総生産コストを引き上げることはない。というのは、値下げと昇給の間で生産コストの減少を分散させるだけなのである。

パフォーミング・アーツにおける労働の生産コストは、生産性を向上させることにより低下させることはできない。その場合の生産性は本質的にそれ以上縮めることができない人件費と結びついている。シェイクスピアの悲劇には脚本に書かれた俳優の数を必要とする。ベートーヴェンの交響曲は常に、その作品が作曲されたときと同じ時間の長さを演奏する同じ人数の演奏家を必要とする。論理的には、給与の上昇を人件費の低下で補うことはできないということになるだろう。また被雇用者の数も、製品を組み立てるために必要とされる時間量も、削減することができない。言い換えれば、生産性を向上させることは不可能である。それゆえ、パフォーミング・アーツの団体は収益を増加させずにアーティストの給与を増加させることはできない。ボウモルの研究によれば、アメリカにおけるアートの団体は、他のセクターの団体よりも昇給は少ない。他のセクターとは異なり、芸術事業体が生産性の向上の利点を活かせないので、アートは生産コストがより急激に上昇するのがわかる。

このパラドックスは、なぜライブの公演のチケット価格が全体的な消費者物価指数より速く上昇しなければならないかその理由を説明するのに役立つ。実際にはインフレーションは、生産性の上昇が高い企業とそのような生産性の向上ができない企業がつける価格の平均を表している。生産性の向上を経験し、それに応じて価格を下げているセクターが、インフレ率の低下をひき起こす傍ら、生産性の改善を示せない他のセクターは価格を引き下げることはできない。しかしもし生産性が改善できないセクターが給与を上げないならば、被雇用者は生活費の上昇のせいで収入が減少する感じを受ける。被雇用者の昇給を可能にするには、これらの団体は追加のコストを賄うためにチケット価格を上げなければならない。そうして、物価指数に影響を与える。生産性を向上させることができる組織は、自分たちのスタッフにより多く支払うために価格を上げる必要はない。なぜなら、それらの組織は生産性向上の一部を犠牲にすることで昇給が可能だからである。

パフォーミング・アーツの団体が他のセクターの組織と同じ速さで実演家の給与を上げるために必要な財務的資源を持つには、インフレーションを超える速さで、チケット価格を上げるか、そうでなければ公的補助や民間からの寄付が増えなければならない。このようにボウモルは結論づけた。

要するに、経済全体の生産性の向上が大きくなればなるほど、アート・セクターはより苦境に陥る。逆に、生産性の向上が緩やかになるほど、アート・セクターはより健全化するであろう。

要約

文化的製品に関するほとんどの価格設定のために、マーケティング担当執行役員は財やサービスに関係している金銭だけではなく、購入に関連する費用と消費者の労力でさえも考慮に入れなければならない。消費者の労力には物理的なもの、心理学的なもの、あるいはその両方合わせたものがあり、知覚リスクの概念も含むものである。

価格弾力性は、設定される価格と消費者によって購入される財の量の間の関係性を説明するのに使用される用語である。価格の変更に伴って、もし消費される製品の数が価格の変更に比例よりも多く変化するのなら、この関係性は弾力的である。価格の変更後に消費された量が価格の変更に比例よりも少なく変化するときは非弾力的である。弾力性の概念は、マーケティング·ミックスにおける他の3つの変数にも応用できる。

消費者は製品を買うための決定を、価格だけに基づいて判断しない。他の要因も消費者の思考に影響する。これらの心理学的要因は需要曲線に影響し、需要曲線はマーケット·セグメントと製品に従って異なるレベルの需要をもたらす。いくつかの極端な場合には、この曲線は「プレステージ価格設定［威光価格設定］」により反った形となる。

価格の決定は、価格戦略を通して団体がターゲットを定める目標に従ってなされなければならない。主な目標は4つある。これらは、利益、売上、競争上のバランス、コーポレート·イメージに関係する。

顧客に基づく価格設定、競争に基づく価格設定、Pay-What-You-Want、コストに基づく価格設定を含む、利用可能ないくつかの価格設定のメソッドもある。

価格は戦略的なツールとして用いられるかもしれない。企業はスキミング戦略（比較的高い価格、より少ない販売）、あるいはペネトレーション戦略（比較的低い価格、多い販売単位数）を用いることがある。様々な値下げ戦略もある。機能的値下げ、数量割引、シーズンの値下げ、割引、値引き、補償などである。文化セクターではシニアや人気のない席の割引もある。

文化組織はダイナミック·プライシング［動的価格設定］の政策も用いることができる。動的価格設定では、製品を生産するコストに従うのではなく、消費者のセグメント、消費者行動、消費の時間に従って、同じ製品に対し異なる価格が設定される。

最後に、アート・セクターは生来の構造的な弱みに苦しんでおり、そのことはボウモル効果と表現される。ボウモルはパフォーミング・アーツにおいてなぜ生産性を向上させることが不可能か、人件費がどのように多くの割合を占めるのかを示した。結果として、アート・セクターにおける商業的な事業体と非商業的な事業体は悪循環に陥り、それによって入場料を消費者物価指数より高く上げなければならないことがわかった。

問題

1. なぜ私たちはリスクの概念と製品の価格を結びつけるべきなのか。
2. 価格設定のゴールの4つのカテゴリーを比較し対照することができるか。
3. それぞれの価格設定の方法の利点と欠点は何か。
4. 価格における弾力性の概念を簡潔に説明することができるか。
5. 需要曲線は、様々な市場セグメントに関連するいくつかの曲線がどのように組み合わせられているのか。
6. ペネトレーション戦略の目標は何か。
7. 値下げ戦略は何の役割を果たしているか。
8. プレステージ価格とは何か。
9. 「ダイナミック・プライシング[動的価格設定]」が意味するものを説明できるか。
10. ボウモル効果について説明することができるか。

注

1. Dolan, R.J. 1995. "How Do You Know When the Price Is Right?" *Harvard Business Review*, September 1.
2. Colbert, F., R. Desormeaux, M. Filion, R. Gendreaux, and J.F. Ouellet. 2006. *Gestion du marketing. Boucherville*, QC: Chenelière Éducation.
3. Scheff, J. 1999. "Factors Influencing Subscription and Single-Ticket Purchases at Performing Arts Organizations." *International Journal of Arts Management* 1(2), 16–28.
4. Colbert, F., C. Beauregard, and L. Vallée. 1998. "The Importance of Ticket Prices for Theatre Patrons." *International Journal of Arts Management* 1(1), 8–16.
5. Kim, Y-Y, M. Natter, and M. Spann. 2009. "Pay What You Want: A New Participative Pricing Mechanism." *Journal of Marketing* 7(1), 44–58.
6. Wiggins Johnson, J., and A.P. Cui. 2013. "To Influence or Not to Influence? External Reference Price Strategies in Pay-What-You-Want Pricing." *Journal of Business Research* 66, 275–281.
7. https://www.ftc.gov/tips-advice/competition-guidance/guide-antitrust-laws/dealings-competitors/price-fixing
8. https://www.ftc.gov/tips-advice/competition-guidance/guide-antitrust-laws/price-discrimination-robinson-patman
9. https://www.ftc.gov/tips-advice/competition-guidance/guide-antitrust-laws/single-firm-conduct/predatory-or-below-cost
10. Baumol, W.J. 1967. "Performing Arts: The Permanent Crisis." *Business Horizons* 10(3), 47–50.
11. Market Vision Research, Van Westendorp: Price Sensitivity Meter. www.marketvisionresearch.com (accessed February 13, 2009).
12. 2009年12月18日に筆者によって行われたインタビュー。
13. Cui, Annie Peng and Jennifer Wiggins (2017), "What You Ask Changes What I Pay: Framing Effects in Pay What You Want Pricing," *Journal of Marketing Theory and Practice*, 25(4), 323–339.
14. http://salvagevanguard.org
15. https://www.registrytheatre.com/category/events/registryevents/danceattheregistry/
16. https://www.thespco.org
17. Holmes, J. G., Miller, D. T., & Lerner, M. J. (2002). Committing Altruism under the Cloak of Self-Interest: The Exchange Fiction. *Journal of Experimental Social Psychology*, 38, 144–151.

さらに参照するときは

Decrop, A., and M. Debaix. 2014. "Artist-Related Determinants of Music Concert Prices." *Psychology and Marketing* 31(8), 660–689.

Frey, B.S., and L. Steiner. 2012. "Pay as You Go: A New Proposal for Museum Pricing." *Museum Management and Curatorship* 27(3), 223–235.

Labaronne, L., and T. Slembeck. 2015. "Dynamic Pricing in Subsidized Performing Arts." *International Journal of Nonprofit and Voluntary Sector Marketing* 20, 122–136.

Le Gall-Ely, M., C. Urbain, D. Bourgeon-Renault, A. Gombault, and C. Petr. 2007. "Free Admission to Museums and Monuments: An Exploration of Some Perceptions of the Audience." *International Journal of Nonprofit and Voluntary Sector Marketing* 13, 57–72.

McIntosh, H. 2016. "Vevo and the Business of Online Music Video Distribution." *Popular Music and Society* 39(5), 487–500.

Chapter 8

Place (Distribution)

第8章

流通

目標

- 流通の変数の3つの構成要素を知る
- 流通チャネルの要素を説明する
- 主要な流通戦略を検証する
- 物流を定義する
- 商業立地を選ぶときの基本原理を紹介する

イントロダクション

この章の第1節では、場所 Place（流通 distribution）を、製品を消費者に対して利用可能にする活動の総体として定義し、文化的製品の流通のコンテクストについて詳しく考察する。第5章で議論したように、製品をどのように、どこへ届けるかの選択は消費者の視点および何が消費者にとって便利なのかに基づかなければならない。

まず、流通チャネルに沿って存在するビジネス事業体と中間業者との間の商業的な結びつきを研究することから始める。次に、製造業者たちのマーケティングの目標は主として流通の変数によって達成されるので、製造業者が利用可能な主要な戦略に焦点を移す。また、「パートナー」のネットワークのなかで商品を循環させる際のロジスティクス、すなわち、物流についても検証する。

最後に、ビジネス事業体や文化事業体がロケーション（立地）を選ぶ際に考慮すべき主要な要素を定義する。

この章で議論するコンセプトは、文化産業にもアートセクターで活動する組織にも適用できる。実際には、扱われる製品ごとの特徴の違いによって、適用のあり方は異なる。

8.1　定義

8.1.1　流通の変数の3つの要素

〈流通の変数は、消費者市場に関連して、流通チャネル、物流、商業的立地の3つの明確な要素を含む。〉

流通チャネルあるいはネットワークは、商品が生産者から消費者に向けて流れていく中で役割を担うものすべてを含む。そこには、エージェント［代理人］、流通業者、プレゼンター（コンサートホール）［プレゼンターは音楽や舞台公演の主催者のこと］、書店、レコード店、展示センター、映画館などが含まれる。流通チャネルは、オンラインの流通も含む。

物流は、製品がある中間業者から別の中間業者へ、そして最終的には消費者に届くことを保証する機能である。それは、製品流通のロジスティクス[物資の輸送や補給]に関わる決定を含んでいる。

ロケーション[立地]とは、(例:本や音楽レコードの場合の)製品が購入される店舗、あるいは、(例:劇、映画、展覧会の場合に)製品が消費される場所のような、物理的な地点の選択のことである。

文化事業体の他の3つの市場——国や地方自治体、民間セクター、そしてパートナー——との関連において見るとき、流通の変数は、通常、製品の生産者とそれぞれの市場で活動する団体の直接のコンタクトに要約できる。前述の3つの市場の場合、中間業者はほとんど、あるいはまったく必要ない。製品の物流もなく、店舗も、劇場も、博物館もない。

そこで、この章では、消費者市場に関連する流通の変数に焦点を当てていく。

8.1.2 文化的製品の流通

文化の分野では、消費者の消費の形式が、製品の流通のモード[遂行様式]を決定する。

製品のなかには、決められたある時間に消費者が1か所に集まって集合的消費を行うように設計されているものがある。ショー[舞台公演]、展覧会、映画館で上映される映画などがそれらのいくつかの例である。また、個人的な消費を行うように設計されている製品もある。消費者は、これらの製品を、いつでも、どこでも好きなときに楽しむことができる。消費者が所有するレコーディング、本、美術作品はこのカテゴリーに入る。第1のカテゴリーでは、ツアー・ショー[舞台の巡回公演]や巡回展において、順次性のある流通のコンセプトが存在している(すなわち、チケットはショーを上演する前に販売される)。第2のカテゴリーでは、他の消費財と同じやり方で、さらにはそれとまったく同じネットワークを通じて製品の流通がなされる場合がある。

消費の形式によって製品を分類するこのシステムによると、消費が行われる時(とき)と場所、そして消費に要する時間の長さが重要な役割を果たしていることが明らかになる(表8.1を参照のこと)。

いくつかの製品に関しては、消費者はいつ、どこで、どの程度の長さでそれを

表 8.1　消費活動の場所、時（とき）、時間の長さを決定する際の消費者の役割

	舞台公演	展覧会	映画	録音	DVD	本	作品
場所	−	−	±	＋	＋	＋	＋
時（とき）	−	±	±	＋	＋	＋	＋
時間の長さ	−	＋	−	−	−	＋	＋
技術の次元の所有	−	−	−	＋	＋	＋	＋

消費するかをすべて自分で決めることができる。例えば、消費者は小説を読むのに、自宅やバスや地下鉄や、昼食の間にか、などを選択できる。また、同じ消費者は、いつ、どの程度の速度で読み進めてもよいし、ある一節を読み返すことなどもできる。これに対して、劇場へ出かける人たちは、公演を観る時間を自由に決めることはできない。この消費者にとっては、劇場への行き帰りの時間、開演時間、あるいはその他の要素があらかじめわかっていなければならない。

この他にも、消費者が上述の3つの要素のうちの2つを選べる状況がある。例えば、映画は映画館において集合的消費を行うように上映されるが、その映画はいくつかの映画館で少し異なった時間に上映されているかもしれない（近代のテクノロジーによって、消費者は自宅に限らずどこででも自分の選ぶ時（とき）やデバイスで映画を見ることができる）。消費者は、このように、自分に一番都合のよい場所と時間を選ぶことができる。博物館に行く人たちは、展示会が開催されているときに博物館を訪れる必要があるが、ブロックバスター展［大勢の集客が見込まれる大型展］でなければ、どの日のどの時間に、どれだけの時間をかけて訪れるかは個人の選択に任されている。

映画や放送のようないくつかの領域では、以前は消費するための時間が一方的に決められていたが、インターネットの出現により、消費者はいつでも好きなときに作品を消費することができるようになった。

場所、時（とき）、消費に要する時間の長さの他に、所有という側面がある。製品の技術的な次元を所有することは、明らかに、より大きな柔軟性を消費者個人にもたらしている。

マネジメントの観点から見ると、これらの様々な状況は、文化組織が経験する圧力に影響を及ぼす。実際、文化的製品を消費する場所や時間についての選択の幅が大きくなると、マーケティング・マネージャーにとっての流通の可能性の幅は広くなる。それとは逆に、製品の特徴が消費を限定するものであれば、製造業者が工夫できる余地は少ない。例えば、出版社は、流通経路を多様化したり、なるべく多くの書店に製品を置いて読者に届ける可能性を最大にしたり、インターネットでも販売したり（例：アマゾンで）、自社のウェブサイト上で電子版を直接販売しようとする。これに対して、ステージ・ショーのプロモーターは、特定の順序でいろいろな地域を巡って同じバージョンの製品を上演しなければならない。したがって、これは、しばしば、この場所でこの時期にということを意味するので、仮にプロモーターやマーケティング責任者の判断に誤りがあっても、それを修正するのは難しい。

場所と時間の選択が消費者か生産者のどちらの決定によるかによって、リスクのあり方も変わる。レコード、本、ビデオのように、消費者がある程度消費をコントロールできる場合、製品はそれを購入した後で消費することができる。舞台公演や展覧会のように、消費の時間を延期できない製品の場合はそうではない。これらの場合には、消費者はそのときに提供されている製品の中から選ばなくてはならない。この流通の制約は、ライブ・パフォーマンス製品のリスクを高めている。

要するに、多様な文化的製品に固有の消費の形式は、それにふさわしい流通の変数のマネジメントを暗に示しているが、この流通の変数は、次にまた、製品によって影響を受ける。よって、流通チャネル、物流、そして消費者が製品を購入し消費するロケーションは、製品に合わせてそれを適合させる必要があるだろう。集合的な消費が意図されているものについては、事業体はその消費プロセス全体について消費者に随行する。これに対して、個別的な消費を行うよう設計されているものについては、団体と消費者との間のコンタクトは製品を購入したところで終わりになる。

8.2 流通チャネル

流通チャネルとは、生産者、すなわち製造業者と最終消費者の間の隔たりを埋めるために存在する様々な主体[エージェント]すべてを含むものである。これらは、有償で仲介を行う中間業者であり、実際に製品を所有することはせずに生産と消費のプロセスの仲介を行う場合がある。文化分野では、このような説明は、作品を消費者にアクセスできるようにするすべての中間業者に当てはまる。財やサービスの生産者と消費者はこのチャネルの一部である。全体の主体の数、そして機能は団体ごとに異なるだろう。

流通チャネルとそこに関与する多様な主体の選択に関わるすべての決定は重要である。なぜなら、団体は、同時に多くの「パートナー」とビジネス関係を結ぶのであり、これらの関係性の質が、将来のマーケティング戦略の成功と失敗を決定づけるからである。さらに、団体はいったん様々な主体と流通の契約を結ぶと柔軟性を大きく失い、そのあとでマーケティング戦略を修正することがより困難になる。他方、流通チャネルの選択はマーケティング・ミックスの他の変数に影響を与える。例えば、価格設定は、利用する中間業者の数と質との結果であり、必要とされるプロモーションのタイプも、どの流通チャネルを選ぶかによって決まる。

だが、プロデューサー[生産者]が常にビジネス相手となる中間業者を選ぶわけではない。しばしば、それを決めるのはプレゼンター[主催者]である。例えば、フェスティバルの場合、プロデューサーがただショーを押し付けることはできない。この場合は、フェスティバルがどのショーを上演するかを決める。同様に、出版社の意向がどうであろうと、書店は、スペースがないという理由や、その本が売れそうにないという理由で、特定の小説を棚に置くのを拒む場合がある。

ツアー・ショーの場合、劇団にとっては、ある町にプレゼンターが1つしかないために、そのプレゼンターとビジネスをするしか選択の余地がないということがありうる。このような状況においては、そのプレゼンターがその地域で独占的な地位を持っているために、契約の交渉においてプレゼンターがプロデューサーよりも戦略的優位に立つ。しかし、そこにスターの存在が加わると局面が変わる。有名なアーティストがいると、顧客がそのスターを見たいと強く要求するだろうから、地元のプレゼンターにとっては確実な賭けを意味する。よって、契約条件を交渉する際にアーティスト・エージェントが優位に立つ。この場合、プレゼンターは、プロデューサーにとっての市場［買い手の1人］となる（第1章を参照のこと）。

しかしながら、製造業者は必ずしもエージェントや中間業者を使わなければならないわけではない。製造業者が最終消費者に直接製品を販売する可能性はいつでもある。だが、パフォーミング・アーツにおいては直接の流通が常に実行可能なわけではない。例えば、ツアー・カンパニーが、訪れる都市すべてでショーを上演するのに必要な人的資源と財務資源を備えていることはほとんどない。これとは対照的に、レコード会社や出版社は、オンラインで直接製品を売ることができ、アマゾンのような競争相手が存在しているので、ますますそうせざるを得なくなっている。

簡単に言うと、中間業者は多くの重要な機能を充足している。このことが、生産者が製品の流通に関して中間業者を信頼している理由である。しかし、そうする際に、生産者は製品の販売に関するパワーの一部を放棄しており、顧客からの距離を遠ざけている。このパワーの損失は、流通ネットワークの様々なメンバーの間に摩擦を生むかもしれない。

8.2.1 中間業者の機能

中間業者は、市場の中で様々な業者の間のコンタクトの数を減らすのみならず、それ以上の働きをする。それらは、他にいくつかの重要な機能を行う。表8.2は、ロジスティクス、商業、支援の3つのカテゴリーにおけるこれらの機能を示している。だが、すべての機能がチャネルのすべてのメンバーによって充足されているわけではない。例えば、コンサートホールは通常は倉庫の機能を持たない。

流通チャネル全般にわたって、製品を流通させる際に、様々な主体が関連するロジスティクスのある部分を取り扱っている。彼らは輸送と倉庫機能を支援しているだけでなく、もっと重要なことは、製品の量と多彩さとを調整することを可能にしている。消費者は通常、様々な製造業者が製造した製品を少量ずつ、例えば、音楽レコードを1つか2つ、小説を2冊、というように買うので、この点は重要である。だが、製造業者は、第7章で説明した規模の経済からの便益を得ようとして、少ない種類の製品を大量に発売するだろう。前述したように、中間業者は、

表 8.2　流通チャネルの機能

ロジスティック機能	好機 ・質において ・多彩さにおいて
商業機能	製品購入 交渉 プロモーション コンタクト
支援機能	リスク引受 ファイナンシング リサーチ

様々な団体の製品を特定の数だけ提供することによって、団体が販売する製品の量と選択の調整をすることを可能にしている。この結果、消費者は、彼らの欲しいものを1か所で見つけることができ、製造業者あるいは生産者は質の高い水準を満たすことができる。

流通チャネルは、ロジスティクスの観点からだけでなく、商業の機能においても貴重である。エージェントが交渉の上、契約書にサインをすれば、仮に物理的にそうではないとしても、少なくとも法律的には彼らが製品を所有する。彼らも、製品のプロモーションを手がけ、顧客と取引する。例えば、ショーのプロデューサーは、いくつかの必要な広告素材を提供するが、そのシーズンに出演するアーティストに関する広告業務についてはプレゼンター［舞台公演の主催者］あるいは劇場主に仕事を割り当てる。プレゼンターは消費者とコミュニケーションを取り、チケットの予約や発券、コートの預かり［クローク］などの顧客サービスを提供する。プロデューサーはプレゼンターの持っている経験、地元の市場に関する知識、企業イメージから便益を得る。中間業者のサービスを利用しないプロデューサーは、必ずしも適切なインフラを持たないままに、これらすべての責任と仕事を負わなければならない。もちろん、プロデューサー（生産者）は、プロモーションのような重要な機能について、チャネルの他のメンバーを常に信頼しているというわけではない。時には、大々的に広告を打って、自ら顧客を店舗に呼び込む。

支援サービスがあることによって、団体は中間業者に重要な責任を任せることができる。プロデューサーとの契約に合意する際に、プレゼンターはアーティストのパフォーマンスに関わるリスクを取り、同時に、例えば、プロモーションの費用など、それに関連するファンドレイジングを引き受ける。消費者との直接の「つながりを持っている」おかげで、プレゼンターはしばしば豊富な情報を提供できる。

中間業者たちが実行する様々な機能は、利用する流通チャネルのタイプによって変化する。ときには、中間業者が上述したすべての機能を引き受けることもあれば、他の場合には、それらの機能がプロデューサーによって充足されることもある。シルク・ドゥ・ソレイユの場合がそうであって、彼らはすべてのツアー・ショーを自分たちでプロデュースする[日本では、シルク・ドゥ・ソレイユの公演はフジテレビが主催のみならず企画制作にも大きく関わっているが、これは世界的に見るとシルク・ドゥ・ソレイユにとって例外的なやり方であるという]。場合によって、流通の機能は同じ流通チャネルを構成する異なるパートナーの間で共有されることがある。例えば、大規模な出版社は、エージェントを使う代わりに、しばしば、外国に子会社を設立する。

8.2.2 流通チャネルのタイプ

流通チャネルに沿ったレベルごとに異なる中間業者の数が、流通チャネルが複雑だと言われるかどうかを決定する。図8.1は、様々な流通チャネルのタイプを示している。明らかに、最も単純なのは生産者が直接消費者に製品を販売するやり方である。アートにおいては、この流通形式を取るのは、自分の会場を所有する劇団やオンライン販売を行う出版社が考えられる。流通チャネルが長くなるのは、映画のプロデューサーが配給会社[流通業者]を使い、配給会社が映画館と交渉する場合や、弦楽四重奏団がプレゼンターを見つけるのにエージェントを雇ったりする場合である。

直接の流通チャネルを使っているからといって、必ずしもその団体がその製品を1つの会場で販売することに満足しているわけではない。例えば、イギリス・ロンドンの王立武器博物館は、15世紀に創設されて以来ロンドン塔の中にあったが、より多くの人に知ってもらうためにこれまでとは異なるアプローチを取ることに決めた[1]。同博物館は、民間の事業体とのパートナーシップによってポーツマスとリーズに2つの分館を設置した。この拡張によって、同博物館は、コレクション

図 8.1　様々なタイプの流通チャネル

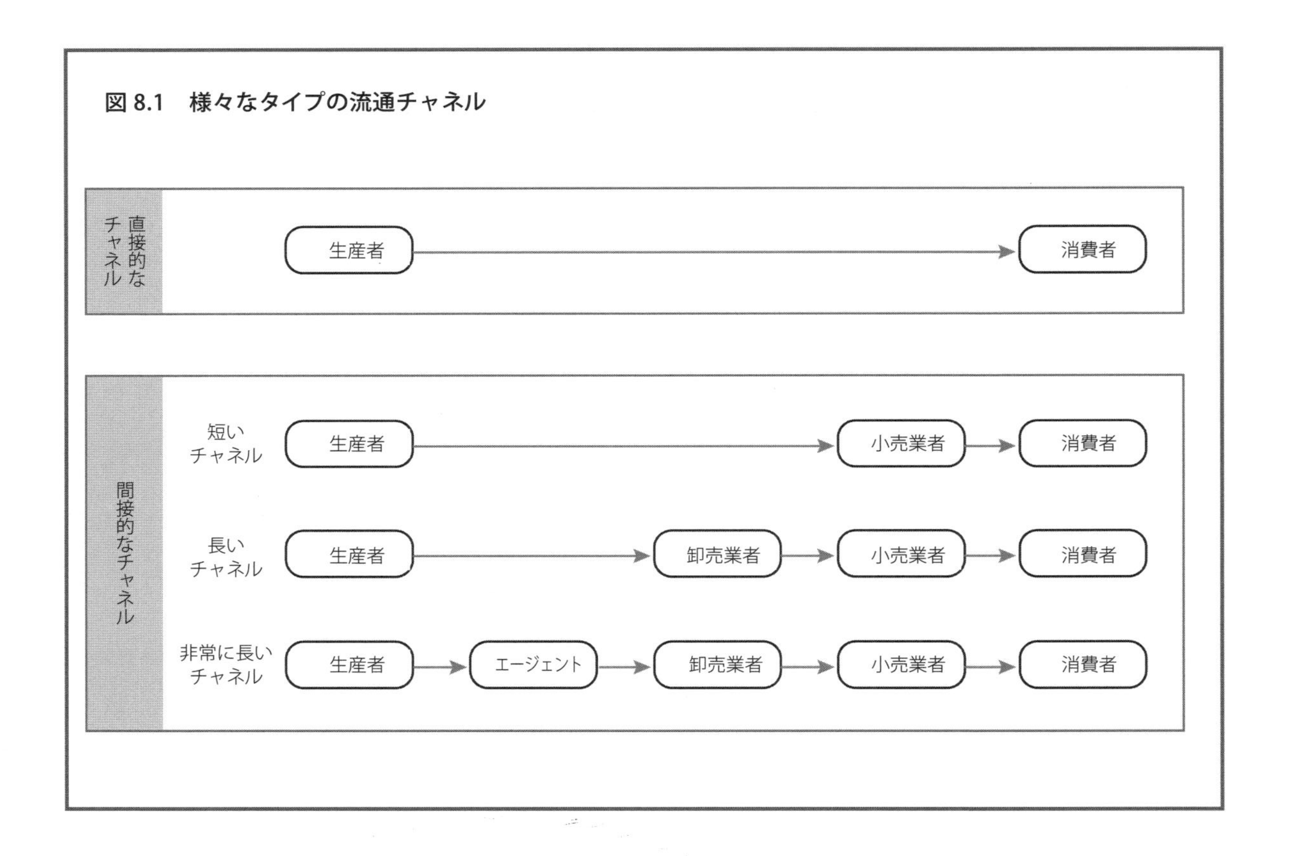

をより広く展示し、より幅広いオーディエンスに到達することができた。

図8.1は、文化分野で実際に見られる事例をすべてカバーしている。流通の各段階のパートナーについては、その特定のセクターごとに様々な名称と機能とを割り当てて示されることに注意すべきである。例えば、パフォーミング・アーツでは、しばしば、プロデューサー、エージェント、プレゼンターがいる。しかし、実際にありうるネットワークはこれだけではない。プロデューサーはエージェントなしに直接プレゼンターと取引すると決めることもある。実際、企業はその製品を複数の流通チャネルで流通させることを選ぶかもしれない。例えば、出版の世界では、本は従来型の書店の他、郵送注文によるブッククラブ、大規模小売店、インターネットなど、様々な流通チャネルを通して売られる。映画産業では、様々な流通に分かれるのは最終消費者が製品を見ようとする段階になってからである。配給会社は、プロデューサーから映画を受け取り、そして、消費者に届けるためにいくつもの異なる方法（映画館、ビデオクラブ、有料テレビ、従来方式のテレビ、非営利のネットワーク、インターネット、携帯電話、など）を用いる。レコーディング産業では、消費者は、レコード店、デパート、メールオーダークラブ、インターネットから製品を受け取ることができる。

流通ネットワークの中間業者が多ければ多いほど、製品の価格はより高くなる。なぜなら、それぞれの中間業者はそのコストをカバーするために中間マージンを取るからである。そのようにして、それぞれの中間業者は、製品の価格を上げる。論理的には、流通プロセスの中で1つかそれ以上のステップを引き受けることができる企業は、そこから利益や剰余を増加させるか、消費者により安い価格を提供することができる。

流通チャネルが長いことの主要な欠点は柔軟性がなくなることである。多くの中間業者が関わる結果として、この欠点が生じる。そして、そのことで製造業者が工夫をする能力を減少させてしまう。もう1つの欠点は、製品が販売される方法についてコントロールが効かないことである。中間業者の数が多くなればなるほど、製造業者との距離が遠くなり、影響がさらに少なくなる。他方、流通チャネルが長いと生産者のコストはより少ない。例えば、団体は限定されたエージェントとしか取引をしないので、販売スタッフは一般的に最小限まで削減されている。

つまり、長い流通チャネルの長所は、短い流通チャネルの短所に対応しており、その逆も成り立つ。中間業者の数が少なければ少ないほど、その製品のマーケティングに関する団体の影響は大きくなる。他方、流通チャネルが短ければ短いほど、生産者のコストはより高くなる。

8.2.3 流通チャネルを管理する

マレンBruce Mallen[2]は、流通マネジメントの主要な側面を4つの目標と6つの戦略的決定によって概観している。

一般的に、生産者は利益の最適化のために流通チャネルを使う。そのためには、彼らは、流通チャネルに存在する様々な中間業者のやる気を高く保たなければならない。

利益を最適化するとは、まずは売上を最大化し(目標1)、次にコストを最小化することである(目標2)。企業は、その最適の利幅を長期と短期の両方について考えなければならない。というのは、ある状況においては、企業の長期的な向上を図るために目の前の利益を犠牲にするのが望ましいかもしれないからである。このため、企業の運命は中間業者の運命と結びついている。中間業者は、団体の将来についての利害関係を有しているため、彼らはパートナーシップと似た関係を作り上げる。ここにおいて、モチベーションを最大化するという考えが完全な意味を持ってくる。なぜなら、流通エージェント、すなわち「パートナー」を動機づけることが生産者の財務的健全さに対して明らかなインパクトを持つからである。例えば、ある書店は、特定の出版社の本だけを目立つように展示するかもしれない。同じように、流通業者は、1人のアーティストを他のアーティストよりも目立つようにプロモーションをするかもしれない。言い換えれば、流通チャネルのメンバーのモチベーションを最大化すれば、生産者のそれ以外の2つの目標[下記]もかなうのである。それは、流通経路に沿って協力を最大化すること(目標3)であり、そして、生産者のメンバーへの影響力を最大化すること(目標4)である。もし生産者がそれぞれのメンバーから最大の協力を受けるなら、流通の変数に関わる機能は効率的に扱われる。だが、たとえそうであっても、生産者は様々なパートナーに対して健全なレベルの影響を維持しなければならない。

長期の最適な利益を追求する団体や長期の財務的な安定性を求めて努力している非営利グループは、ここに掲げる一連の6つの基準に適合する流通ネットワークを形成しなければならない。これらの基本的な基準では、流通チャネルの選択と長さ、そして流通戦略（集中的、選択的、排他的）を取り扱うとともに流通全体または各ステージにおいてどのような中間業者をいくつ選ぶのかを決める。

第１の決定［戦略的決定1］は、ツアーを組織するためにエージェントを雇うか、自前の販売スタッフを使用するかのどちらかを選ばなければならないクラシック音楽のアンサンブルによって例証される。この選択は、このアンサンブルが設定する販売目標、関係するコスト、期待する協力と影響の量に左右される。毎日被雇用者を監督して影響を及ぼす方が、他の顧客を持つ外部エージェントに対してそれを行うよりも容易であることは明らかである。他方、エージェントの手数料はしばしば生産性に左右されるのに対して、被雇用者の給与を表す固定費はそれよりも高くなる。実際、国際レベルの流通においては、しばしば地元の市場と潜在的な顧客のどちらにも精通している外国のエージェントの利用が必要になる。

団体は、流通戦略についても決定しなくてはならない［戦略的決定2］。できる限り多くの流通パートナーを使う方がいいのか、それとも、特定の基準に合致するパートナーだけを選択するのがよいのか（第８章〔8.3〕を参照のこと）。次には、流通の様々なステージで正確にどのくらいの数の中間業者（エージェント、卸売業者、小売業者）が必要なのかを設定することができる［戦略的決定3］。

団体が流通戦略、流通チャネルの長さ、各ステージでの中間業者の数をいったん決定したら、次は、どのタイプの中間業者が企業全体の目標を満たすと考えられるかを決定する［戦略的決定4］。理想的な中間業者は団体によって設定された機能を満たすだろう。例えば、レコード会社あるいは出版社は、販売員が顧客に対して助言することができるような専門店のチェーンに関わるのでなく、音楽の専門知識や文学的な助言などがほとんど存在しないデパートでの流通を選ぶこともできる。

生産者は、いくつの経路を使うかも決めなければならない。最新の映画を直ちに映画館にかけるのか、例えば有料テレビやインターネットなどの他の流通可能性を含めるのか。これらすべての（あるいはもっとたくさんの）問いが意思決定のプロセスにおいて提起されなければならない[3]。

いったん、これらの４つの決定がなされたら、製造業者あるいは生産者は様々なパートナーに対してどのくらいの支援を行うことができるかを決めなければならない[戦略的決定5]。例えば、どの種類のプロモーション資料をどのくらい与えるのかについてなどである。

最後に、企業は個別の中間業者について決定しなければならない[戦略的決定6]。もし、大規模な博物館がいくつかの異なる地域で展覧会を開催するとしたら、必要なテクニカルな設備と収容力(ホールの大きさ、標準的な展示条件、など)のある適切な会場を選ばなければならない。企業は、それから、博物館学とマーケティングに関してどのような基準を選ぶかによって、様々な候補者を決定することができる。

8.2.4 流通チャネルのメンバーの行動

流通マネジメントの基礎的な事柄の1つは、流通チャネル全体のメンバーの行動を統制することである。流通チャネルは、単に生産者から消費者に至る商品の流れだと見られてはならない。なぜなら、それは全体的なダイナミクスの中で人間同士の関係が重要な役割を果たすソーシャル・ネットワークでもあるからである[4]。ローゼンブルーム Rosenbloom[5]は、このソーシャル・ネットワークの4つの重要な次元:コンフリクト、パワー、役割、コミュニケーションについて説明している。

流通における誤解は通常のことだと考えるべきである。もちろん、通常というのはそれが流通チャネルの活動を麻痺させるようなコンフリクトに変わらなければだが。コンフリクトの生じ方は様々である。例えば、それぞれの当事者が拙いコミュニケーション手段しか持っていなかったり、それぞれのパートナーの役割について異なる定義を持っていたり、ある決定に伴う責任について噛み合わない考え方を持っていたり、または、目標が矛盾していたりすることさえある。流通マネージャーは、常に潜在的な「ホットスポット」[問題の生じうる場所]に目を光らせ、それらが企業に与えるインパクトを判断し、関連のある人たちすべての利益に最も適うように問題状況の解決を図ることができなければならない。

製品を市場に出すためにパートナーを使っているどの団体も、仕事が適切に遂行されるよう、流通チャネルの様々なメンバーに影響を及ぼそうと努めている。その目的のために以下の手段が用いられる。特に、団体が他のメンバーよりも規模が大きい場合には、パートナーは金銭的あるいはその他の方法で褒賞を与えられたり、ペナルティを課されたりすることがある。それ以前のレベルで構成員によって与えられていた正当性がここでも要求される。そうでなければ、システム全体がつまずいてしまう。誰もがチームプレイヤーであると感じられるように、成果についての一定の合意も必要である。最後に、メンバーが団体の意志に従うように、企業に関する専門知識も必要である。

十分な知識のある流通マネージャーは、チャネルに沿ったそれぞれのメンバーが果たすべき役割についての明確な考えも持っているだろう。それぞれのメンバーが他の人に何を期待できるかがわかると、一般的に関係はスムーズに進む。当然ながら、生産者あるいは製造業者は様々なパートナーに対して自分たち自身の役割と他の人たちの役割とを受け入れるように説得もしなければならない。

人間が関わる他のどの事業体とも同じように、コミュニケーションと情報は流通のマネジメントにおいても基礎的なものである。2つの異なるパートナーの間のコンフリクトは、単に不十分なコミュニケーションが原因となる単純な意見の違いからも起こりうる。重要な情報の欠如は、製品のマーケティングを害することがある。

8.3 流通戦略

流通戦略には、主要な2つのタイプがある。一つは、集中的流通戦略、選択的流通戦略、排他的流通戦略であり、もう一つは、プッシュ戦略、プル戦略である。

8.3.1 集中的流通戦略、選択的流通戦略、排他的流通戦略

集中的流通戦略は、可能な限り売場［ポイント・オブ・セール（ス）］を多くすることによって、製品の流通を最大化することを含む。この戦略においては、生産者は製品を扱うことに関心を示す小売業者を選別しない。レコード産業や出版産業には、集中的流通の事例がたくさんある。

選択的流通では、特定の基準によって小売業者を選ぶことを含む。この流通の形式をとると、小売業者がすべて同じ製品を売ることにはならない。小売業者を選択するプロセスは、しばしば企業イメージに結びつく特定の目標に対応してい

る。選択的流通戦略をとっている団体は、実際に自らのイメージをコントロールしようとし、小売業者やパートナーに好ましいイメージを持たせ、彼らがその分野で信頼できるという評判を得ることを保証しようとする。この戦略では、売場の数を絞ることによって、製品が唯一のものか希少なものであるというある種の感覚を創り出すこともでき、その結果、消費者は製品の入手や消費のために特定の注意深く選ばれた場所で購入を行わなければならない。

ビジュアル・アーツでは、ビジネスを行うギャラリーを選ぶアーティストがいる。そうすることで、アーティストは自分の作品を売りたいと思っている競争相手のギャラリーを排除する。製造業者がビジネスを共にする小売業者を選んで排他的権利を与えると、彼らは排他的戦略をとっているといわれる。この場合、小売業者は特定の領域においてその製品についての独占を享受する。映画のプロデューサーはしばしばこの戦略を用い、特定の地域や領域での映画の排他的な流通権を1つの流通業者に与える。

8.3.2 プッシュ戦略とプル戦略

プッシュ戦略は、小売業者により大きな利幅を与えて、彼らがその製品を顧客に対して熱心に売り込むようにさせるやり方である。製造業者は、製品の広告予算を削減することによって、この追加マージンを小売業者に提案することができる。特定のブランドでより高い利益を上げる小売業者は、そのブランドを売るためにさらなる努力をすると製造業者は考える。

他方、プル戦略は、その製品を扱うことで顧客を満足させたいと小売業者が思うような非常に大きな需要を生み出すために、広告に莫大な投資をする。これは、クリスマス休暇が近づくタイミングを狙ってクリスマス・ソングのアルバムをリリースするプロデューサーが用いる戦略であり、その支援のために集中的な広告展開がなされる。

どちらの戦略も文化的製品に当てはまるだろう。だが、ほとんどのプロデューサーはプッシュ戦略を用いる傾向にある。

多くの製造業者は、意図的にというより戦略上のデフォルトとしてプッシュ戦術を採っている。戦略として、プル戦略の場合は最初に大きな支出が必要であり、小さな企業は必ずしもいつもそれができるわけではない。例えば、パフォーミング・アーツにおいては、ツアー・カンパニーは、オーディエンスを惹き付けるために大きなプロモーション・キャンペーンを行うだけの資源がないのが通常である。プロモーターは、そのカンパニーが以前の作品で名声や評判を得たことだけをきっかけに作品の購入を決める。有名なパフォーマーやグループの場合、プロデューサーは必然的にプル戦略に立ち返るだろう。大都市においてメジャーなメディアへの記事掲載があれば、それはしばしば、州や地域から観客を惹きつける極となる。『キャッツ』、『レ・ミゼラブル』、『ミス・サイゴン』、あるいは『ライオン・キング』などのブロードウェイのツアー・ショーの成功は、ブロードウェイでの成功と現在継続中のツアー公演の成功に依っている。

8.3.3 戦略はどのように相互に関係しているか

本書では、2つの主要なタイプの価格戦略（第7章）と2つの主要なタイプの流通戦略をそれぞれ別々に示してきた。しかし、実際には、それらは密接に結びついている。

スキミング戦略を利用するときには、団体は競合他団体よりも高い価格で製品を販売する。結果として、販売する単位は少ないが単位あたりで生み出す利幅は大きくなる。この戦略は、団体が高い評判を勝ち取るか、あるいは高級なイメージを映し出すときにのみ成功する。このタイプの評判とイメージは、選択的または排他的な流通戦略を用いるほうが達成しやすく、これらの戦略は一般的にはプッシュ戦略と結びついている。ペネトレーション［浸透］価格戦略は、考えられる最も低い価格で可能な限り多くの製品を売ることからなる戦略であり、プル戦略あるいは集中的流通戦略と相性がよい。

8.4 物流

物流は、市場に製品を持ち込むことに関連するすべてのロジスティクスと輸送からなる。流通に関する鍵となる問いは、製品はどこで売られるのか、どうやってそこへ配送されるのか、である。物流の多様な構成要素とは、配送、倉庫保管、在庫マネジメント、注文処理、商品の取り扱いとパッケージングである。

団体が物流を管理するやり方は非常に重要である。製品流通のロジスティクスを含む賢明な決定は、マーケティングのコストを大きく減少させることができる。これとは逆に、不適切な決定をすると多額の出費につながる上に消費者が団体に対して持っているイメージを変える可能性もある。流通マネジメントは、ますます細心の注意が必要になってきている。なぜなら、物流の2つの目標、すなわち、コストの最小化と顧客サービスの最大化は相互に矛盾するからである。

顧客サービスを最大化するために必要とされる一般的な条件は、品切れや輸送ミスをなくし、注文のサイクルを短くすることである。この条件がすべて満たされるためには、団体が大量の在庫を維持しなければならず、それゆえに相当な規模の倉庫施設を借りるか所有していなければならないということを意味している。明らかに、これらの施設には同じように相当のコストがかかることがわかる。その他にも、顧客の注文を効率的に取り扱うことが可能となる配送施設、有能なスタッフ、そして、受注在庫管理システムが必要となる。企業の意思決定の過程は、しばしば、次の2つの問いに左右される。すなわち、与えられた期間において、不足する数がxを超えないようにするための最適な在庫レベルは何か、という問いと、労働と在庫管理システムに関して、注文サイクルが日数xを超えないためにどの程度のクオリティが求められるのか、という問いである。どちらの質問も戦略的に極めて重要である。特に、競争の激しい市場ではそのことが当てはまる。

文化産業でも、本のような非常に多くの物理的単位が流通されているところでは、上記に述べた条件が応用可能である。だが、その他のセクターでも、顧客サービスという概念、すなわち、物流の基本的な側面については、貯蔵や倉庫保管、注文のサイクルがそれに組み込まれているわけではないとしても、同じことが当てはまる。

パフォーミング・アーツの生産者は、彼らの財が形のあるものではないとしても、どうやって公衆に製品を届けるかを決定しなければならない。考慮すべき多くのパラメーターには、ツアーに出かける都市の選択、会場の選択、開演時間、チケッティングの技術（メールオーダー、自動券売機、インターネット）を含む。これらの決定は、団体の流通戦略に従ってなされなくてはならない。団体は、チケット販売のような、適切で多様な流通のモード［遂行様式］において質の高さを追求しなければならない。というのは、質と多様性は顧客サービスの2つの鍵となる側面だからである。

競争が激しい大都市においては、顧客サービスの質が重要な役割を果たしうる。潜在的なオーディエンスは、劇場のボックスオフィスに連絡を取ろうとして常に電話が繋がらない場合、そこであきらめてしまって、他の劇場に電話をかけさえするかもしれない。他に許容できる選択肢がただ1つしかなければ、2番目に何を選ぶかは自明である。しかし、消費者が選択肢として条件に合う3つ、4つ、5つの劇場の中から1つを選ぶ場合、彼らはためらうかもしれない。往往にして、代わりのものには関心がないかもしれないからである。この場合、チケットの入手しやすさが決定要因となるだろう。最初に選択したチケットが手に入らなかったとしたら、彼らは2番目の選択を選ぶだろう。

8.5 ロケーション

物流は、製品を消費者に向けてアクセス可能にすることから成る。ロケーション［商業的立地］は、製品が消費者に購入され、消費される物理的な場所のことである。消費者の労力は消費者の製品への関心に直接比例するので、売場あるいはショールームはアクセスしやすくなければならない。

一般的にいえば、消費者は芸術的な製品のような専門化した製品に対しては、通常よりも大きな労力を費やす用意がある。しかしながら、消費者が費やしてもよいと思う労力の量は限られている。もし、物理的な立地が通り道を外れていて辿り着きにくいとか、製品が不便な時間に提供されるなら、潜在的な消費者はそれに反応するだろう。モントリオール現代美術館は、ロケーションのパワーを説明する優れた事例を示してくれる。市内中心部のプラス・デザール［直訳では芸術広場］というパフォーミング・アーツ・センターに隣接した場所に移転するまで、この美術館はモントリオール島から離れたシテ・ドュ・アーブルという地区にあった。そこは、他の文化施設からは遠く、公共交通システムの便が悪いところで、美術館は苦闘していた。以前、そう遠くない時期には、美術館の開館時間は、平日9時から午後5時までだった。いまでは、多くの美術館は平日の夜と週末にも開館して顧客を迎えている。ボックス・オフィスが正午になるまで閉まったままであったり、ウェブサイトや駐車場がなかったりすることは集客数に影響を与える主要な要素である。橋や鉄道の踏切や産業パークなども、消費者のレジャー活動の選択を制限する心理的かつ決定的な役割を果たす。

都市のステータスや規模も、消費者に影響を与える。消費者は、大都市の郊外や近隣の都市からでも中心部に向けてショーを見にくるだろう。しかし、逆のことは必ずしも当てはまらない。

ロケーションを選ぶ際にはいくつかの要素が関係する。公共交通や駐車場、飲食サービスや他の要素もすべて考慮されなければならない。

小売業でもアートでも、最も良いロケーションは近くにいくつかの他の施設があるところである。いくつかのビジネスがまとまっていることによる魅力あるいは誘引力が、孤立した事業体では簡単には達成することが不可能なシナジー効果を持つ。北米の大規模なショッピングセンターは、この原理によって顧客を引き寄せている。トロント中心街のレイクフロント地区では、オンタリオ・プレイスとハーバーフロント・センターが並び合っていて、夏にはカナディアン・ナショナル・エキシビションが行われる。他の明らかな事例はニューヨークのブロードウェイ地区の劇場の集積である。

8.5.1 商圏の原理

商圏とは、「販売店がそこから顧客と売上を引き寄せる地理的な空間」と定義できるだろう[6]。

特定の売場の魅力はどの領域内においても均一とは程遠い。実際、消費者が売場から離れれば離れるほど、そのロケーションの魅力は少なくなってしまう。この誘引力の強度の変化によって、商圏は3重の区分に分けられる。3つの下位区分は、それぞれ1次商圏、2次商圏、3次商圏と呼ばれる。

8.5.2 3つの商圏の定義

1次商圏は、販売単位［店］がサービスを提供している主要な集団に属している顧客を含む——言い換えると、地域全体の中で到達している顧客の数の密度がもっとも濃い部分である。ビジネスのタイプ、その場所の地理的な特徴、または住民の社会人口統計学的なプロファイルに依れば、この地域には全体の80%にも

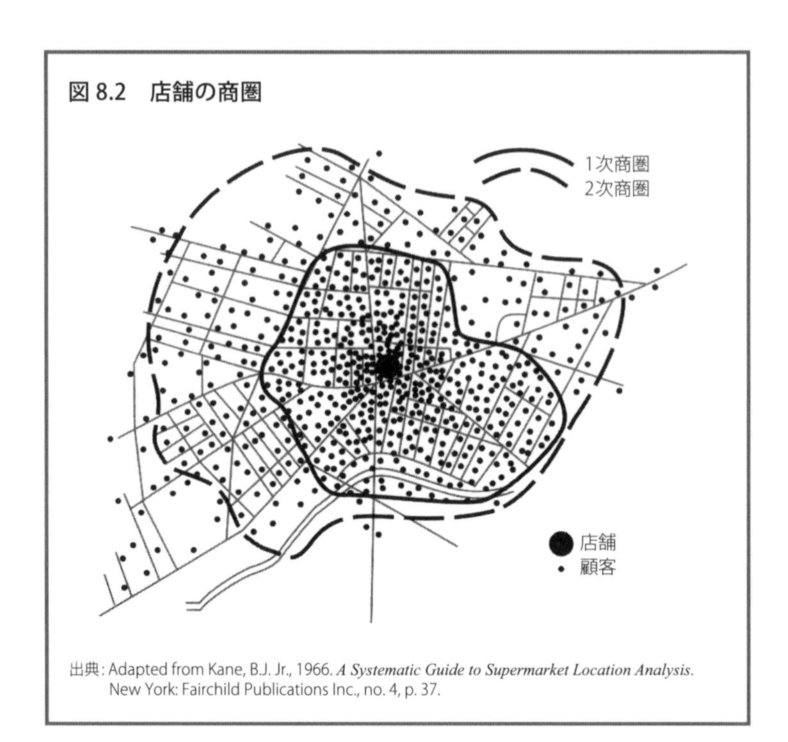

図 8.2　店舗の商圏

出典：Adapted from Kane, B.J. Jr., 1966. *A Systematic Guide to Supermarket Location Analysis*. New York: Fairchild Publications Inc., no. 4, p. 37.

及ぶ顧客がいることを示している。店にとっては、1 次商圏は最も重要な地理的セクターである。というのは、ほとんどのビジネスは、最も忠実な顧客を擁しているエリアに依存しているからである。

2 次商圏は、2 番目に重要な消費者集団を含んでいる。このエリアの売上は、全体の20％から40％の間にある。これは、ビジネスが最も激しい競争にさらされている地理的セクターである。

3 次商圏は、本来的に顧客の10％から20％を持っている残りのゾーンである。これらの顧客は店でほんの時々買い物をするだけか、あるいは、偶然に店を訪れる。例えば、観光客のような人たちである。すべての店は 3 次商圏を持っているが、それは、ほとんど、あるいはまったく影響を持たない。

販売単位にとっての商圏を決めるためにマネージャーがすべきことは、サンプリングした顧客の住所を記入し、顧客を市や地域の地図上に表すドット［点］を描くことだけである。その結果、彼らの顧客のロケーションがグラフによって表示され、それを分析することができる。商圏は不規則な形をしており、競合他団体の商圏が都市や近在の特徴的な地形およびそれぞれの競合他団体の誘引力によって重なり合っている（図8.2を参照のこと）。

商圏の構成は、提供される製品のタイプに大きく依存している。多様なプログラムを提供するプレゼンターは、ある種の製品が特定の顧客に到達することを発見し、製品のカテゴリーごとの比較によって商圏の様々な輪郭を明らかにするかもしれない。

8.5.3 商圏というコンセプトの有用性

商圏を概観することは、ビジネスが8つのゴールを達成することを可能にするので有用である。

1. カバーされた地理的な領域の中での需要を金額で見積もり、需要とすでに手元にある販売額とを比較する。計算の結果は、その企業のマーケット・シェア［市場占有率］である。
2. 特に、地域内で居住施設の建設が計画されているとき、将来的な需要と店の売上高に対するインパクトを見積もる。
3. 長期、短期、中期のマーケット・シェアと販売目標を決定する。
4. その領域において、また、3つの商圏のそれぞれにおいて、競合他団体と比較してそのインパクトを測定する。
5. 潜在的な顧客に向けてマーケティング・ミックスを適合させるために、販売単位の顧客誘引エリア［アトラクション・エリア］に住む人々の社会経済的なプロファイルをよりよく把握する。
6. 潜在的な消費者と顧客誘引エリアの地理的な限界に従って、プロモーション・キャンペーンを計画する。企業が商圏の範囲を超えて広告印刷物を配布すると時間とお金の無駄になるかもしれないが、逆に商圏をカバーする範囲を改善することになるかもしれない。
7. 販売チェーンの小売店舗を比較し、潜在的な商圏に基づく厳密な計画を通して、新しい店舗を開く。例えば、もし、将来のロケーションが今の店舗の特徴と似ているか同じものであれば、団体はその領域の量や規模、新しい店舗の規模さえも予測できる。

8. 現在ある店舗を拡大するか、他の新しい店舗の開店により、拡張を計画する。

8.5.4 商圏の範囲と構成を決定する要素

商圏の範囲と構成を決定する3つの主な要素は、製品、団体のマーケティング戦略、団体あるいは製品に対する消費者の知覚である。

コンサートホール、博物館、アートギャラリー、書店、レコード店、映画館は、どれも独自の専門のカテゴリーであり、通常、広範な商業ゾーンを持っている。

マーケティング・ミックスの他の変数は、商圏の範囲や構成を決めるのに役立つ。ある種の価格政策や魅力的なプロモーションは、顧客が他の店ではなくひとつの店を贔屓にする理由になることがある。ひとつの企業が特定の市場セグメントをターゲットとしているという事実は、ある近隣地域に住む特定のカテゴリーの消費者を連れてくるということであり、このようにして商圏には特定の形が与えられる。これは、ほとんどの博物館やアートギャラリー、コンサートホールの場合に当てはまる。それらは、一般的に教育レベルの高いハイクラスな顧客を惹きつけている。これらの顧客がどこに住んでいるかを分析すると、通常、収入が平均よりも高い特定の郵便番号の地域内への集中が見られる。

商圏の範囲と構成は、消費者がある要素をどのように知覚しているかにも左右される。例えば、距離が遠いことは店に向かう際の現実的あるいは心理学的な障壁と評価されるだろう。

物理的な障害があると実際に消費者の行動を変えるかもしれない。少し例を挙げるなら、橋、鉄道、高速道路、工業団地、公園は、組み合わさって商圏を形作る。買物客は、もし避けられるのであれば、人混みの多い道路や鉄道線路、川、工業地区などを超えようとしない。彼らは、距離がかなり遠くてもそれ以外の場所に出かけて行くだろう。

道路のタイプと店舗のロケーションは、商圏の範囲に影響する。例えば、地下鉄の駅にある書店は、顧客の地域的な範囲は広いが通勤者に限られている。一方、ショッピングセンターにある書店はセンター全体の誘引力によって恩恵を受けている。

要約

流通の変数は3つの明確な要素からなる。流通チャネル、物流、商業的立地である。

流通チャネルは、製品をその製造業者から最終消費者に届けるチェーンの中で役割を果たすすべての人たちを含む。博物館の場合のように、中間業者がいなくて直接に消費者に向かい合うために流通チャネルが短い場合もあるし、レコード会社のように、エージェントから卸売業者へ、そこから小売業者へ、というように流通チャネルが長い場合もある。流通経路は、輸送や倉庫保管などの多くの物流機能を提供し、プロモーションの支援、ファイナンシング、在庫管理などの商業機能を付与することによって、生産者がその業務の一部を減らすことを可能にしている。

流通チャネルのマネジメントに含まれる主要な側面は、4つの目標と6つの戦略決定に対応している。4つの目標とは、次の通りである。流通チャネルのメンバーのモチベーションを最大に保つことによって利益を最大化する（あるいは、損益分岐点に達する）こと、すなわち、売上を最大化すること、かつ、コストを最小化することである。6つの戦略決定とは、流通チャネルの長さ、採用される流通戦略、中間業者のタイプ、中間業者に対する経路の比率、中間業者に対して提示される協力の度合い、そしてこれらの中間業者の選定である。

流通チャネルは、単に生産者から最終消費者に製品が流れていくものと考えてはならない。それは、人間同士の関係が重要で全体のダイナミクスに影響を及ぼすソーシャル・ネットワークである。このソーシャル・ネットワークには、コンフリクト、パワー、役割、コミュニケーションという4つの主要な次元がある。

流通戦略には主要な2つのタイプがある。1つは、「集中的／選択的／排他的」流通戦略であり、もう1つは、「プッシュ戦略／プル戦略」である。

第1のタイプは、企業が使いたいと考えるポイント・オブ・セール（ス）の数に対応している。もし、企業が集中的な流通戦略をとるなら、利用するポイント・オブ・セール（ス）の数を最大にしようとする。企業が選択的な流通戦略を取ろうとすれば、特定の基準に基づいて小売業者を選定する。そして、排他的流通戦略を取る場合には、それに加えてある地域での保護を与える。第2のタイプの戦略は、中間業者が利幅を使ってプロモーションを行うことを製造業者が期待するものである。エージェントや中間業者が製品の販売を促進すると、利幅が大きくなる。そして、その逆も成り立つ。生産者や製造業者は、この利幅を使って広告やプロモーション・キャンペーンの経費とのバランスを取っている。

物流は製品を市場に出すロジスティクスや移動のすべてを指す。つまり、輸送、倉庫保管、在庫管理、注文処理、出荷、そしてパッケージングである。物流は、コストを最小化し、顧客サービスを最大化するという2つの矛盾する目標を達成しなければならない。

ロケーションは、製品が購入され消費される物理的な場所の選択である。消費者がどこから来ているのかを調べ、小売店からの距離と顧客の集中度によって、3つの商圏を決定することが可能である。これらの商圏の範囲と構成は、1次、2次、3次の商圏と呼ばれる。それらは、（一般的な意味における）製品、企業のマーケティング戦略、消費者の知覚という要素によって決定される。

問題

1. 文化的製品が消費される方法はその製品の流通に影響を与える。どのようにか。
2. 流通チャネルとは何か。
3. 流通チャネルの選択に関する決定がなぜ重要なのか。
4. 中間業者を使うことの主要な理由は何か。
5. 流通チャネルの主要な機能は何か。
6. 流通チャネルについて、複雑性とは何か。
7. 会社が流通チャネルを管理するときに、長期的な利益を最大化することを考えなければならないのはなぜか。
8. 製造業者が流通チャネルを設立するときに問わなければならない基本的な6つの質問とは何か。
9. 流通チャネルの中のソーシャル・ネットワークという概念について説明できるか。
10. 以下の戦略がどのように相互に関係しているか説明できるか。スキミング戦略とペネトレーション（浸透）戦略、集中的／選択的／排他的流通戦略、プッシュ戦略とプル戦略。
11. 物流の様々な要素を説明できるか。
12. 良い立地を選ぶときに考えなければならない要素は何か。
13. 商圏という概念はマネージャーにとってどのように有用なのか。

注

1. Roodhouse, S. 1999. "A Challenge to Cultural Sector Management Conventions: The Royal Armouries Museum." *International Journal of Arts Management* 1(2), 82–90.
2. Mallen, B. 1977. *Principles of Marketing Channel Management*. Toronto: Lexington.
3. Ahmed, S., and A. Sinha. 2016. "When It Pays to Wait: Optimizing Release Timing Decisions for Secondary Channels in the Film Industry." *Journal of Marketing* 80, 20–38.
4. Moeran, B. 2010. "The Book Fair as a Tournament of Values." *Journal of the Royal Anthropological Institute* 16, 138–154.
5. Rosenbloom, B. 1983. *Marketing Channels: A Management View*, 2nd ed. Chicago: Dryden.
6. Colbert, F., and R. Côté. 1990. *Localisation commerciale.* Boucherville, QC: Gaëtan Morin Éditeur.

さらに参照するときは

Benhamou, F. 2015. "Fair Use and Fair Competition for Digitized Cultural Goods: The Case of eBooks." *Journal of Cultural Economics* 39, 123–131.

Foster, P., S.P. Borgatti, and C. Jones. 2011. "Gatekeeper Search and Selection Strategies: Relational and Network Governance in a Cultural Market." *Poetics* 39, 247–265.

Lizé, W. 2016. "Artistic Work Intermediaries as Value Producers: Agents, Managers, Tourneurs and the Acquisition of Symbolic Capital in Popular Music." *Poetics* 59, 35–49.

McIntosh, H. 2016. "Vevo and the Business of Online Music Video Distribution." *Popular Music and Society* 39(5), 487–500.

Nam, S.H., B-H. Chang, and J-Y. Park. 2015. "The Potential Effect of VOD on the Sequential Process of Theatrical Movies." *International Journal of Arts Management* 17(2), 19–32.

Prieto-Rodriguez J., F. Gutierrez-Navratil, and V. Ateca-Amestoy. 2015. "Theatre Allocation as a Distributor's Strategic Variable Over Movie Runs." *Journal of Cultural Economics* 39, 65–83.

Walmsley B. 2010. "National Theatre of Scotland and Its Sense of Place." *Marketing Review* 10(2), 109–117.

Weijters, B., and F. Goedertier. 2017. "Understanding Today's Music Acquisition Mix: A Latent Class Analysis of Consumers' Combined Use of Music Platforms." *Marketing Letters* 27, 603–610.

Wierenga B. 2006. "Motion Pictures: Consumers, Channels, and Intuition." *Marketing Science* 25(6), 674–677.

Chapter 9

Promotion

第9章 プロモーション

目 標

- マーケティングの変数としてのプロモーションを定義する
- プロモーションの主要な機能を特定する
- 様々なプロモーション・ツールについて議論する
- 最適なプロモーション・ツールの選択の仕方を学ぶ
- プロモーション計画について学ぶ
- コミュニケーション・ツールとしてのスポンサーシップについて提示する

イントロダクション

プロモーションは、マーケティング・ミックスの4番目の変数であるが、いかなる団体のマーケティング戦略にも極めて重大である。プロモーションは団体と市場の間のギャップを埋める。

この章では、プロモーション・ツール、それらの機能、消費者市場に向けてすでに計画された目標に基づく選択基準について考察する。次に、プロモーション計画の様々な構成要素を定義し、ダイレクト・マーケティングとパブリック・リレーション[広報]についてより細かく考察をする。

前章までとは異なり、この章では消費者市場に焦点をあてる。3つの他の市場(国や自治体、パートナー、民間セクター)への働きかけは通常は直接的な接触の形をとる。プロモーションの基本原理は、これらの市場にも等しくあてはまる。

9.1 定義

マーケティングと広告とプロモーションはしばしば混同される。広告は、たくさんあるプロモーション・ツールの中の単に1つにすぎない。プロモーションはマーケティング・ミックスの4つの変数(product, price, place, promotion)の1つである。マーケティング・ミックスはマーケティング計画全体の一部である。要するに、広告はプロモーションの変数の部分であり、プロモーションはマーケティング・ミックスの部分であり、マーケティング・ミックスはマーケティング計画の部分である。

〈プロモーションの変数は、認知度の向上、情報提供、説得、ブランドとの感情面の関係性の構築といったコミュニケーションの目標を達成するために、ターゲットとするセグメントが理解する方法で、組織のポジショニングを解釈し表現するのに役立つ。〉

プロモーションは、何よりもまず、公式な企業のメッセージとイメージを文化事業体の4つの市場に伝達する道具である。団体は、企業のコミュニケーションを直接コントロールし、自分たちのイメージやメッセージの内容をどのように管理するか決めることができる。もちろん、マーケティング・ミックスの中の他の変数も、団体のイメージに反映させることができるし、文化的環境においては批評家も異なる潜在市場にメッセージを送ることができる。

文化事業体は、一般大衆に対して、他の市場に対してと同様にイメージを投影することができる。そのイメージは、他の人の意見、批評家の論評、経験、プロモーション・キャンペーンなどに基づく消費者の知覚に由来する。団体は、マーケティング・ミックスの他の変数から受け取ったメッセージに基づく消費者の知覚をコントロールすることはできないかもしれないが、それにもかかわらず公衆の知覚に影響を与えることはできる。実際に、価格政策や流通業者の選択や使用されるプロモーションのテクニックで、イメージを創造あるいは修正することができる。名高いホールでのコンサートの場合のように、高価格は通常は高級なイメージを映し出す。逆に、日刊の新聞に宣伝される安いチケット価格のコンサートは、よりポピュラーなイメージを映し出す。

プロモーションは変化のためのツールでもあり、プロモーションにより企業は消費者の知覚、態度、知識、認知度を修正できるようになる。それゆえ、プロモーションは様々な度合いで製品について消費者に学ばせることができる。プロモーションはまた、無関心を欲求に変え、またはネガティブな知覚をポジティブに変容させ、または消費者のブランドへのロイヤルティを構築することによって、消費者の態度を調整することもできる。

別の言葉で言えば、プロモーションの変数の機能は次の通りと言える。

・製品あるいはサービスの存在を消費者に認知させ、どこでそれを見つけられるか伝える。
・団体へ忠実でありつづけるように促す。
・競争がある中で、団体や製品を贔屓にしてもらえるよう消費者を説得する。
・消費者と良好な関係性を確立する。

9.2 プロモーション・ツール

プロモーションで使用されるいくつかのツールがある。人的販売、ダイレクト・

マーケティング、広告、セールス・プロモーション、パブリック・リレーション、ソーシャル・メディアがこれらのツールである。それぞれに与えられる比重は、団体の予算あるいは特定の産業内の伝統によって変わることがある。また、一定のツールは、他の市場よりもいくつかの市場（あるいは市場の特定のセグメント）に適している。例えば、民間セクターとの接触には通常は1対1のコミュニケーション（人的販売）を必要とする一方、政府には広告はめったに使用されない。

9.2.1 人的販売

人的販売は、ある人からもう1人に直接の接触を通してメッセージを伝達することから成る。このテクニックにより、売り手は顧客が買わない理由に対処することができる。人的販売は通常は直接会って1対1の会話で行われる。

もし伝えられるべきメッセージがシンプルならば、広告は説得に極めて有力な手段である。より複雑なメッセージに対しては、団体の担当者が広告のメッセージを消費者に適したものにして、質問や買わない理由に反応することができるので、人的販売はより効果がある。人的販売は、アイデアを売ることに対して好まれる変数である。資金提供やスポンサーシップの要請をすることは、人的販売の一形態と見なすことができる。申し込みをする側が顧客に説得しようとするのは、もし顧客が提案されるアイデアを「買う」ならば、求めている便益を得るということである。

製品を売るための説得を行うほかに、販売員はリサーチを実施して、組織に情報を提供する。販売担当者は顧客の期待に応えるために顧客のニーズ、問題、懸念について多くを学んでおり、販売活動に関するサービスを供給し、誠心誠意の人間関係を顧客との間で維持し、購買の過程で親切な援助やアドバイスを提供する。販売担当者は、その団体の他の製品やサービスを用いて消費者のニーズを調整することもあるかもしれない。アート分野では、ブッキング・エージェント、ボックス・オフィス・エージェント、既存顧客あるいは潜在顧客に接触して、定期会員券や公演や他のいろいろなサービスを提案する人、これらすべてが人的販売に従事している。

9.2.2 ダイレクト・マーケティング

ダイレクト・マーケティングは、「すぐに返ってくる反応を得ることと、永く続く顧客関係を開拓する両方のために、慎重にターゲットを絞った個人の顧客に直接連絡をとることから成る」[1]。ダイレクト・マーケティングのキャンペーンにおいては、ビルボード［屋外広告］、プレス、ラジオ、テレビのようなマス・コミュニケーションのメディアとは対照的な、郵送、電話、eメールを通して、通常は期間が限られる特定のプロモーションのオファーを組織が直接個人の顧客あてに送る。これは、注文、定期会員の更新、更なる情報の要望、小売店やウェブサイトへの訪問の形で、直接的で素早い反応を生み出す。

ダイレクト・マーケティングはしばしば直接販売［直販］につながる。オファーに応じている消費者は、団体に直接製品を注文するので、団体は仲介業者や再販業者を除くことができる。チケットは容易に郵送できたりインターネットから印刷できたりするので、このモデルは（劇団、交響楽団、博物館等の）ライブのオーディエンスを受け入れるのがミッションである文化組織には適したものである。

ダイレクト・マーケティングは新しいものではない。カタログ販売は長い間続いてきている。しかし、情報技術の進化（とりわけデータベース・マネジメントとインターネット）は、このツール［ダイレクト・マーケティング］を活性化させた。これらのテクノロジーのおかげで今や組織は、顧客のニーズによりよく応えることをゴールとして、個人の顧客それぞれと密接でカスタマイズされた関係性を築くことが可能となった。インターネットのダイレクト・マーケティングへの応用であるeマーケティングについては、第10章で詳細に議論される。

9.2.3　広告

広告は、ターゲット・マーケットとコミュニケーションをとるために有料で実施する、人によらない手段と定義できる。

広告のメッセージは、種々の電子メディアと印刷メディアにあらわれることがある。よく知られる例としては、テレビとラジオのコマーシャル、新聞広告・雑誌広告、ポスター、ビルボード、交通広告、ソーシャル・メディア、公式ウェブサイトがある。

広告を出すためには、ラジオやテレビ局、雑誌社、新聞社、またはビルボードのような、広告を出すサポートをするビークル［特定の媒体］媒介者に支払いがなされることになる。

その媒体が何であれ、広告のメッセージは、限定されたライフ・スパンを持つ。

実際には、広告は特定の媒体で展開して、一般大衆（マス広告）とかなり特定化した公衆（ターゲットを定めた広告）の両方をターゲットとする場合がある。執行役員にとっては、どの広告のビークルが最適かを見いだすことが難題である。ここでは、企業が検討している様々な媒体によって到達される公衆のプロファイルが、役に立つことがわかるであろう。

ポスターは文化事業体には幅広く使用される。しかし、ポスターは使用される他の広告ツールへの単なる補助でしかない。実際に、潜在顧客は必ずしもポスターを見るとは限らないし、車の運転中に与えられた情報を読むために停まることは不可能である。その上、ポスターを見るために費やされる平均時間は非常に短い。ポスターの寿命自体は非常に短く、大きい都市では特にそうであり、貼り換えも非常に頻繁である。また、ポスターに収まる情報量も限られる。ポスターは、見込み客の注意をひき、関心をひき起こすようデザインされるべきである。通常は、主要なキャンペーンで伝えられるメッセージのリマインダーとしての機能を果たす[2]。

9.2.4 セールス・プロモーション

セールス・プロモーションは、消費体験を超えて、消費者の心に団体の名前や製品を留めるために展開されるすべての労力を含むものである。

セールス・プロモーションは、配布される小さいモノ（マッチ、鉛筆、バッジ）に印刷されたシンプルなロゴや簡潔なメッセージ[3]、コンテスト、サンプル（例：オンラインで出版された書籍の最初の章）、ロイヤルティ・プログラム、または代金後払いの提供といった形をとることができる。

第1章で学んだように、スピンオフ製品（あるいはプロモーションのアイテム）は団体の主要な製品の一要素である。スピンオフ製品は、団体全体の自主収益[4]を増加させ、消費体験を長く保たせるのに役立つ。スピンオフ製品は団体のイメージを広める一助ともなり、効果的なプロモーション・ツールになりうるものである。博物館やパフォーミング・アーツの大規模な組織はしばしばこの形のプロモーションを使用する。

セールス・プロモーションは通常は消費者に向けて行われるが、小売業者や流通業者にも使用することができる。セールス・プロモーションが消費者に使用されるとき、一定数のチケット販売の際に割引で提供されるかもしれない。同じ割引のテクニックが、製品の提供を小売業者に奨励したり、その製品をもっとプロモーションしたりするために使用される。売られた単位あたりのボーナス・ポイントは、航空券やホリデー・パッケージのような価値ある賞品に交換できるものだが、典型的なセールス・プロモーションの手段である。

9.2.5 広報

広報Public Relations (PR) とは、「公衆の態度を評価し、個人あるいは組織を公共の利益と結びつけ、公衆の理解と受容を得るための活動のプログラムを計画し実行するマネジメントの機能」[5]と定義される。文化組織がPRのために保有する兵力の中で、主要な武器のひとつにパブリシティがある。パブリシティは、広告料を支払わずに、製品や団体をメディアにプロモーションするのに役立つ。メディア・リレーションはPRの機能の一部である。プレス・リリースおよびプレス・カンファレンス、バーチャル・プレスルーム[6]、スピーチおよびプレゼンテーション、ラジオやテレビの無料の放送時間、一般的なメディアへの記事掲載は、すべてパブリシティの例である。

資金的な理由で、多くの文化・芸術グループは、潜在顧客に情報を伝える主なビークルとしてパブリシティ、特にメディア・リレーションを使うことを余儀なくされている（カプセル9.1を参照のこと）。このアプローチの主な欠点は、カバーされる記事の範囲のすべての側面（メッセージ、公表の頻度等）を団体がコントロールしないので、パブリシティがマーケティング・ミックスにおける他の変数のすべての機能を満たすことができないことである。もちろん、文化的活動はかなり多数のオーディエンスの注意をひくので、メディアもこの関係性から恩恵を得ている。

文化事業体はパブリシティに関して絶大な力を持っているが、情報や使用されるフォーマットを放送したり印刷したりするか否かについての最終的な決定権限はメディアが有している[7]。それゆえ、常に何らかのリスクがある。

広報の機能とパブリシティの機能の間の明確な区別をすることは重要である。広報の機能は様々な組織の公衆（被雇用者、理事・役員、ボランティア、オーディエンス、メディア、政府、スポンサー、寄付者）の対応をし、パブリシティの機能はほとんどもっぱらメディア関係の対応をする。一方、多くの文化組織は自分たちのPR活動の大半をメディア対策に集中させるので、それらの文化組織が広報とパブリシティを同じように考える傾向を持つことには注意すべきである。

カプセル 9.1

メディア・リレーションの基本原則

文化的な環境で働くジャーナリストの仕事は、ニュースを広めることである。しかし、ジャーナリストは、文化組織やアーティストのために奉仕しているわけではない。それゆえ、文化グループにとっては、メディアと信頼関係を築き、ジャーナリストの仕事を容易にしようとすることが重要である。

PR担当者が使用する主要なツールはプレス・リストである。良いプレス・リストは、3つの不可欠な特徴を持っている。すなわち、メディアのタイプによって分類することができ、同じメディアで働いている幾人かのジャーナリストの名前を含み、資金提供団体やスポンサーや理事のような、組織のステークホルダーが含まれていることである。

メディア・リレーションは次の6つの段階を含む。

- ニュースを系統立てて述べる
- コミュニケーション・ツール（プレス・リリース、写真等）を準備する
- 特定のメディアをターゲットとし、メッセージを送る
- ニュースが印刷・発行あるいは放送・放映されるのが確実となるようメディアをフォローアップする
- ニュースの項目のリリースの後に記事やレポートを収集する
- インパクトを分析し、戦略を調整する

出典：Translated from Courville, N., "Les relations de presse dans le secteur culturel."http://www.gestiondesarts.com/index.php?id=383

9.2.6 ソーシャル・メディア

ソーシャル・メディアは、〈情報〉、アイデア、交友関係、関心、他の表現形態の創造と共有を促進する〈コンピューターを介する〉テクノロジーである[8]。

Facebook、WhatsApp、YouTube、WeChat、Instagram、Twitterのようなプラッ

トフォームはユビキタス[9]になり、今やいかなる文化事業体にとっても不可欠なプロモーション・ツールとなっている。

ソーシャル・メディアにより団体は、顧客の声を聴いたり、顧客を調査したり、より深いレベルで顧客に関わったり（特に文化的体験の前と後）、創造的プロセスを顧客と共有したりすることが可能になる[10]。また、ソーシャル・メディアは、新規顧客を開拓したり、既存顧客をつなぎ留めたりし、それによって組織へのロイヤルティを高め、顧客の中から「インフルエンサー」と「イニシエーター」（第3章〔3.2.1〕を参照のこと）を特定する手助けにもなる。ソーシャル・メディアはブランドの露出のためには威力のあるツールであり、製品やイベントに対する興奮を生み出す[11]。ソーシャル・メディアはユーザーをコンテンツの受動的なユーザーから能動的な貢献者へと変容もさせる[12]。そしてそのことは、e-WOM[13]をつくるなど、創造的な団体にとっての協力関係の新しい地平を開くことができる。e-WOMとは、パトロンたちがソーシャル・メディアを使用して行う口コミのことである。ソーシャル・メディアは批評家への対応にも役立つ。というのも、もしショーが悪評を得てしまったなら、団体はオンライン・ツールの使用によって反撃することが可能なのである[14]。

しかし、ソーシャル・メディアでの会話は有機的で複雑である。それらの会話をモニターしたりまとめたりすることはできない。ほとんどのソーシャル・メディアが無料で使用できるのに対して、それぞれのプラットフォームのプレゼンスを維持するのは非常に時間がかかりコストもかかる。最後に、ソーシャル・メディアの有効性と効率性は測るのが難しいという点もある。

9.2.7 スポンサーシップ

第1章で示されたように、スポンサーシップは、ファンドレイジングのツールであるのと同じくらいに、プロモーション・ツールでもある。それは同じコインの両面と考えられる。一面では、スポンサーは、組織のスポンサーになることによって市場に到達することを期待している。もう一方の面では、文化組織は資金提供をしてくれる出所を探している。特定の会社からのスポンサーシップを受け入れることにより、文化事業体は自分のイメージをその会社のイメージと結びつけることに同意することになる。妥協の道具というわけではまったくなく、スポンサーシップは文化組織にほかにない機会を提供する。文化組織の名前を広め、新しいオーディエンスに到達するために、スポンサーのマーケティング力を利用するのである。その代わりに、スポンサーは当然のことながらその組織のプログラムにロゴを入れる以上のものを期待する。しかし、どんな結婚についても言えるように、パートナーがお似合いであって双方が関係に責任を持っているときには、うまくやっていける。プロモーション・ツールとしてのスポンサーシップについては、この章の第9節（9.7）で詳しく議論する。

9.2.8　プロモーション・ミックス

すべての組織は、それぞれの成分がどのくらい必要とされているかを決める自分自身のレシピや秤を持っているものである。いくつかのグループはお金のかからないプロモーションのPRやパブリシティを提供するしか余裕がないかもしれない。小規模な芸術事業体はこのカテゴリーに分類される。つまり、それらの事業体は、しばしば印刷物での広告を行ったりポスターを作ったりするが、ソーシャル・メディアやメディアへの記事掲載を獲得しようと労力を集中することになる。広告やポスターはこのようにして他のコミュニケーション・ツールをサポートし、グループのイメージを投影する。他のグループは、特定のセグメントをターゲットとするメディアの広告の購入をプロモーション戦略の基礎とすることもある。利用可能なツールのバランスを取ろうとするグループもある。結局のところ、プロモーション・ミックスは組織のゴールと手段によって変わるものと言える。

9.3　プロモーションの変数の機能

プロモーションには2つの主要な機能がある。すなわち、メッセージを伝達することと消費者に変化を生み出すことである。

9.3.1　メッセージを伝達する

団体は、ひとつかそれ以上の任意の数のコード（絵、視覚、グラフィック、文字、象徴、あるいは色でさえ）を使用してメッセージを伝達することができる。そしてそのメッセージは消費者に正しく知覚され理解されなければならない。

コミュニケーションは、発信者と受信者が積極的に参加するということを伴う、真に相互的なプロセスである。コミュニケーションにより、送信者は理解する際のギャップを分析することができるようになり、それに応じてより効率的で適切なやり方で受信者に到達すべく調整をすることも可能になる。

ここで説明されるコミュニケーション・プロセスは、個人ならびにマス・コミュニケーションにあてはまる。いずれにしても、メッセージを効率的に伝達するためには、送信者は受信者のアイデンティティを知らなければならないし、受信者がどのコードを理解するかを知らなければならない。

9.3.2 消費者の変化を生み出す

メッセージを伝えることに加え、コミュニケーションは変化のエージェント[代理人]としての機能を果たす。コミュニケーションは、製品に対する消費者のポジティブな態度を生み出そうとし、究極的には製品の販売に対するポジティブな態度をも生み出そうとする。

コミュニケーションの機能は一連の4つのステップとして定義されることがある。すなわち、注意をひく、関心を生み出す、欲求を生み出す、行動をひきおこす、ということである。これらの4つのステップは、覚えやすい名称でAIDA（Attention, Interest, Desire, Action）として知られている。

もちろん、プロモーション・キャンペーンは無から実施されるわけではない。団体のメッセージは、経済の種々のセクターのいたるところにある数多くの他団体によって生み出される膨大な他のメッセージとの競争状態にある。平均的な消費者は意識しているときも無意識のときも含め、毎日250から3,000の間のメッセージにさらされていると推計される。厳密な数は、個人のメディア消費の習慣に左右される。これらのメッセージは、消費者が朝刊を読んだり、カー・ラジオを聴いたり、テレビを視たり、インターネットを見たり、ポスターやビルボードを眺めたりする間に受け取られている。それらのメッセージすべてから、実際に知覚されるのはおよそ75で、12だけが保持される。別の言い方をすれば、メッセージの絶え間ない集中攻撃と全方向からくる刺激があり、平均的な消費者はいくつかのメッセージを除外するいろいろなメカニズムを作らなければならない。消費者の注意を引き付けようとするどんな団体も、特にメッセージの数と消費者の防御メカニズムの数を考えるならば、明らかに困難な課題に直面しているわけである。

防御メカニズム

「防御因子」と呼ばれる心理学的プロセスは、マス・メディアによって伝達されたメッセージを減少させ、遮る役割さえ果たす。これらの因子はフィルターとして働き、消費者がメッセージを選択するのを可能にする。この選択プロセスは、露出と注意、および理解と保持に関連がある。

製品を探している消費者は、自分たちが見聞きしたいメッセージを選ぶ（選択的露出）。例えば、演劇を観たいと思う消費者は、日刊新聞に劇団が出した広告を進んで見る。

選択的知覚とは、個人的なニーズの緊急性あるいは重要性のために、一定のメッセージにだけ消費者が気づくということを意味している。もしそれらのニーズがとても強いものであるならば、顧客はよく受容するようになり、おそらく買うことに興味を持つようになるだろう。ある特定の書名の本を探している消費者が、陳列されている他の本を見ることさえしないで、店のウインドウでどのようにそれを見つけられるかを、このメカニズムは説明している。

選択的理解は、ある人が広告を解読しているときに作用するもうひとつのフィルターである。消費者は自分のニーズと価値にしたがってサイン（色、シンボル、形など）を解釈する。例えば、赤色やオレンジ色は通常は人の心中で暖かさを連想させる一方で、深い青色は冷たさを連想させる。サインやシンボルは注意深く選択されなければならない。さもないと潜在顧客はメッセージを誤解するかもしれない。色に結びついた象徴的な価値の点では、文化的な差異が重大な役割を果たすということを心に留めておくのも重要である。特にインターナショナル・マーケティングの場合にはこのことが重要である。

もうひとつのメカニズムは選択的保持である。これは、受け取って知覚したメッセージの一部だけを保持することを消費者に可能にするものである。目新しさ、反復、関心は保持に重大な影響があるが、消費者のニーズや価値もまたどのメッセージが保持されるかに関して影響がある。

サブリミナル広告

消費者に購入の説得をする際に遭遇する障害により、研究者たちはこれまで説明してきたフィルターを回避する方法を模索するようになった。これらの研究はサブリミナル広告の実験へと向かわせた。理論的にはサブリミナル広告によって、メッセージは消費者の防御を突破し、消費者の知らないうちに潜在意識に到達してしまうものである。そのあと消費者の潜在意識には、製品を買おうという欲求がひき起こされる。

1959年に映画館で実施されたサブリミナル広告の初期の実験は、サブリミナル広告の要素を含む広告を作るアメリカのトレンドの端緒となった。実験の背後にある原理は極めてシンプルである[15]。研究者は、大きなスクリーン上で1秒間に映写される24の画像の中にコカ・コーラの画像を1枚挿入した。その結果、視聴者は「コカ・コーラを飲め」という明確なメッセージを知らず知らずのうちに目にしていた。休憩のとき、この有名なソフトドリンクの売上は52%増加した。ポップコーンを使用した同じ実験では、18%の売上の増加を生じさせた。

更に実験が行われても説得力のある結果は生まれなかったし、1959年の実験の間の売上の増加が映画のスクリーンに映写されたサブリミナル・メッセージのみに起因するという決定的な証明はなされることはなかった。室内の温度、売場のプロモーション、全くの偶然のような、研究者たちによって考慮さえされなかった他の外的要因が働く可能性はあった。

ほとんどの消費者アドボカシー団体は、サブリミナル広告を倫理上問題があると見なし、洗脳にも似た操作の実践であるとして非難した。予防策として、いくつかの国ではサブリミナル広告を法的に禁止している。

9.4　プロモーション・ツールの選択

9.4.1　影響のパラメーター

ターゲットとされる市場に加え、団体のプロモーション・ツールの選択は主に影響の2つのパラメーターに依っている。すなわち、メッセージの複雑性とターゲット・マーケットの製品に関する知識（準拠の次元）である。

プロモーション･ツールの選択はメッセージの複雑性に従って変化するので、単純なメッセージは広告を通じて簡単に届けられるが、複雑なメッセージは遥かに個人的なアプローチを必要とする。

メッセージの複雑性は、消費者が知覚する製品の複雑性としばしば関連づけられる。例えば、真のオペラ･マニアは『蝶々夫人』のチケットを購入する理由がすぐにわかるが、オペラについて知らなかったり、あるいはオペラに対してネガティブな先入観があったりする人は、いったいなんでそうするのか理由がわからないかもしれない。広告キャンペーンはオペラ･ファンにチケットを買うことを勧めることはできるけれども、人的販売はオペラに親しんでいない潜在顧客に『蝶々夫人』の公演のチケットを買うように説得するには遥かに効果的なはずであるし、あるいは少なくとも消費者の主張に対処するか知覚を修正するにはずっと効果的なはずである。

潜在的な購入者を無関心から行動に導くプロセスには6つの段階がある。すなわち、無知･無関心、知識、理解、確信、意思決定、行動である。

本当にオペラにはまっている人は、4番目の確信の段階であるかもしれない。レパートリーを知っていて、作品の重要性を理解し、内容を鑑賞することができ、第1段階である無知･無関心から始まる消費者よりもずっと容易に決定の段階に導かれる可能性がある個人が、通常はこの段階である。

消費者が無知･無関心－行動の連続体に沿って進むほど、プロモーション･キャンペーンはそれほど複雑である必要がなくなる。新刊を発売する地位が確立した作家の忠実な読者、あるいは、コンサート･シリーズの現在の定期会員は、行動の段階に近いマーケット･セグメントの一部である。潜在消費者が無関心の段階に留まるとき、あるいは製品に対してネガティブな先入観を持っているとき、プロモーションはより複雑になる。

それゆえプロモーション･キャンペーンは、消費者がいる連続体に沿ったどこからでも、購入プロセスの段階を通り、製品の実際の購入まで、消費者を導くべきであろう。

9.4.2 実用的なモデル

図9.1に示されたモデルは、製品の複雑性と市場規模とコミュニケーション･

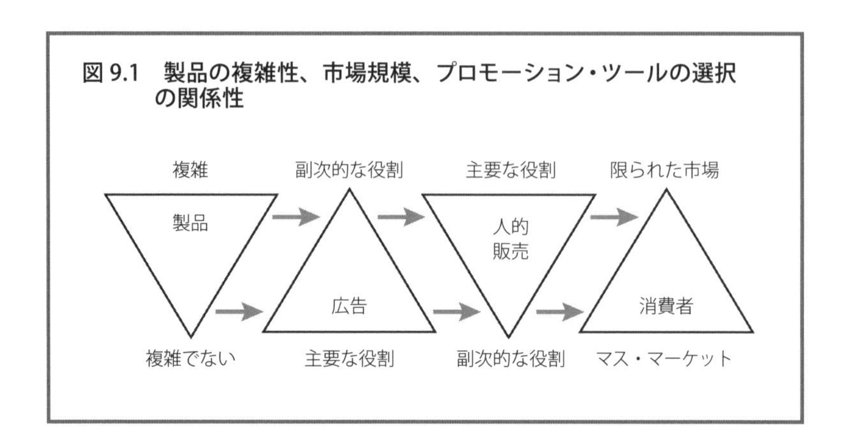

図 9.1　製品の複雑性、市場規模、プロモーション・ツールの選択の関係性

ツールの選択がどのように関連するかを示している。

製品、市場、広告、人的販売を描いた一連のピラミッドとしてこのモデルは表されている。それぞれのピラミッドは連続体を形成する。上下の頂点と上下の辺は、一定の特徴の重要性を反映する極として機能する。例えば、製品ピラミッドの下の頂点は複雑性が低いレベルであることを示すが、その上の辺は高いレベルであることを表している。

消費者ピラミッドの上の頂点は、消費者市場が限られていてそれほど広範囲でないことを示しているが、下の辺はしばしば「マス・マーケット」と呼ばれるずっと大きな市場を描いている。

人的販売と広告のピラミッドは、製品の複雑性やマーケット・セグメントに基づいて、これらのツール［広告と人的販売］のどちらが重要であるかの順を示している。このように、上または下の頂点はそのコミュニケーション・ツールに頼って使用できるのが限定的であることを示し、上または下の辺は幅広いコミュニケーション・ツールの使用に対応している。

概して、複雑な製品は限られた市場のために設計される。第6章で見てきたように、製品は技術的な仕様の面で複雑かもしれないし、顧客の製品知識の面で複雑かもしれない。同様に、もしマーケット・セグメントが製品に対してネガティブな態度を持っているなら、その製品はそのセグメント内の消費者には複雑であると見なされているかもしれない。製品がより複雑になればなるほど、セールス・トークはより子細になり、消費者を説得するために使われる情報のレベルもより高くなる。この場合は、広告は非常に複雑な情報やあるいは中身の濃い情報を伝えることができないので、人的販売が最適なツールである。例えば、エレクトロ・アコースティック音楽［電子音響音楽］のコンサートは、このタイプの音楽の熟練たちにとってはシンプルな製品である。そのためポスターは、ファンに情報提供して、チケットを買うよう促すためには十分で適切であるだろう。このアート・フォームを聞いたことがなく、音楽ファンでさえない消費者には、セールス・トークはより強力なものでなければならないだろう。ポスターと新聞広告は、そのような消費者に来場するよう説得するほどには強力ではないだろう。この場合は人的販売が必要とされる。

逆に、シンプルな製品には広い市場があるので、人的販売は必要ではなく、関連するコストが高いことを考慮すると、望ましくないとさえ言えるだろう。プロモーション・ツールとしての広告は、より広範な市場をカバーできるので、このような場合により良く機能する。

9.5　受け取る側

消費者が製品を購買するのに用いるプロセスは、マーケティング戦略を開発しつつある際に考慮しなければならないいくつかの「プレイヤー」を含むことがある。イニシエーター、インフルエンサー、意思決定者、購入者、使用者［ユーザー］である。いくつかのメッセージが、購買プロセスに介在する様々なプレイヤーに到達するために生み出されることがある。

学校システムの中の子ども向け演劇の市場においては、様々な意思決定者がショーを上演するかどうかについて決定的な発言をする。関与している多くの個人が意思決定プロセスにおいて異なった役割を持っている。家庭と学校の連絡協議会や保護者の委員会はインフルエンサーの役割をするかもしれない。教育スタッフがプロセスのイニシエーターになるかもしれないし、校長は通常は意思決定者と購入者という二重の役割をする。最後に、児童・生徒はその製品の使用者［ユーザー］となる。個々の学校それぞれは、独自の意思決定の手順があり、プレイヤーの数とそれに対応する役割は、プロセスにおける異なる段階で二重になったり変わったりするかもしれない。例えば、ときには親や教育スタッフがそのプロセスのきっかけになるであろう。

どのアート事業体も、ターゲット・マーケット内の消費単位がどのように意思決定をしているかを知り、購入プロセスを検証しなければならない。

9.6　プロモーション計画

マーケティング・マネージャーがどのグループをターゲットとするかをいったん決定したら、設定された目標と到達すべきターゲット・セグメントに基づいて戦略を開発する時である。マーケターは、このプロセスにおいて一連の基本的な質問を使用することで、自らを導くことが可能である。

9.6.1　どんなプロモーション計画でも対処しなければならない基本的な質問

プロモーション計画は、目標と特定のマーケット・セグメントに到達する際に使用される実用的なツールである。それは、いくつかの鍵となるパラメーター内でどのアプローチを採用するかを団体に反映させようとするものである。もっと簡単に言えば、この計画は、誰が、何を、誰に対し、どのように、いつ、どんな結果を、といった質問に答える練習と考えることができる。

9.6.2　プロモーション計画の内容

プロモーション計画は「コミュニケーションのチャネルを構造化し、キャンペーンに含める要素を決定し、必要とされる金額を評価するように設計された秩序だった一連の決定と業務」と考えることができる。プロモーション計画にはこの一連の決定を理解するための事前分析が必要である。

プロモーション計画の段階

状況を分析した後、マーケティング・マネージャーあるいはマーケティング・チームは、コミュニケーションの目標を定め、予算案を作成し、マーケティング・ミッ

表 9.1　コミュニケーション計画についての基本的な質問

質問1 —誰が？
質問2 —何を？
質問3 —誰に対して？
質問4 —どのように？
質問5 —いつ？
質問6 —どんな結果を？

誰が？

第1に、効果的なプロモーション・キャンペーンを実施するために、団体はキャンペーンが投影するイメージ、すなわち団体についての消費者の知覚（ポジショニング）を知らなければならない。マーケティング・マネージャーやマーケティング・チームは、以下の質問を問うべきである。

・公衆は団体や製品をどのように知覚するか。
・競争に関して、団体はどのように測られるか。
・投影されたイメージは、望んだイメージを正確に反映しているか。

何を？

団体は次にどんな種類のメッセージを送るかを決定しなければならない。鍵となる質問には以下のものが含まれる。

・その製品はどんな利点［優位性］を持っているのか。
・何が消費者にその製品を買うよう動機づけるのか。
・コミュニケーションに関する団体の意図は何か。
・イメージは変えられるか。
・製品が知られるだけで十分であるのか、あるいは潜在顧客を購入の段階まで導く必要性があるのか。

誰に対して？

団体は市場をセグメントに分けて、誰がそのメッセージを受け取るべきか決定しなければならない。言い換えれば、質問は以下のようになる。

・どのセグメントをターゲットとするべきか。
・誰が意思決定者なのか。
・ターゲット・マーケットのプロファイルは何か。

どのように？

団体は次にターゲット・セグメントに到達する最適な方法を決定しなければならない。以下の質問が提起されるべきである。

・通常、ターゲット・セグメントはどのメディアを参照しているか。
・活字メディアと電子メディアのどちらかに重点を置くべきか。
・ターゲットのグループの大多数に到達するためにはどのメディアを使用するべきか。
・どのプロモーション・ツールを最も使用するべきか（人的販売、広告、PR、セールス・プロモーション）。
・どのコードを使用するべきか（色、シンボル等々）。
・どんなユニークな特徴を強調するべきか（名声、プレステージ［威信］、アクセスしやすさ、目新しさ、限定性）。

表 9.1（続き）	
いつ？	
	当然のことながら、特定のチャネルを選択することにより生じる様々な目標や限界を考慮して、団体はいつメッセージを送信するべきか決定しなければならない。考えられるいくつかの質問は次の通りである。 ・いつ定期会員のキャンペーンを開始するべきか。 ・メディアや広告出稿の期限はどうか。 ・広告を出すにはどの日がベストなのか（土曜日、木曜日、あるいは別の日）。 ・ターゲット・マーケットのショッピングや購買の習慣はどういうものか。
どんな結果を？	
	団体はコミュニケーションの労力を判断できる測定可能な目標を持たなければならない。以下の質問は、コミュニケーション計画がどのくらい効果的であったかということについて団体にアイデアを提供するであろう。 ・売上は何パーセント増加したか。 ・どのように態度が変わったか。 ・ターゲットとした目標と達成されたものとの間にギャップはあるか。もしあるなら、それはなぜか。 ・団体は自由に利用できるすべての資源を使ったか。 ・資源を使いすぎることはなかったか。 ・コミュニケーション計画は、存在していた製品を知らなかったターゲットのグループに到達したか。 ・最終的には、消費者はその製品を実際に買ったのか。

クスの各構成要素への特定の戦略と一致する総合的なプロモーション戦略を開発しなければならない。3つの鍵となる決定が、それぞれの構成要素に対してなされなければならない。これらはコンセプト、手段あるいはツール、予算に関係する。最後に、戦略は実施され、モニターされなければならない。

コミュニケーションの目標設定

どんなプロモーション・キャンペーンも、明確に定義された目標が必要である。そしてその目標はマーケティング戦略の目標と一致していなければならない。

コミュニケーションの目標は、顧客の消費プロセスの中で団体が成し遂げたい変化と関係する。コミュニケーションの目標には、認知度を向上させること、購買意図の現在の比率の維持、または消費者の選好の修正を含む場合がある。

これらの目標は、達成された結果の測定を容易にするため、量的に表現されなければならない。例を挙げて言えば、団体がマーケット・シェアを10％上げたいとして（マーケティング目標）、そのためには潜在的な消費者の購買意図を50%増加（コミュニケーション目標）させなければならないか、あるいはキャパシティの80%を達成しなければならない。

コミュニケーション予算の策定

プロモーションの予算案を作成するのは、どんな団体においても通常は繊細な事柄である。マーケティング・マネージャーがプロモーション・キャンペーンに投資する最適な量を決定できるようにする奇跡の治療法や秘密のレシピといったものは存在しない。

しかしながら、投資される量の上限を定めるとき、従うべき3つの基本的な原則はある。

1. 投資されるドル［金額］が追加されるごとに、企業の利益や剰余（あるいはバランスのよい予算）に貢献しなければならない。
2. 1ドル追加されるごとに、少なくとも1ドルの利益や剰余を生み出すのなら、それは価値がある。
3. 販売のコストは、販売により生み出された収益よりも少なくなければならない。

これらの3つの原則は経済的にも論理的にも明白であるが、団体がこれらの3原則に対応する予算を細かく計算するのに必要な情報を持つことはめったにない。

9.7 スポンサーシップ

9.7.1 定義

スポンサーシップは、スポンサー（通常は企業）と財産（典型的なものとしては、スポーツやライブ・エンタテインメントのイベント、映画、テレビ番組、あるいは他の非営利のイベントまたは組織）の間の関係性であり、財産に関連する開拓可能な商業的な潜在性へアクセスするのと引き換えに、スポンサーが現金や現物による報酬を支払うものである[16]。「コーズ・リレーテッド・マーケティング」という用語は、非営利組織にも益する行動を通して、企業の売上を増加させたり、市場におけるポジションを向上させたりするように計画されたプロモーションの活動のことを言う。これは一般的には、消費者が団体の製品やサービスを購入するとき、団体がその利益の一部を非営利組織に寄付することを意味する。

政府や民間の寄付者は、通常はフィランソロピーの動機を持ち、組織のミッションや製品を支援する意図があるのだが[17]、スポンサーはそれとは違い、主にスポンサーされる組織（「スポンシー sponsee」と呼ばれることもある）のイメージやオーディエンスに関心がある。スポンサーシップとコーズ・リレーテッド・マーケティングに遣われるお金は、プロモーションへの投資であり、寄付ではない。スポンサーのマーケティングの活動に貢献することと、投資へのリターンを示すことが期待されるわけである。つまり、イメージの向上、売上の増加、可視性と認知度の向上を期待される。

例えばシカゴのフィールド博物館は、これまで発掘された中で最大のティラノサウルスであるスー Sueをオークションによって836万米ドルの価格で購入した[18]。そのとき同博物館はマクドナルドとウォルト・ディズニー・ワールド・リゾートとの画期的な取引をまとめている。

両社は、フィールド博物館がスーを購入するのを援助する見返りに、自社のプロモーションのためにスーのイメージを利用する権利を得たのである。フィールド博物館の名前は、顧客に精通した世界的巨大企業2社による広報・マーケティング活動と共に言及された。3つの主体すべてが、同一ではないにせよ、類似した顧客基盤を持っている。その顧客基盤とは、つまり13歳未満の子どもとその家族である。スーの購入時には、フィールド博物館とディズニーとマクドナルドの間で合意に達した契約は革新的であると伝えられ、広くまねされることが期待された。スーの骨が洗浄されたフィールド博物館の実験室は、マクドナルド準備実験室と名付けられ、ディズニー側からすれば、技術者と科学者たちがスーに取り組んでいる様子を公衆が見ることができたのである。スーの骨格の複製は、企業が使えるようにディズニーとマクドナルドにそれぞれ1つずつ提供された。これらの活動のおかげで、フィールド博物館はそれぞれの企業との長期にわたる関係から恩恵を受けたわけである[19]。

9.7.2 方針

スポンサーシップやコーズ・リレーテッド・マーケティングのキャンペーンにリスクがないと信じてしまうのは愚かしいことであろう。アーツ・マネージャーは、理事会やスタッフや芸術面のリーダーの地位にある人も含む鍵となるステークホルダーと、スポンサーシップについて議論すべきである。ネガティブな影響の可能性については、議論されなければならないだろう。どんなスポンサーシップやコーズ・リレーテッド・マーケティングのベンチャーにおいても、特定のスポンサーとの提携には自分たちのミッションとの矛盾があってはならないということを文化事業体は心に留めておくべきである[20]。

文化事業体はスポンサーシップに関する方針を開発して採用することを考えてみるべきである。そのような方針では以下のことを行うべきであろう。

1. スポンサーシップのパートナーシップの性質を強調する。
2. スポンサーシップを寄付とは区別されるビジネスの取り決めと定義する。
3. アート事業体のコンセプトに対するコミットメントをポジティブな言葉で述べる。会社は、アート・エージェンシー［芸術組織］がコラボレーションに熱心であり、「我々はお金を受け取るが、あなたたちを認めてはいない」といったアプローチとは正反対の姿勢であることを知りたいと思っている。
4. 除外規定について明確に述べる。文化組織がビジネスをしない会社に関することである。
5. スポンサーとアート事業体の権利について詳細に述べる。
6. もしスポンサーの活動が自分たちのミッションに相反するならば、取り決めをアート事業体が解約することを可能にする免責条項を規定する[21]。

方針は理事会により承認されるべきであり、すべてのスポンサーシップの契約は書面でなされるべきである。

9.7.3 成功する申し込み方

もし実際に寄付を依頼していないのならば、文化事業体はスポンサーシップのwin-winの側面を推し進めるべきである。潜在的なスポンサーに対してなされる依頼や申し込みには、スポンサーシップの必要性だけではなく、スポンサーへの便益も考慮に入れるべきである。スポンサーシップの支援を求める文化マネージャーにとって、このためには次のことが重要である。

1. 単なるスポンサーシップ料以上のものと考える。スポンサーのイメージとプログラムをスポンサーのプロモーション・キャンペーンと資料に含めることは、直接的で最終的な貢献を価値においてはるかに上回ることになる。スポンサーの（製品やサービスや人員による）現物の支援も同様に、戦略的に重要である。
2. マーケターのように思考する。これが意味するのは、文化事業体の市場性のあるすべての資産を特定することは重要だということである。これらの中には、名前、ロゴ、イメージ、オーディエンス、コミュニティー、プログラム、会場、公衆の組織についての認知を含むことがある。同様に、潜在的なスポンサーのマーケティングの支援をスポンシーのコミュニケーション計画と統合することは、戦略的重要性があるであろう。
3. アプローチされている会社について可能な限り多くを学ぶ。ビジネス紙を読む、会社のアニュアル・リポートをチェックする、その会社の広告やプロモーションを見るなど。
4. 会社にアプローチする前に、ターゲット・マーケットが何であるか決定し、事業体の既存のオーディエンスと両立でき補完するものであるということを検証するよう試みる。
5. スポンサーのニーズに対処する。自分たちの組織と仕事をすると、製品やサービスをもっと売るのに役立つとともに、同時に文化事業体のためにもなる、ということをアーツ・マネージャーは会社に示す必要がある。
6. 主要な意思決定者を特定する。スポンサーシップやコーズ［社会的大義］に関連する決定にとって、アプローチすべき人は（もし誰かいるにしても）財団の上層部ではない。多くの場合は、マーケティング部門の執行役員か販売部門の執行役員あるいはその両方、そうでなければCEOである。

スポンサーシップへの投資が増加を続けている一方、スポンサーシップのプロポーザルの質は低下しているとスポンサーは言う。今日の会社はほとんど常にスポンサーシップのインパクトを現実の数字で測っている。このことは、スポンサーシップとコーズ・リレーテッド・マーケティングのパートナーシップが注意深く計画されなければならないということを意味している。

1. 成功するプロポーザルは〈特徴ではなく、便益を売る。〉文化マネージャーは自分たちのプログラムや会場やイベントをとても誇りとしている傾向がある。結果として、それらのプロポーザルはしばしば、スポンサーへの便益よりもむしろ、コーズのメリット、フェスティバルやコンサートや展覧会の芸術的な卓越性、イベントの経済的なインパクトといった好機について説明している。スポンサーはコーズやイベントや展覧会や公演を買うわけではない。スポンサーは製品やサービスを売るのに役立つプロモーションのプラットフォームを買うのである。
2. 成功するプロポーザルは〈文化エージェンシー［文化組織］のニーズではなく、スポンサーのニーズの対処をする。〉スポンサーシップの申し込みにはエージェンシーの資金のニーズが強調されるのが一般的である。しかし、スポンサーシップに関心がある会社は文化エージェンシーの資金へのニーズにより動機づけられるわけではない。会社は〈その中に自分たちのために何があるのか〉を知りたいのである。
3. 成功するプロポーザルは〈スポンサーのビジネスのカテゴリーに合わせられている。〉このことは、スポンサーが異なれば異なる便益を要求するということを意味している。例えば、保険会社へのプロポーザルではスポンシーの郵送の名簿や理事会へのアクセスに焦点があたるかもしれないし、プロポーザルがソフトドリンクの流通業者に対してのものであれば現地での可視性や販売権が議論されるかもしれない。
4. 成功するプロポーザルは〈プロモーションの拡張が含まれる。〉2種類のスポンサーの便益がある。第1のタイプは、自動的に付与される便益である。それはすなわち、付帯してくる用品等や現場でのサイネージの中にスポンサーであるのを示すことのような、取引に付随していて、スポンサーに何か追加で求めることをしない便益である。第2のタイプは、取引、小売、販売拡張を通して、スポンサーされる機関、イベント、または公演をもとに事を進めるスポンサーの能力からくる便益である。今日では、自動的に付与される便益は、スポンサーの時間と出費を正当化するだけの十分なリターンをめったに提供してくれるものではない。効果的なプロポーザルとは、メディア広告とセールス・プロモーションのための要素やテーマを統一するものとして、どのように文化財や文化イベントを使用することができるかを示すものである。会社に自動的に付与される便益のチェックリストを出すだけでは十分とは言えない。プロポーザルには、投資をどのように資本に換えるかを見込みスポンサーに示すメニューも含むべきである。

5. 成功するプロポーザルは〈見込みスポンサーのリスクを最小化する。〉会社のマーケティングやコミュニケーション部門の執行役員にはスポンサーシップよりもメディアを買うことを正当化する方がずっと容易である。プロポーザルがリスクを最小化できる方法は、掲載が約束されたメディア記事パッケージの一部にすることや、評判のよい共同スポンサーの一覧を作ることを含む。共同スポンサー［の仕組み］は、提供されるその機会が他の会社に良い印象で見られるということを見込みのスポンサーに語るものである。

9.7.4 交渉

マス・メディアが飽和している状況のせいで、会社は消費者へ到達する他の手段を模索せざるを得なくなってきている。スポンサーシップとコーズ・リレーテッド・マーケティングはそれらの手段の1つである。

スポンサー契約が交渉されているとき、スポンサーとスポンサーされた文化・芸術事業体の間で確立された根本的なビジネス関係のことは、いつもで心に留めておかなければならない。スポンサーにとっては、イベントあるいは事業［体］は主としてプロモーションのツールである。スポンサーされる組織にとっては、スポンサーはお金との交換で一定の便益を受け取らなければならないほとんど顧客のようなものである。双方の側が金銭的な価値を得ていると感じる必要がある。このことは、書面で契約することが重要であることを意味する。契約には以下のことを含むべきである。

1. スポンサーになる会社と文化・芸術事業体のゴール。
2. 双方の側から提供されるべき財とサービス。
3. 範囲となる地理的な領域。
4. 開始日と終了日。

5. パートナーのロゴ、名前、イメージの使用のような創造的な部分の仕様。例えば、放送の広告と「公式」という語の意味を誰が管理するか。
6. 資金がどのように計上されるか、売上のどんな部分をアート事業体が受け取るかということについての詳細。
7. 資金の追跡と分配ために用意される法的・財務システム。

9.7.5 測定と管理

スポンサーにとって、スポンサーシップ契約の価値は、スポンサーをしたイベントへの来訪者あるいは参加者の数、イベントのためのプロモーションの材料にあるスポンサーのロゴの位置、イベントでのスポンサーの可視性、メディアへの記事掲載の可能性、イメージ、社会的なインパクト、イベントの商業的な可能性による[22]。

その後、スポンサーシップはこれらの基準を念頭に置いて測定することができる。また、スポンサーの製品やサービスに対する認知あるいは態度の変化を測定すること、販売結果の観点から定量化すること、スポンサーシップにより生み出されたメディアへの記事掲載の価値を同等の広告スペースや時間のコストと比較すること、これらの視点で評価することもできる。

文化マネージャーは、スポンサーシップとコーズ・リレーテッド・マーケティングのキャンペーンを初めから終わりに至るまで検証し分析するシステムを開発する必要がある[23]。スポンサーをされた事業体は、キャンペーンのゴールと消費者たちの知覚の跡を追い、これらをスポンサーに伝達しなればならないだろう。スポンサーは、自分たちのコミュニケーション目標が満たされたかどうか追跡調査をして判断をする。スポンサーはできるだけ多くの情報を求めている。そのような情報を提供することにより、アートの事業体は、その投資に価値があったかどうかをスポンサーに評価させることが可能となる。

イベントの終了後にあるいは所定の間隔で、双方に生じた結果と便益を査定するために、評価ミーティングがスポンサーと共に開催されるべきである。

最後に、成功をしたなら祝福をし、スポンサーはそのサービスに対しアート事業体とコミュニティーに謝意を示すべきであろう。

要約

4つの主要なプロモーション·ツールとは、広告、人的販売、広報［パブリック·リレーション］、セールス·プロモーションである。

プロモーションの機能は、本質的には消費者にメッセージを伝達することであり、消費者に変化をもたらすことである。もし顧客が無関心の段階付近にいるのであれば、変化はとりわけ重要である。もし大幅な変化が必要ならば、あるいは製品が複雑なものならば、人的販売が最適なツールである。もし変化や製品が比較的シンプルなものならば、補助的に他のツールを使用しつつ、広告が使われるべきである。文化的な環境においては、予算が限られるためにPR·パブリシティが最も広く使われるツールとなる。

どんな形態の商業的なコミュニケーションにおいても、購買の決定に関与する様々なプレイヤーを知ることは重要である。通常は5者のプレイヤーが存在する。すなわち、イニシエーター、インフルエンサー、意思決定者、購入者、使用者［ユーザー］である。次のステップは、6つの質問に答えるコミュニケーション計画を策定することである。6つの質問とは、誰が、誰に対し、何を、どのように、いつ、どんな結果をということである。

通常、コミュニケーション計画を策定する際に従う8つのステップが存在する。最初の3つは企業のマーケティング戦略に関係する。3つのステップとは、状況を分析し、マーケティングのゴールを設定し、マーケティング戦略を開発する、ということである。次のステップは、具体的には、コミュニケーション計画を含む。すなわち、目標を設定し、予算を策定し、戦略を開発し、実行してその戦略をモニターする、ということである。

文化事業体は、個人消費者をターゲットとする方法として、しばしば関係性マーケティング（あるいはダイレクト·マーケティング）を使用する。電話と郵送はダイレクト·マーケティングに使用される伝統的なメディアであるのに対し、インターネットとソーシャル·メディアは消費者に直接的に到達するために価値のある新しいツールを団体に提供してきた。

問題

1. プロモーションとは何か。
2. 4つのプロモーション・ツールを区別するものは何か。
3. プロモーションの変数の主要な機能は何か。
4. 広告よりも人的販売が優れているのはどのようなときか。
5. 広報［パブリック・リレーション］はアート事業体のプロモーション戦略のどこに適しているのか。
6. 消費者が無知・無関心の段階付近にいる状況と、消費者が行動（購入）の段階により近い状況の例をそれぞれ挙げることができるか。
7. 子ども向けのショーのチケットを買う際に、関与している意思決定者は誰か。あるいは、子ども向けのショーを学校のシステムの中で上演するときに関与している意思決定者は誰か。それはなぜか。
8. プロモーション計画の背後にある基本的な質問は何の目的に役立つのか。
9. 文化の消費者の意思決定プロセスにおいて批評家は重要な役割を果たすか。
10. マーケティング目標とコミュニケーション目標の違いは何か。
11. ダイレクト・マーケティングの利点は何か。
12. 関係性マーケティングの主な利点は何か。

注

1. Kotler, P., and G. Armstrong. 2005. *Marketing: An Introduction*, 7th ed. Upper Saddle River, NJ: Prentice Hall. ［日本では、『MARKETING: An Introduction』第4版の翻訳が出版されている。フィリップ・コトラー / ゲイリー・アームストロング『コトラーのマーケティング入門』（恩藏直人監修 / 月谷真紀訳）、丸善出版、2014年（ピアソン・エデュケーション 1999年刊の再刊）］
2. Berneman, C., and M.-J. Kasparian. 2003. "Promotion of Cultural Events through Urban Postering: An Exploratory Study of Its Effectiveness." *International Journal of Arts Management* 6(1), 30–40.
3. d'Astous, A., R. Legoux, and F. Colbert. 2004. "Consumer Perceptions of Promotional Offers in the Performing Arts: An Experimental Approach." *Canadian Journal of Administrative Sciences* 21(3), 242–254.
4. 「自主収益 independent revenue」とは、入場料、チケット販売、スピンオフ製品などの形で、団体自体によって生み出される収益のことである。このタイプの収入は、公共セクターからのどんな助成金や補助金も含まないものである。
5. *Public Relations News*, October 27, 1947.
6. [1] Capriottia, P., and A. Gonzalez-Herrero. 2013. "Digital Heritage: Managing Media Relations in Museums through the Internet: A Model of Analysis for Online Pressrooms in Museums." *Museum Management and Curatorship,* 28(4), 413–429. [2] Rørbæk Olesen, A. 2016. "For the Sake of Technology? The Role of Technology Views in Funding and Designing Digital Museum Communication." *Museum Management and Curatorship* 31(3), 283–298.
7. Gürel, E., and B. Kavak. 2010. "A Conceptual Model for Public Relations in Museums." *European Journal of Marketing* 44(1/2), 42–65.
8. Obar, J.A., and S. Wildman. 2015. "Social Media Definition and the Governance Challenge: An Introduction to the Special Issue." *Telecommunications Policy* 39(9), 745–750.
9. "Leading Global Social Networks 2016/Statistic." *Statista. Consulted* July 9, 2017.
10. [1] Baker, S. 2017. "Identifying Behaviors That Generate Positive Interactions between Science Museums and People on Twitter." *Museum Management and Curatorship* 32(2), 144–159. [2] Clark, A.F., S.P. Maxwell, and A. Anestaki. 2016. "Bach, Beethoven, and Benefactors: Facebook Engagement between Symphonies and Their Stakeholders." *International Journal of Nonprofit and Voluntary Sector Marketing* 21, 96–108.
11. Solis, B. 2011. *Engage! The Complete Guide for Brands and Businesses to Build, Cultivate, and Measure Success in the New Web*. Hoboken, NJ: Wiley.
12. Ibid.
13. Hausmann A., and L. Poellmann. 2016. "eWOM in the Performing Arts: Exploratory Insights for the Marketing of Theaters." *Arts and the Market* 6(1), 111–123.
14. Wiggins, J., C. Song, D. Trivedi, and S.B. Preece. 2017. "Consumer Perceptions of Arts Organizations' Strategies for Responding to Online Reviews." *International Journal of Arts Management* 20(1), 4–20.
15. McConnell, J.V., R.L. Cutter and E.B. McNeil. 1958. "Subliminal Stimulation: An Overview." *American Psychologist*, Vol. 13, no 1, p. 229–242.
16. IEG Network を参照のこと。http://www.sponsorship.com/Resources/IEG-Lexicon-and-Glossary.aspx
17. [1] Barnes, M.L. 2011. "Music to Our Ears": Understanding Why Canadians Donate to Arts and Cultural Organizations." *International Journal of Nonprofit and Voluntary Sector Marketing* 16, 115–126. [2] Bennett, R. 2017. "Relevance of Fundraising Charities' Content-Marketing Objectives: Perceptions of Donors, Fundraisers, and Their Consultants." *Journal of Nonprofit and Public Sector*

Marketing 29(1), 39–63. [3] Szczepanski, J. 2017. "Understanding Donor Motivations." *Museum Management and Curatorship* 32(3), 272–280. [4] Wiggins Johnson, J., J. Peck, and D.A. Schweidel. 2014. "Can Purchase Behavior Predict Relationship Perceptions and Willingness to Donate?" *Psychology and Marketing* 31(8), 647–659.

18. Fiffer, S. 2000. "Everything Changed That Day." In S. Fiffer, *Tyrannosaurus Sue* (Ch. 12). New York: Freeman.
19. Field Museum のウェブサイトを参照のこと。http://www.fmnh.org/.
20. Ryan, A., and K. Blois. 2016. "Assessing the Risks and Opportunities in Corporate Art Sponsorship Arrangements Using Fiske's Relational Models Theory." *Arts and the Market* 6(1), 33–51.
21. McClintock, N. 1996. "Why You Need a Sponsorship Policy and How to Get One." *Frontand Centre* 3(5), 12–13 (distributedby Canadian Centre for Philanthropy: http://www.ccp.ca/information/documents/fc102.htm).
22. Fisher, V., and R. Brouillet. 1990. *Lescommandites: lapubdedemain.* Montreal: Éditions Saint-Martin, p. 15.
23. O'Reilly N., and J. Madill. 2012. "The Developmentof a Process for Evaluating Marketing Sponsorships." *Canadian Journal of Administrative Sciences* 29, 50–66.
24. Moore, J. 2015. "Witches' Night Off: Wicked Cast Raises $12,000 at Denver Benefit." DCPA *Newscenter*. June 25. https://www.denvercenter.org/blog-posts/news-center/2015/06/25/witches-night-off-wicked-cast- raises-$12-000-at-denver-benefit. Consulted October 11, 2016.
25. Winograd, M., and M. Hais. 2014. *How Millennials Could Upend Wall Street and Corporate America.* Washington: Brookings Institution.

さらに参照するときは

Berlin N., A Bernard, and G. Furst. 2015. "Time Spent on New Songs: Word-of-Mouth and Price Effects on Teenager Consumption." *Journal of Cultural Economics* 39, 205–218.

Camarero, C., M.J. Garrido, and R. San José. 2016. "Efficiency of Web Communication Strategies: The Case of Art Museums." *International Journal of Arts Management* 18(2), 42–63.

Colbert, F., A, d'Astous, and M.-A. Parmentier. 2005. "Consumer Perception of Private versus Public Sponsorship of the Arts." *International Journal of Arts Management* 8(1), 48–61.

d'Astous, A., A. Caru, O. Koll, and S.P. Sigué. 2005. "Moviegoers' Consultation of Film Reviews in the Search for Information: A Multi-country Study." *International Journal of Arts Management* 7(3), 32–46.

d'Astous, A., and F. Colbert. 2002. "Moviegoers' Consultation of Critical Reviews: Psychological Antecedents and Consequences." *International Journal of Arts Management* 5(1), 24–36.

Fishel, D. 2002. "Australian Philanthropy and the Arts: How Does It Compare?" *International Journal of Arts Management* 4(2), 9–16.

Grizzle, C. 2015. "Efficiency, Stability and the Decision to Give to Nonprofit Arts and Cultural Organizations in the United States." *International Journal of Nonprofit and Voluntary Sector Marketing* 20, 226–237.

Gosling, V., G. Crawford, G. Bagnall, and B. Light. 2016. "Branded App Implementation at the London Symphony Orchestra." *Arts and the Market* 6(1), 2–16.

Hausman, A. 2012. "The Importance of Word of Mouth for Museums: An Analytical Framework." *International Journal of Arts Management* 14(3), 32–43.

Hudson S., and R. Hudson. 2013. "Engaging with Consumers Using Social Media: A Case Study of

Music Festivals." *International Journal of Event and Festival Management* 4(3), 206–223.
Kristiansenb, K., and K. Drotnerc. 2015. "Mediated Co-construction of Museums and Audiences on Facebook." *Museum Management and Curatorship* 30(3), 174–190.
Legoux, R., D. Larocque, S. Laporte, S. Belmati, and T. Boquet. 2016. "The Effect of Critical Reviews on Exhibitors' Decisions: Do Reviews Affect the Survival of a Movie on Screen?" *International Journal of Research in Marketing* 33, 357–374.
Mark. A.A.M., M.A.A.M. Leenders, M.A. Farrell, K. Zwaan, and T.F.M. ter Bogt. 2015. "How Are Young Music Artists Configuring their Media and Sales Platforms in the Digital Age?" *Journal of Marketing Management* 31(17/18), 1799–1817.
McGrath, T., R. Legoux, and S. Sénécal. 2017. "Balancing the Score: The Financial Impact of Resource Dependence on Symphony Orchestras." *Journal of Cultural Economics* [online], 1–19.
Moore, S. 2015. "Film Talk: An Investigation into the Use of Viral Videos in Film Marketing, and the Impact on Electric Word of Mouth during Pre-release and Opening Week." *Journal of Promotional Communications* 3(3), 380–404.
Nigel, L., N.L. Williams, A. Inversini, D. Buhalis, and N. Ferdinand. 2015. "Community Crosstalk: An Exploratory Analysis of Destination and Festival eWOM on Twitter." *Journal of Marketing Management* 31(9/10), 1113–1140.
Olson, E.L. 2010. " Does Sponsorship Work in the Same Way in Different Sponsorship Contexts?" *European Journal of Marketing* 44(1/2), 180–199.
Ruud, S., R.S. Jacobs, A. Heuvelman, S. Ben Allouch, and O. Peters. 2015. "Everyone's a Critic: The Power of Expert and Consumer Reviews to Shape Readers' Post-Viewing Motion Picture Evaluations." *Poetics*, 52, 91–103.
Sargeant A., and J. Shang. 2012. "How We Make Donors Feel: The Relationship between Premium Benefit Level and Donor Identity Esteem International." *Journal of Nonprofit and Voluntary Sector Marketing* 17, 157–171.
Tong, E., C.J. White, and T. Fry. 2016. "Classical Music Concert Attendance and Older Adults: A Goal-Directed Approach." *Journal of Leisure Research* 48(2), 178–187.

Chapter 10

Technology

第10章
テクノロジー

目 標

- 情報テクノロジーのマーケティング機能へのインパクトを探求する
- eマーケティングとオンライン流通技術に光を当てる
- 顧客の特定と顧客モデリングという概念を示す
- 販売予測の進化を正確に示す
- 文化的製品に対してダイナミック・プライシング［動的価格設定］とイールド・マネジメントの原理を適用する
- 関係性マーケティングについて理解する

イントロダクション

この10年にわたって、情報テクノロジー革命（とりわけ、インターネット、データベース・システム、コンピューター分析の組み合わせ）がアートに関するマーケティングの機能を変容させ、以前なら、より規模が大きく豊かな産業のみに限られていたレベルの洗練をもたらした。

コンピューターは、3つの「素晴らしい力」をもたらした[1]。

1. 〈記録する力〉：団体はいまや、名前と住所だけでなく、年齢、ジェンダー、婚姻状況、家族構成、それに購買習慣や購買歴といった、それぞれに対する多くの特徴を備えた数百万人の顧客記録を貯蔵できる。
2. 〈見つける力〉：ひとつまたは複数の特徴によってデータベースから個人を選び出すことができる。
3. 〈比較する力〉：あるひとまとまりの特徴を持った顧客の情報は、別のまとまりの特徴を利用する顧客の情報と比べることができる。

これらの3つの力とスピード、双方向性、インターネット上でのコミュニケーションの実現可能性の組み合わせが、マーケティング革命の基盤をなしている。それは、マーケティング・ミックスのほぼすべての側面を活用して、アート製品と、価格、プロモーション、流通戦略の概念そのものを変える。それは、団体にとってはさらなる効率性を、顧客にとってはより良いサービスを約束するものである。

この革命は、始まったばかりである。

インテル（世界最大のマイクロプロセッサー会社）の共同創設者であるゴードン・ムーアの有名な予測によれば、コンピューターの演算能力と容量は18か月ごとに倍増する。この予言は40年前になされ、それ以来、真実であり続けている。この先10年以上にわたってこの状態が続けば、コンピューターの容量は100倍にもなり、コンピューターの利用にとって考えられるいかなるニーズをも満たすことができるだろう。それと同時に、コンピューターの価格はずっと安定的に下がり続けている。さらには、携帯電話のテクノロジーが新しい未知のマーケティングの領域の可能性を提供する。

この章では、情報テクノロジーをマーケティングのプロセスと統合することでもたらされる最も顕著なイノベーションのいくつかについて述べる。

10.1 eマーケティング

eマーケティングとは、インターネットをダイレクト・マーケティングに応用することである。ダイレクト・マーケティングは、即時に顧客の反応を得るため、また、顧客との継続的な関係性を育てるために、注意深くターゲットを特定された個々の消費者と直接のつながりをつくることから成る[2]。ダイレクト・マーケティングは新しいものではない。これまでも長い間カタログ販売は行われてきた。しかし、それは、eマーケティングによって活気を取り戻した。インターネットは、消費者のニーズによりよく対応することをゴールとして、組織がそれぞれの個人の顧客との間に密度の濃いカスタマイズされた関係性を編むことを可能にする。

10.1.1 ダイレクト・マーケティングの原理

ダイレクト・マーケティングのキャンペーンにおいて、組織は、郵便や電話やeメールによって、通常は期間を限定した特定のプロモーションの提案を直接個人の顧客に送る。これは、ビルボード[屋外看板]や、新聞や雑誌、ラジオ、テレビのようなマス・メディアによるものと対置される。ダイレクト・マーケティングは、注文、契約の更新、情報請求、あるいは販売小売店やウェブサイトへの訪問の形で、直接的で素早い反応を生み出す。

マス・メディアは、動きの速い消費財のプロモーションには効果的だが、文化的製品にはあまり効率的でないことがわかっている。文化の分野では、通常、ターゲットが小さすぎるのに対して製品は複雑すぎ、組織がマス・コミュニケーションの技術を十分に活用するためには予算が限られている。さらに、広告のインパクトを否定することはできないが、それを正確に測ることは難しい。ある広告が見られ、理解され、記憶されていたかどうかについて、人は確信を持つことができない。というのは、コミュニケーションは組織からターゲットに向けて一方向に流れるからである。消費者に影響を与える他の要素から広告の効果だけを区別して取り出すことはとりわけ困難である。

最後に、消費財のためのプロモーションの出費は着実に増大を続けており、予算の少ない商品を圧倒してしまいがちである。このような安定的な成長、メディアの増殖、それによる広告の遍在のために、消費者はこの種のマーケティングに反応しなくなり、ほとんどの広告メッセージを無視することで、殺到するコミュニケーションから自分の身を守ろうとする。

ダイレクト・マーケティングはこれらすべての懸念に対処することができる。ダイレクト・マーケティングはいくつかの利点を提供する。

- 〈より正確なターゲティング。〉なぜなら、ダイレクト・マーケティングでは、購買の可能性があると思われる消費者に対してのみ、それに合わせた提案とともにコンタクトがなされるからである。伝統的な広告では、ターゲティングはある特定のメディアのオーディエンスというくらいの正確さのものである。例えば、新聞の広告は、その新聞を購読している読者によって見られ――おそらくは読まれ――ているが、新聞の読者は全員がその広告の対象である製品の現顧客または潜在顧客ではない。
- 〈プロモーション・キャンペーンの投資収益率の正確な測定。〉なぜなら、ダイレクト・マーケティングでは、提案に対する反応の率、1コンタクトあたりのコストが知られているからである。例えば、仮に、特定の提案を推進する1,000通の手紙が送られ、20人が返答するならば、投資収益率は20件の売上からの収益を総コスト（提案を組み立てる時間や文章を書く時間、用紙代、印刷費、封筒代、切手代、および出荷手数料）で割ることによって計算される。
- 〈ターゲットとの、より個人向けの双方向のコミュニケーションの流れ。〉なぜなら、ダイレクト・マーケティングでは、ターゲットの側は直接的に反応することを奨励されるからである。この消費者のフィードバックは、提供されるサービスと顧客満足度の両方を高めるのに欠かせないものである。
- 〈ダイレクト・マーケティングにおいて、伝統的なメディアのようにスペースの大きさを制限されることなく、密度の濃いメッセージや複雑な提案を送る能力。〉
- 〈提案の開始からそれを顧客が受け取るまでの間のリードタイムの縮減。〉なぜなら、ダイレクト・マーケティングでは、公式の発行スケジュールとは関わりなく、いつでも提案を送ることができるからである。

これらすべての理由により、ダイレクト・マーケティングは多くの文化組織で主要なコミュニケーション手段になってきている。

10.1.2 eマーケティングの利点

伝統的にダイレクト・マーケティングに利用されてきたメディア（郵便、電話）は、今でも大変よく利用されている。だが、それらはいくつかの限界を示している。

・〈郵便〉：郵便はダイレクト・コミュニケーションに関して多くのフォーマットを提供する。すなわち、手紙、ハガキ、ブローシャー、カタログ、サンプル、テープ、CDである。多くの国では、大量の郵便を送るときには割引制度がある。しかし、それにも関わらず、郵便は比較的高額で時間がかかるコミュニケーション手段である。

・〈電話〉：テレマーケティング（すなわち、電話をダイレクト・マーケティングの目的で使う）は郵便よりも速く、より双方向的である。しかし、さらに高額でもある。人々に電話をするのは時間がかかり、労働集約的である。テレマーケティングが規制を受けている国もある。個々人は、セールスやマーケティングの電話を避けるために、電話番号をリストから除外することができる。

eマーケティングは、顧客に到達するためにそれ以上に魅力的で経費的にも効率的な方法である。インターネットへのアクセスは急速に成長している。実際、文化的消費者の大多数はすでに繋がっている。eメールを送るコストは、電話をしたり切手を買ったりするためのコストのほんの一部である。eマーケティングはテレマーケティングと同じように双方向的ではあるが、顧客はeメールに対しては直ちに答える必要がないため、無遠慮さは電話よりずっと少ない。キャンペーンを始めるために必要なリードタイムは非常に短い。文章を書き、eメールのアドレスを抽出し、eメールを送るのにたった2時間しかかからない。これを手紙でやろうとすると、文章を書き、形式を整え、印刷して発送するのに2、3週間はかかる。eメールに返信するのは、手紙に返事を書くのよりも簡単で手早いので、eマーケティング・キャンペーンの回答率は非常に高い傾向がある。その上、eメールはその後いろいろな使い方が可能で、それを簡単に友人に転送することで顧客を団体の支持者に変える。

これらすべての理由により、郵送やテレマーケティングのキャンペーンに比べ、eマーケティングのキャンペーンの投資収益率は非常に優れている。しかしながら、迷惑メール(非公認の商業メール)が溢れているので、それがeマーケティングのイメージをよくないものにしてしまった。そのことへの対応として、いくつかの国では、望まれていないeメールの流れを抑制する制限的な法規制を採用している。したがって、それぞれの顧客にプロモーションのeメールを送る許可を取り、もし顧客が拒否すれば速やかにデータベースからアドレスを削除するのが望ましい。また、団体は、それぞれの顧客に対してプロモーションのeメールを月に1、2回以上は送らないようにすべきである。

10.1.3 応用:ステッペンウルフ・シアター・カンパニー(シカゴ、アメリカ)

創設以来30年にわたって、ステッペンウルフ・シアター・カンパニー[3]は、質の高い舞台を提供する代表的な劇団として知られ、前例のないほど国内外で広く認識されている。また、最初は未開拓な状態から出発したが、近年ではその芸術的妥当性をまったく損なうことなく、マーケティング面でも大きな力を持つ団体に成長した。

伝統的に、ステッペンウルフは、毎年提供する20万枚のチケットを売るために、定期会員制の基盤に大きく依存してきた。定期会員(シーズン・チケットの保持者)を惹きつけ、継続させるコストは、1回券の購入者を惹きつけるコストに比べてはるかに安くて済む。だが、アメリカの多くの劇団と同じように、ステッペンウルフは会員制度の基盤の崩壊を経験していた。

会員制度コンサルタントのエイミー・シンガー・カイザー Amy Singer Kaissarは説明する。「アメリカ中で、地殻変動のようなチケット購買傾向の変移が起こっています。定期会員、メンバー、シーズン券を持っている人は、それを更新しません。彼らは劇場にやってくるかも知れませんが、チケットを事前にまとめて購入することはしないのです。この変移は、1990年代後半に始まり、今日も増加し続けており、これを無視することはできません。この潮の変化は、劇場、博物館、オーケストラ、オペラ・カンパニー、業界団体、スポーツ・チーム、その他の団体にも影響を与えています。劇場は、長い間、事前にお金を払ってくれる手堅い観客層に支えられてきましたが、その傾向が弱まっているのは危機的状況なのです。」[4]

ステッペンウルフはこのようにますます1回券の購入（費用が嵩む提案）に依存せざるを得なくなるだろう。エグゼクティブ・ディレクターのデイビッド・ホーカンソンDavid Hawkanson[5]は、「1回券を売るのには広告費が1ドルにつき50セントかかります」と説明する。「もしシカゴで一番の有力紙であるシカゴ・トリビューンの180万人の読者にコンタクトするために1ページの広告を出すとしても、そのうちの4％以下しか劇場には行っていないのです。」

定期会員は、個別の演目が上演される前にシーズン全体のチケットを購入する（そのことで観客の水準を保証し、組織のキャッシュフローを組み立てる）が、その一方、1回券購入者の行動は予測できず、直前のタイミングで購入する傾向がある。組織は、伝統的なコミュニケーションの手段では、集客状況がよくない場合にそれに対応するための時間とお金を持っていなかった。インターネットのおかげで、1回券のマーケティングは、これまでのどの時期よりも時間も速くなり金額も安くて済むようになった。

ステッペンウルフがeマーケティングへの投資を行い、すべてのチケット購買者にeメール・アドレスの提供を依頼し、メール・アドレスを集めることを決めたのは、このためである。「私たちは、公演プログラムに、「アンケートに答えて隣のレストランのディナーを当てよう」というチラシを挟み込んでいます」とホーカンソンは説明する。「ディナーが無料になるという［顧客の］期待によって顧客のいろいろな情報が得られるのです。」ステッペンウルフは、すでに5万件のeメール・アドレスを集めたデータベースを構築した。このデータベースは、現在上演中かこれから上演されるショーをプロモーションするための素晴らしいツールである。また、集客が期待通りでない場合に素早く修正のための対策を取ることを可能にする。劇場がプロモーションのオファーを決めて、文章を書き、見込み客のデータベースを調達し、そのオファーをeメールで送るのにたった2時間ほどしかかからず、非常に安価なコストで可能である。

ステッペンウルフはチケットを売るためだけではなく、観客との関係を強めるためにもeマーケティングを利用している。「eマーケティングは観客に情報を提供する最も簡単で効果的な方法です」とホーカンソンは言う。「もし、あなたが今日新聞を手に取る場合、そこに掲載されている劇評は1つだけです。私たちは、eニュースレターの中で、6編の劇評を提供します。観客の知的好奇心に答えることは、私たちにとって非常に重要なことです。特に1年目の定期会員は会員更新の比率が他の会員よりも常に低いので、定期会員継続の意思を持ってもらうためにeメールを使っています。私たちは、会員特典の利用率の記録をたどることができます。観客が購入した各公演の前日にリマインダーをeメールできます。もし、観客がいずれかの公演に来なかった場合は、次の日にeメールを送って、「昨日はお見かけしませんでしたが、何か私たちにできることがありますか」と聞くことができます。観客は忘れがちなので、彼(女)らが現在会員になっていて、いくつもの便益を受けられることを思い起こさせてあげることが必要なのです。会員になっていても、その権利を使わなければ、彼(女)らが会員を継続することはありません。」

eマーケティングは、1回券購入者を会員に変えるための素晴らしいツールでもある。マーケティング・ディレクターのエリン・ウェストErin Westは説明する。「1回券購入者を劇場に再訪させる最も良い方法は、公演を観劇した後なるべく時間をおかずに他の公演についてのプロモーションのオファーをすることです。」[6]「ここがeマーケティングの出番です。あなたがステッペンウルフに来た翌日、私は、「昨日はご来場・ご観劇いただき、ありがとうございました。これから3か月以内に、お好きな公演の2人で1人分のペア割引チケットを提供できます。おいでをお待ちしています」というeメールを送ることができます。このやり方は、5年前ですらできていなかったでしょう。なぜなら、これらの顧客の情報をシステムから抽出して、デザインし、印刷し、プロモーションの手紙を送ることは、非常に手間と時間がかかることだったからです。」

ホーカンソンは結論づける。「私たちは、ブログも始めました[7]。この新しい媒体[ブログ]によって、観客が私たちの新作をどう思ったかを共有する必要があります。携帯電話のテキスト・メッセージを使って顧客に情報を知らせる方法についても考えています。これらは、すべて観客との双方向的関係を深めるでしょう。これが、私たちが向かっている方向なのです。」

10.2 オンラインの流通

10.2.1 原理

ダイレクト・マーケティングは、しばしば、直接販売［直販］につながる。オファーに答える消費者は、団体に対して直接製品を注文するので、団体は中間業者や小売業者を排除することができる。このモデルは、その場に実際に観客を迎え入れる文化組織（劇場、オーケストラ、博物館）の場合にもっともよく当てはまる。なぜなら、チケットは簡単に郵便で送ったり、インターネットから印刷したりできるからである。

オンライン流通は、伝統的な実店舗 bricks & mortar の小売形態に比べて明らかな利点を提供する。

- 〈より速い〉：取引はリアルタイムで起こる。時間の遅れはなく、電話の掛け直しもいらない。
- 〈より安い〉：中間業者の手数料も印刷費も郵送費も必要でなくデータ入力のコストも不要である。顧客はチケットを購入するときに自分たちの情報を自分たち自身で入力するからである。
- 〈より良い〉：顧客は昼でも夜でも好きなときに、また、世界のどこからでもチケットを買うことができる。また、取引を完了するのに必要なほとんどすべての情報には、たった1回だけ画面をクリックすれば行き着く。

また、より信頼性も高い。オンラインでの販売により、より良い、より詳細な販売報告と分析が得られるとともに、マーケティング戦略の収益性に関して、より多くの情報を得ることができる。

在庫をコンピューター化することで、これまで常に課題であった、より厳しい制御が可能になった。「私たちは、いつ、どの時点でも、ユニークな製品を数多く販売しています」とワシントンDCのジョン・F・ケネディ・パフォーミング・アーツ・センター主任情報官アラン・レヴァイン Alan Levine は言う[8]。「どの公演のどの席も、ただ1つのユニークな品です。ケネディ・センターでは、どの時点でも、150万種類ものユニークな品を販売しています。そして、その座席は1回しか売ることができません。私たちは、ある席の隣の席について知っていなければなりません。なぜなら、ほとんどの人たちは誰かと一緒に公演に来て、その人と隣同士に座りたいと思うからです。そこで、それらの座席を1,000種類引き出し、席のお互い同士の関係を示す必要があります。それは、リアルタイムで行わなければなりません。定期会員制度があることで事態の複雑さの層がひとつ増します。ですが、チケットは厳格なルールに従います。すなわち、1つの座席は1回だけしか売ることができません。もし、2つの座席を売る場合は、それらは隣り合っていなければなりません。ルールを決めてあれば、ソフトウェアの中にそれをプログラムすることができます。」

オンライン流通の運用は、組織が維持している伝統的な小売チャネルと完全に統合され、つながっていなくてはならない。そのようなオンライン流通と伝統的な流通の組み合わせは、しばしば、「クリック&モルタル click & mortar」流通と呼ばれる。

海賊版を生んでしまうという弊害はあるものの、インターネットは音楽、画像、映画の製品の流通についても非常に効果的な手段であることが証明された。非デジタル製品を消費者に売る際には、「ラストマイル・ロジスティクス」という大きな課題が生じる。この「ラストマイル」というのは、オンラインの注文プロセスと物理的な製品の配送のつながりのことである。店舗を基盤とした小売とは対照的に、オンラインショップは店舗までではなく消費者の自宅まで製品を届けなければならない。「ラストマイル・ロジスティクス」は、eコマースの重要な要素となった。特に休暇シーズンのような需要の大きな繁忙期には、配送に関する厳しい問題が起こりうる。劣悪な配送サービスのためにがっかりした消費者はその後オンラインで再度購入しようとは思わないだろう[9]。

10.2.2 良いウェブサイトと検索エンジンの最適化の重要性

オンライン流通のためには良いウェブサイトは欠かすことができない。しかし、多くのサイトが適正な水準に達していない。それらのサイトは、内容が明確ではなく、ときには読みとることさえもできない。それらのサイトのナビゲーションは直感に沿っておらず、統一性がない。サイトには、製品、価格、製品が入手可能かどうかの基礎的な情報がない。おかげで購入者は不満を感じ、ウンザリして決して戻ってこない。これはお金の無駄でもある。ウェブサイトの開発は安くはないが、拙劣なウェブサイトは組織の評判にダメージを与えるはずである。

パトロン・テクノロジーのCEOであるユージーン・カーEugene Carrにとって、「よくできたアートのウェブサイトは、注意深く構造化されたWebページの集まりである。それは、組織の全体的なミッションと活動の成果を支える測定可能なゴールを達成するようにデザインされ、つくりあげられている。よくできたアートのウェブサイトは、ビジターが求める情報を最速で提供し、マウス・クリックを最少に、混乱を最小にする。そのようなウェブサイトは、本質的にマーケティングのための機械である」[10]。

ウェブサイトのゴールは、明確に優先順位がつけられているべきである。ウェブサイトは第1に製品を売り、製品の情報を共有し、eメールを集めるためのツールであるべきである。技術的なよさを誇るために不必要なほど複雑であってはならない。したがって、ウェブサイトはIT部門ではなくマーケティング部門によって統制されるべきである。サイトの訪問を注意深く分析すれば、改善に至る重要な情報を提供してくれるだろう。

サイトのレイアウトには特別の注意が払われるべきである。サイトのナビゲーションは論理的で簡潔、かつ直感に沿ったものであるべきである。不要なクリックは無くすべきである。例えば、チェックアウトのためのプロセスは4クリック以下、急ぎのチェックアウトのプロセスは2クリック以下で完了しなければならない。在庫が用意されていなければ、注文を受けてはならない。また、チェックアウトの間に想定外の料金を提示すべきではない。物理的な製品の場合、ウェブサイトは包括的に注文配送を追跡する能力を持ち、正確な配達時間を提供するべきである。サイトは頻繁に更新され、サイトに投稿された問い合わせは素早く答えられるべきである。

高名なウェブサイト・コンサルタントであるスティーブ・クリュッグSteve Krugは、「私に考えさせるな」と言う。「ウェブデザインの中で、何かが機能するかしないかを決めるときに、そのことが究極の判断の決め手となる。Webページを見ているとき、それは見たままで明らかであるべきだ。自明で、見るだけですぐ分かるものでなければならない。もし、あなたが頭の中で使いやすさに関するルールをたった1つだけ考えるのなら、このことをルールにしなさい。実際には、それと近い他の候補がある。それは、どのページでも言葉を半分にし、さらに残った中の半分を削りなさい、というものだ」[11]。

ウェブサイトの開発は、選択されたキーワードに対して（グーグルやヤフーのような）メジャーな検索エンジンのトップ・ランキングを獲得してビジターを自然に引きつけるように誘導されるべきである。団体は、人々がその団体の製品をどのように探しているのかを理解するべきである。トップ・ランキングを獲得しているサイトを訪ねると、団体のサイトをどのように改善するかの手掛かりを与えてくれるだろう。顧客がウェブサーチをしている間に、そのサイトが取り上げられるチャンスを最適化するためには、団体はそれぞれのウェブページを関連するキーワードを使ったテキストで書き始め、これらのキーワードをページへのリンクとして使い、それぞれのページを他の関連するウェブサイトとリンクさせるだろう。このプロセスは、サーチ・エンジン・オプティマイゼーション（SEO）と呼ばれる。

10.2.3　応用：シドニー・オペラ・ハウス（シドニー、オーストラリア）

シドニー・オペラ・ハウスは、オーストラリアの主導的なパフォーミング・アーツ・センターであり、アートや文化の活動を多彩に混合させるプロデュースを行い、年間2,400件の催事を上演している。その素晴らしい場所、よく知られた貝の形をした建物、3,000席のコンサートホールは年間400万人以上の来場者を惹きつけている。

シドニー・オペラ・ハウスは、そのパトロン［顧客］がインターネットを使って席の有無をチェックし、座席を選択し、チケットをリアルタイムで購入することができるようにして、パトロンのオンライン上での経験を拡大しようと試みた。パトロンにできる限り最適なチケット・サービスを提供するために、シドニー・オペラ・ハウスはウェブ・インターフェイスを備えた先進的なチケット・システムにアップグレードした。

結果は明らかだった。オンラインでのチケット販売は顕著に増加し、今ではすべての1回券の売上の1/3以上（時には80％にも）の割合を占めている。

シドニー・オペラ・ハウスの情報システム部長クレア・スワフィールドClaire Swaffieldは、「オンラインでのボックス・オフィスの取り組みが私たちのチケット販売方法を変えました」と語る[12]。「第1に、所定の時間の中で、非常に多くの販売量を扱えるようになりました。私たちはスコットランドのコメディアン、ビリー・コノリー Billy Connolyのコンサートの約60%をオンラインで販売しました。複数の取引方法を提供することができたので、チケット販売開始日に3回のコンサートのチケットを売り切ることができました。以前には、このような扱いはできなかったのです。ウェブ・チャネルが作動し、ユーザーがそこにやってきて非常に速やかに取引できるのを見たのは素晴らしいことでした。私たちは、オンライン・ボックス・オフィスを1日あたり望む限り長く営業し、顧客の皆さんは昼でも夜でもどんな時にでも購入することができます。最後に、私たちは今、手作業で取引をしていた時に比べ、非常に多くの顧客データを集め、保存し、それを引き出すことができます。私たちは、観客に対して直接に売買するとてつもない能力を持っているのです。さらに多くの顧客がこの販売チャネルでチケットを購入したがっていますが、いまやそれが驚くべき信頼度でできるのです。私たちは、オンライン流通能力に多くの時間とエネルギーを投資しましたが、それによってできるようになるいくつかのことに圧倒されます。」

10.3 顧客の特定

10.3.1 原理

近代広告の父、ジョン・ワナメーカー John Wanamakerは、「私が広告に使うお金の半分は無駄になる。困るのは、どちらの半分が無駄になるのかがわからないことだ」と語った。そのような無駄を避けるために、そして、eマーケティングのキャンペーンに最もよく備えるために、組織は最初に、既存顧客と潜在顧客の中から、提案に対して最も好意的に答える可能性の大きい人たちを特定しなければならない。今日、事業体はテクノロジーによって、それぞれの顧客を個人的に識別し、特定のオファーとともにアプローチするために情報を使用することができるようになった。

組織は、それぞれの顧客の入手可能で利用できるすべての情報を収集するべきである。すなわち、コンタクト情報（名前、住所、電話番号、eメールアドレス）、販促の対象である製品に関するその個人の興味を評価するために必要なデータ（人口統計学、サイコグラフィックス、消費者行動、満足度レベル、取引明細、他）、そして、「クリコグラフィック」(ウェブサイト訪問行動とオンライン取引履歴)である。生年月日のようないくつかのデータは固定していて変更は不要である。満足度レベルのような他のデータは常に更新が必要である。

これらすべてのデータを集めることは、組織が、それぞれの顧客のニーズと同様に団体に対する顧客の潜在的価値についてよりよく把握する手助けとなるだろう。どの顧客がより価値が高いかを事業体がわかっていれば、事業体はその競争における努力に優先順位をつけることができ、より高い収益を生み出すそれらの顧客に対してより多くの時間と資源を配分することができるだろう。それぞれの顧客のニーズを知れば、それらのニーズに応えることが可能になり、そうすることで、顧客のロイヤルティ[忠誠心]を固定させることができ、事業体に対する顧客の価値を向上させることができる[13]。

組織は、直接の取引の間に顧客に情報を求めることができる。別の方法としては、組織は第三者から情報を買うか、同じオーディエンスをターゲットとする組織から、他の消費者の情報と引き換えに情報を得る。消費者情報は、その後、特にそれぞれの顧客との取引が行われた後で、コンピューター化されたデータベースにおいてより簡便なアクセスと更新のために整理統合される。

入手可能なすべての顧客データを把握し、統合し、活用するには、厳格なプロセス、文書化された規則、データを効果的に用いる規律が要請される。だが、その結果得られるものは大きい。得られるものは、実用的なマーケティングの機密情報に容易に変換することが可能な、一貫性があり数量化された明確なデータである。

10.3.2 消費者データの統合

究極的には、もちろん、顧客情報を集める目的は個々の顧客との間に、より密接でより多くの利益を生み出す関係性を作り出すことである。多くの場合、この関係は顧客の次の取引をより簡単に、素早く、安価にできるような情報の入手可能性によって促されるだろう。例えば、ある顧客のロジスティクスに関する情報を記憶しておくことで、顧客にとっての再注文の過程をより容易にできるだろう。このタイプの情報を記憶しておくことは、顧客が団体にとって重要であり、彼のパトロネージが価値あるものだと顧客に信じさせることにもつながるだろう[14]。

しかしながら、多くのアート組織は、依然としてサイロのような縦割り意識で動いており、そこではそれぞれの機能（広告、ファンドレイジング、定期会員制度、チケッティングやボックス・オフィス、顧客会計）が比較的自律していて、それぞれ別々の顧客情報システムを維持している。しばしば、これらのシステムは入れ替え不可能で、事実上、特定の顧客に関するすべての情報を1つのファイルにまとめることは不可能である。抽出や照合を行うにはどんな場合でも広い範囲の手作業が必要になる。

その結果として、組織は顧客に対して無秩序なやり方でアプローチを行う。パトロンは、マーケティングとボックス・オフィスとディベロップメント［助成収入獲得を開発する部門］の各部門から、調整の取れていない、ときには相互に矛盾する一連のオファーや懇請を受ける。また、パトロンは個別のそれぞれの取引について違う部門に連絡しなければならない。その上、寄付者がチケットを予約するときに寄付者として認識されておらず、そのことはおそらく寄付者の組織に対するロイヤルティを揺さぶり、組織との絆を弱めることになる。

これは変える必要がある。個別の顧客のデータ1つ1つは、どれも1つのファイルの中に統合され、組織全体を通して利用可能な顧客に関する完全な事実が明らかにされなければならない。いったん顧客のアイデンティティが固定されると、それは、顧客とのすべてのコンタクトの場面で、また、事業体の様々な業務の単位と部門すべてにおいて、顧客との取引や相互作用のすべてとリンクされるべきである[15]。したがって、組織内のデータベースはどれも、営業部門も管理部門もマーケティング部門も財務部門もすべて繋がっていなければならない。さらに望ましいのは、それが統合されていることである。

ある顧客が組織の別の部門に戻ってくるときには、違う顧客ではなく同じ顧客だと認識されるべきである。言い換えれば、今日ウェブサイトを訪れ、明日には店舗やボックス・オフィスで購入し、次の週にフリーダイヤルに電話する顧客は、それぞれが別の3人の客だと認識されるのではなく、同一の顧客だと認識されるべきである。事業体のデータベースに保持されている顧客のアイデンティティに関するデータは、事業体の中のそれにアクセスする必要のある人々や機能にとって利用可能になっていなければならない。サービス組織においては、顧客を特定する情報がフロントラインのスタッフに利用可能になっていることが特に重要である[16]。

10.3.3　応用：ロイヤル・アルバート・ホール（ロンドン、イギリス）

ロンドンのロイヤル・アルバート・ホールは、BBCプロムスとロック・コンサートの双方の本拠地であり、130年以上にわたって音楽愛好家の人気を博してきた。同ホールは、1年に365回のイベントとパフォーマンスを上演し、127万人の聴衆を集めている。

同ホールは、最近、1億2000万ドルをかけた8年にわたる改築と再開発のプログラムを完成した。「このプログラムの終結に向けて、私たちはビジネス実践への集中を始めました」とカスタマー・リレーションズ部長のサラ・ウッズSarah Woodsは回想する[17]。「私たちは、この魅力的な建物を改装した後で、顧客に対して提供するサービスを見直さなくてはならないと考えました。そのビジョンの中心にあったのは、組織の中の顧客の詳細情報のすべてを記録する統合システムを持つというコンセプトでした。これによって、ホールと1人1人の顧客の関係性をひとつの見方で捉えることができるようになることがわかっていました。」

同ホールは、100万人以上の顧客の記録をいくつかのデータベース内に散らばった状態で保持していた。この資産は、もし、ひとつの情報システムの中に適切に統合されれば、現在活用されているよりももっと大きな便益を提供することができるだろうとマネジメント・チームは理解していた。2日間連続の休館日を設け、ボックス・オフィスを閉じ、すべての顧客の記録と600件以上のライブ・パフォーマンスから新たなデータベースにデータを変換した。「変換のプロセスは事前に何度もテストしておいたのですが、それでもチームにとって見通しが不安定でした」とウッズは言う。これは極めて野心的なプロジェクトであり、システム・セットアップ、テスト、訓練のために設定された締め切りを守ることを確実にしておくために2名のフルタイムのスタッフを割り当てなければ、とても達成できなかった。設定された48時間の終了時、すべての鍵となるデータがチェックされ、ボックス・オフィスが新システムを使ってチケットを売り始めた。

翌日、オンラインチケット販売の新たなバージョンが動き始めた。「新たなデータベースをウェブ・ソリューションと統合することを通して、マーケティングのために集められた顧客データが増加しました」とウッズは付け加える。オンラインで予約をするとき、顧客は自分たちが興味を持っているイベントのタイプをホールに伝えるオプションを与えられる。この情報はその顧客のアカウントに選好として記録され、eマーケティングやダイレクトメール・キャンペーンに利用することが可能になる。

長年にわたって、同ホールは聴衆のことをよりよく知りたいと思っていた。ついにそれができるようになった。保存されているデータを使って聴衆リサーチのプログラムが開始された。「私たちは異なる聴衆セクターの間でのロイヤルティのレベルを調査することから始めました」とウッズは言う。「私たちは、フリークエンシー［頻度］に対する質問（人々がどのくらい頻繁にイベントに参加するか）や、クロスオーバーに関する質問（バレエ、オペラ、コンサートなど何種類のタイプの違うイベントを鑑賞するか）を尋ねました。」

だが、同ホールはさらにその先に歩を進めた。同ホールは、内部データベースとモザイクMosaic[18]と呼ばれる外部データベースを掛け合わせた。モザイクとは、400の異なるデータソース（国勢調査局や住宅価格リスト）からの膨大な心理的データまたは行動のデータを結合し郵便番号によって整理しているデータベースである。「私たちがデータベースの中に持っているデータは、ロイヤル・アルバート・ホールでのチケット購入に関する多くの情報を教えてくれますが、顧客が外で何をするかがわかるわけではありません」とウッズは説明する。「彼らはどんな雑誌を読んでいるか、どんなテレビ番組を見ているか、どこで買い物をするのか、何を買うのか。私たちは彼らがどこに住んでいるのかを知っているので、モザイクのデータと私たちのデータを統合してこれらの質問すべてに答えることができます。私たちは、顧客それぞれの人物像がはっきりわかります。例えば、ある顧客は年に10回ホールにやってきます。彼は好んで私たちのレストランを予約します。バレエやオペラを観に来ますが、1987年のエリック・クラプトンのコンサートにもやってきました。彼は『ザ・ガーディアン』［イギリスの大手一般新聞］を読み、マークス&スペンサーで買い物をし、選挙では多分保守党に投票する、など。これは大変正確なツールです。いつも私たちは自分自身の個人データを入れて検証してみましたが、99%は当たっていました。」

そのような情報は、ダイレクト・マーケティングのキャンペーンを準備することや、将来のプログラミングの選択を知らせることや、潜在的なスポンサーを惹きつけるために非常に有用であることがわかっている。「もし、私たちの聴衆のうちの大きな割合がマークス&スペンサーで買い物をしていると証明できれば、この小売チェーンにスポンサーシップの話を持ちかけることができます」とウッズは結論づける。

10.4 顧客のモデリング

10.4.1 原理

「おまえたちに時がはぐくむ種子を見通し、どの種子が育ち、どの種子が育たぬか言えるものなら、おれに言ってみろ」とウィリアム・シェイクスピアは書いた[出典は『マクベス』(小田島雄志訳)、白水社、1983年]。膨大な顧客データを集める多くの団体にとっての課題は、データの意味を理解することである。これらのデータをモデリングすることで、団体はまさにそれを行うことができ、顧客を理解するためのミッシング・リンクを加える。すなわち、将来の行動を予測するのである。

モデリングとは、人口統計学的特徴や行動の特徴、またはその両方について、購入している世帯と購入していない世帯とを比較することで、世帯の行動を予測するプロセスのことを言う。モデリングのプロセスは、相関があるかどうかを探るために、団体の既存顧客から集めたすべてのデータ(年齢、収入、教育、婚姻状況、家族構成、持ち家状況、等)を検索し、これらの変数を消費者行動のデータと掛け合わせることを含む。それは、説明変数と過去の出来事から予測される変数との関係を把握し、将来の結果を予測するためにそれらを利用することに基づいている。

簡単に言うと、モデリングは時間の経過による顧客の行動の変化を、将来の行動の鍵と見なしている。団体はそれぞれの顧客の過去の消費パターンを分析し、顧客の最初の取引から顧客の離脱まで、時間の経過による顧客との関係の進化を追跡する。この進化は、「消費者のライフサイクル」と呼ばれる。集められたすべての情報から、組織は一連の標準的な消費者プロファイルを求めることができる。

一人の顧客のライフサイクルを数人の消費者プロファイルと対置して検証することで、組織は、顧客がいつ、どのように、いくら購入するかを予測できる。例えば、最初の購入の後30日以内に2度目の購入をしない顧客は、再び戻っては来ないだろうし将来的に購入もしないだろうと予測できる。この知識を携えて、団体は30日の期限以内にプロモーションのオファーを持って顧客にコンタクトすることができる。

そのような予測は、絶対的な表明の形をとることは稀である。それらの予測は、おそらくは特定の出来事や行動が将来起こる掛け率に対応する価値として表されるだろう。

このプロセスは、回帰分析（10章〔10.5.2〕を参照のこと）のような洗練された統計モデルの上に組み立てられた強力なソフトウェアの使用を要求する。記録に残っている情報を分析し、それを現在の顧客データに応用することで、このソフトウェアは、収集されたデータの量に基づくだけではなく、データに応用される分析力にも基づいて、その正確さの度合いは様々だが、将来の出来事を予測することができる。モデルの最終形式は、統計的に導き出された等式である。それは、それぞれの世帯を「点数化」し、特定のマーケティング・オファーに対する時間の経過による反応の見込みの度合いに従ってそれをランクづけすることを可能にする。

購入可能性のもっとも高い消費者のみをターゲットにすることで、回答率を相当程度高めることができ、そのことで今度は、顧客獲得ごとのコストを大きく削減することができる。見込み客を特定すること以外に、モデリングは、ある消費者をターゲットにするために、製品、価格、プロモーション、流通チャネルの最も効果的な組み合わせを特定する手助けができる。

モデリングは、特定の顧客や取引に関するリスクや機会を特定する際にすでに広く利用されている。そのひとつの応用が、クレジット・スコアリングであり、金融サービス産業では広く利用されている。スコアリング・モデルは、顧客が期限通りにクレジット支払いを行う可能性をランクづけするために、顧客のクレジット履歴やローンの申し込み、その他のデータを処理する。

10.4.2　顧客生涯価値

顧客の団体との関係の履歴全体に関わる、これらの予想される取引すべての実質の価値のことを、顧客生涯価値と呼ぶ。事業体は、製品やサービスの購入を含む顧客のポジティブな寄与の流れから、関係維持のためのコストを含むその顧客に関連する費用を差し引く。例えば、関係性を保つには通常、電話やFax、ウェブ、メール、eメール、フェイス・トゥ・フェイスのような、一定程度の個別のコミュニケーションが必要である。これらのコストは、特定の個人の顧客に適用される他のすべてのコストとともに、顧客生涯価値を減少させるだろう。

ときには、顧客に関わるコストが顧客のポジティブな寄与を上回ることがあり、その場合は、顧客生涯価値はネガティブになる[19]。この顧客に奉仕することが明らかに団体のミッションの一部をなすのでない限り、その顧客は除外されるべきである。

顧客生涯価値は、団体に対して、それぞれの顧客が正確にどのくらいの金額の価値があるのかを示し、そのため、1人1人の新規顧客を獲得し、既存顧客のそれぞれを維持するために正確にどの程度の時間、労力、そして金額を費やすべきかを示す。顧客生涯価値をマーケティングの基準として使う場合は、短期的な売上を最大化するよりも、顧客サービスと長期の顧客満足に力点が置かれる傾向がある。

団体は、新規顧客をより多く獲得するために常に奮闘するのではなく、その代替として、既存顧客をより長く維持し、彼らに対して繰り返し販売をすることに焦点を当てることができる。複数の製品を提供している組織は、クロス・セリング（ある製品を他の製品の利用者に売る）、あるいはアップ・セリング（ある製品について、普及品のユーザーに上級品を売る）に集中することができる。例えば、パフォーミング・アーツ組織は、1回券購入者の中から組織に対してより大きな関与をする可能性を示している人々を特定し、彼らを定期会員に、そして寄付者に変えていくことに集中的に取り組むことが可能である。

10.4.3 応用：ストラトフォード・フェスティバル・オブ・カナダ
（ストラトフォード、カナダ）

長年にわたって観客のデータを集め、統合し、分析することによって、北米最大のクラシック・レパートリー・フェスティバル・シアターであるカナダのストラトフォード・フェスティバルは、マーケティングの資源をより適切に配分し、より詳しい情報に基づいた、より賢明な決定を行うために、洗練された顧客モデリング・システムを開発してきた。「私たちは、ビジネスを完全に再設計しました」とフェスティバルのオーディエンス・ディベロップメント［観客開発］ディレクターのリサ・ミドルトンLisa Middletonは言う[20]。「私たちはすべてのビジネス・プロセス、すべてのルールや実践を分析し、自問しました。「なぜ、これをするのか」と。私たちは顧客を、会員でもあり1回券の購入者でもあるというように何人もの人としてバラバラに扱うのではなく、彼や彼女を私たちの組織の中心に据えることに焦点を当てました。私たちの究極のゴールは、顧客を1つの統一した視点で見ることでした。」

団体は、予測可能な顧客の生涯価値のモデルを作成するために、顧客データ、国勢調査データ、過去の販売データを統合した。団体は40万人のパトロンのデータベースを2つの基準を使ってセグメントに分けた。その基準は、価値（1人のパトロンがいくら購入するか）と行動（パトロンは、なぜ、何を、いつ、どこで、どのように購入するのか）である。

価値のセグメンテーション変数はパトロンを購買パターンでランクづけする。例えば、「上得意の」パトロンは、過去4シーズン毎年フェスティバルに参加し、消費金額が上位10％の区分枠に入っている。団体は彼らに重大な関心を持ち、郵便や電話、eメールで連絡を取る。「移り気な」パトロンは、過去5シーズンに1度だけフェスティバルに参加し、その前後にまったく来場の履歴がない。彼らは通常、eメールのようなコストのかからない方法でのみ連絡を受ける。

団体は、行動によるセグメンテーション変数によって、どのような提案をすればパトロンから反応があるのかをよりよく理解できる。例えば、「標準的な」パトロンは娯楽を求め、ミュージカルと人気のあるシェイクスピア劇だけを見に来る。一方、「標準的でない」パトロンは、芸術的な刺激を求めて、小さなステージで行われるもっと実験的なプロダクションやあまり知られていないシェイクスピア劇を見に来る。この情報によって、フェスティバルは、パトロンが属するセグメントに従って、パトロンに送る素材にそれぞれの顧客に合わせた文章と画像を印刷し、「オンデマンド可変印刷 Variable Printing On Demand（VPOD）」の郵便を作成することができる。これにより、フェスティバルは、1人1人のパトロンがそれ以前の機会に何を見ているかを知ることでパトロンと個人的な関係性を構築し、パトロンが次に何を観て楽しむのかを提示することができる。

2つの変数を掛け合わせて検証し、相関を見ることによって、団体は顧客の行動をモデル化し、どのパトロンがより高額を支出するグループ区分に移動する可能性があるのか、どのタイプのプロモーションのインセンティブやディスカウントを彼らに送るべきかを決定することができる。

10.5 販売予測

10.5.1 原理

デンマークの物理学者でノーベル賞受賞者であるニールス・ボーアNiels Bohrは、「予測というものは大変難しい。特にそれが将来についてであれば」と述べた。将来の販売に関する予測がなければマーケティング戦略は完全ではないが、予測は多くのパラドックスを含んでいる。未来は過去をもとにして当てはめによって予測されるほかはないが、未来が過去とは異なるということはかなり確かなことに思われる[21]。この予言は不確かさを考慮に入れるべきであるが、定義にしたがえば、それは予測できない。

予測には2つのタイプがあるとよく言われる。幸運な予測と間違った予測である。それが、古代から、ほとんどの予言に知恵が備わっていた理由である。その知恵は、未来を予測する際に、二重の意味を持ち、条件付きかつ曖昧で、現実に対する検証ができない一般的な言い回しを用い、人々が聞きたいと思う事柄を伝えてきたのである[22]。

だが、ここでもまた、情報テクノロジーはわれわれの予測能力や不確かさを見積もる能力を著しく向上させた。いまや過去のすべての販売を分析し、ある催しの導入期間の予約の実際のレベルをリアルタイムでたどることができる。記録に残っている販売データと予約データを掛け合わせて、将来の予約の需要を何度も計算し直し、継続的に予測を更新することができる。

予測は、いくつかの利用法がある。

・〈「もしも……だったら」という疑問に答える〉:どの戦略や戦術を用いるべきかを考える際に、鍵となるのは様々な戦略と戦術の成果、典型的には販売と利益のレベルを見積もることである。最も簡潔な「もしも……だったら」の質問は、もしすべてが今のままであったとしたら来年何が起きるか、ということである。このために、予測は基本的に既知の事柄からの当てはめになる。

・〈予算を作成する手助けになる〉：販売予測は予算の基礎になる。なぜなら、達成すべき販売のレベルとともに、必要とされる資源を暗に特定するからである。すべての収入見込みは販売予測に基づく。

・〈モニタリング・システムの基礎を提供する〉：予測からのズレは、経営者に市場とその中での団体の戦略を再検討させるための警告としてはたらく。予測に対するズレがポジティブであってもネガティブであっても、それは、その底流にある理由を検証することを通じて市場をよりよく理解することにつながる。

・〈生産計画を支援する〉：より多くの団体とそのチャネルが、生産と流通のジャスト・イン・タイム方式に移行し、在庫が低いレベルであるので、正確な予測がより一層重要になってきている[23]。

良い予測プロセスは、時間の経過による販売を分析するために、記録に残っている販売データのデータベースの出所を明示するところから始まる。もし販売実績に山や谷の部分があれば、それは優れたマネージャーに対してそのような急激な変化を引き起こした要因を明らかにすることを試みるよう警告を発するものとなるだろう[24]。季節ごとの傾向（冬と夏、平日と週末、午後と夕方）を明確にすることも可能になる。

多くの芸術的製品はプロトタイプの性質を持っているので、安定した販売履歴を作ることが難しいことがよくある。例えば、ある劇の売上を他の劇の売上と比べる場合、2つの劇の性質の違いによって、関連性が見られないこともある。その場合は、次に、それぞれの作品をサブカテゴリーに分けることが必要になる。例えば、一方は新作で他方はレパートリー作品に区分され、それと同様に前衛的なものと伝統的なもの、喜劇と悲劇、上演期間の長いものと短いもの、有名な俳優が出演しているものと新進の出演者によるもの、などに分けられる。そして、次に、これらの劇をクラスター（例えば、短期上演の新作喜劇で有名俳優が出ているもの）に分け、同じクラスター内で劇の販売を経時的に比較することができる。

予測は、販売に影響するすべての要素についても考慮に入れなければならない。これらは、2つのタイプに分けられる。

1. 〈外部要因〉は、経済状況や人口統計学的変化、基礎資源のコスト、気候変動、競争力のような、団体がほとんど、またはまったく統制できないものである。
2. 〈内部要因〉は、団体が統制可能なものである。本質的には、これらは、マーケティング・ミックスの4つの要素、すなわち製品、価格、場所（流通）、プロモーションのことである。

予測は、これらすべての要因のありうる組み合わせ（しばしばシナリオと呼ばれる）のもとで、可能な成果を評価するプロセスだと考えることができる[25]。要因の可能な組み合わせのそれぞれについて予測を行うことは、たとえうまく行ったとしても時間のかかる仕事である。このプロセスは、コンピューター分析によって大きく促進される。

10.5.2　予測のためのメソッド

これまで予測のための多くのメソッドが開発されてきた。その中には、（販売担当の、あるいは専門家の委員会による）判断をもとにしているものもある。市場調査による顧客からのフィードバックをもとにするものもある。あるいは、過去の販売データとともに、時間の経過による成長係数を加えた単純な販売の見込みをもとにしているものもある。

さらに洗練された予測メソッドには、販売に影響を与えるすべての変数と販売の結果の間の因果関係を決定するモデリングをもとにしているものもある。

回帰分析はもっともよく用いられるモデリングのメソッドである。これは、過去の販売を分析することと販売の変化とそれぞれの独立した要因——要因が外部的であるか内部的であるかを問わず——との間の統計的な相関を見いだすことから成る。その後、それぞれの要因は、「リフト」と呼ばれる係数を与えられる。リフトとは、他のすべての要因との関連において販売の変化への影響を計るものである。係数が大きい場合は、この変数が他の変数よりも販売に大きなインパクトを持っていることを示す。例えば、一群の劇についての過去の販売データを処理しているときに、プロモーション活動の変化と集客数の変化との間に強い相関か弱い相関があることを発見することができるかもしれない。それぞれの個別の要因について、同じプロセスを繰り返すことができる。そのプロモーションの要因を特定のツール(クーポン、2枚組の半額割引チケット、チケット・プレゼント)に分割してそれぞれを販売の変化と比較することによって、さらにレベルの深い分析を行うことも可能である。

今日では、ほとんどのパーソナル・コンピューターは洗練されたマルチレベルの回帰分析を行うのに十分なメモリー容量と演算能力を備えている。

それぞれの要因のリフトが決定されると、外部要因(例えば、経済が安定したままであり、競合他団体のプロモーション活動が予測期間中に10%増加する)に対する仮定と内部要因(価格を上げるか下げるか、プロモーション活動を多くするか少なくするか)に対する決定を組み合わせてシナリオを作成し、これらの条件の下で販売予測を行うことが可能である。

また、そのような予測の正確さを評価することもできる。これは、しばしば集められたデータの量と質によって決まる。もちろん、予測がより正確である方が正確でないよりも良い。しかし、どこかの時点で予測をより向上させるためのコストが便益よりも大きくなるだろう[26]。

完全に正確な予測というものはいまだかつて存在したことがない。だが、フランスの数学者アンリ・ポアンカレHenri Poincaré(予測に非常に大きな影響を及ぼしたカオス理論の父)は、「たとえ確実性に欠けても、予測をする方が予測をまったくしないよりもはるかに良い」と言っている。

10.5.3 応用:ステッペンウルフ・シアター・カンパニー (シカゴ、アメリカ)

シカゴのステッペンウルフ・シアター・カンパニー[27]は、ディベロップメント側とマーケティングの側の両方にとっての洗練された分析ツールを開発した。それを使えば、どのプロモーションのオファーに効果があり、どの観客のセグメントがそれに反応しているのかについて、即座にフィードバックが提供される。

ステッペンウルフは、他のアメリカの劇団と同じように、定期会員制度の基礎の崩壊を経験し、1回券の購入——これは予測するのがはるかに難しい——にますます比重を置かなければならなくなっている。このようなときに、この能力は役に立つ。「パフォーミング・アーツにとって目の前にある重要な課題は定期会員の基盤が弱体化していることです」とステッペンウルフのマーケティング部長であるエリン・ウェストは言う[28]。

「私たちは観客との関係性を変え、新しいやり方で観客をどのように深く関わらせるかを考え出す必要があります。そのためにテクノロジーを使うことができます。」

「過去2年間、私たちは収益に対する予測モデルに関して非常に多くの時間をかけてきました。個別の取引の際に集めた基礎的な人口統計学的情報——住所、教育、ジェンダー、収入、エスニシティ——に加えて、今、観客が劇について考えること、すなわち、全般的な体験に関すること、劇の中身、脚本、演技、デザインなどについてのより主観的な情報を集めています。私たちは観客たちに、それぞれの項目について「非常に良い」から「非常に悪い」までの5段階評価をしてもらっており、これらの様々な指標のすべてを非常に詳しく追跡しています。ボックス・オフィスの収益と相関があるのかどうか、あるとすればどのような相関かを見るために、指標を販売と対比させています。全般的な体験に関しては、特に、「非常に良い」と言う回答に注目しています。と言うのは、それは強力な口コミを動機づけるものだと考えるからです。今はまったくの準備段階です。今でも、データを集めて何かを読みとろうとし、注視し、それが私たちに何を語っているのかを見ようとしています。」

「ある劇について、観客の45%以上が全般的な体験としてとても優れていると答える場合には、収益のゴールは達成できるし、さらに黒字になるかもしれません。もしそれが25%だったら、xドルの赤字になってしまうかもしれません。その情報は上演の最初の数週間で、あるいは最初の1週間でさえも、その劇の収益がゴールに達しないであろうことを示します。そこで、それに従ってマーケティング戦略を変えることができます。気を引き締めるとともに、劇のプロモーションのための追加的な資源を投入することもできます。あるいは、損失を削減し、その劇に時間とエネルギーとお金を投資するのをやめ、次の劇のためにチャンスを最大化することに集中すると決めることもできます。」

「また、収益に影響を及ぼす他のデータをこの間ずっと統合しています。誰が出演しているのか、上演の時期、作品の長さ、作家や作品のタイトルが知られているかどうか、などです。私たちは、販売履歴の裏にある、販売を予測するのに有用だと思われる他の指標を発見しようと試みます。また、同じシーズンの他の劇の週ごとの販売や、過去5シーズンの販売履歴を追跡することもします。そして、ある時点で「よし。この時点でこの調子なら、他のすべての劇は全チケットの30%が売れれば最終ゴールに到達する」ということができ、そのように推計します。」

「それには、予測可能性の感覚が加わります。まだ完全に洗練されていないし、正確な科学ではありません。ですが、かなりそれがうまくできるようになってきています。基本的には、劇の開幕初日の時点で私たちは9週間のチケットの販売を予測することができます。直近の劇については、最初の予測と実際の結果の誤差は3%以内でした。」

10.6 ダイナミック・プライシング

10.6.1 原理

オスカー・ワイルドは、次のように書いた。「皮肉屋とは、あらゆるものの値段を知っているが、何ものの値打ちも知らない人間のことである」[出典は、『ウィンダミア卿夫人の扇 Lady Windermere's Fan』]。値段と価値を一致させることはいつの時代も難題だった。アートの場合にはことにそうである。文化的製品の美学的価値は明らかに個人的で主観的なものである。同じ文化的製品の需要と価格の弾力性は消費者のセグメントによって変化しうる。製品に対する需要は、時間的要素（日、週、月）によっても様々である。最後に、値段そのものが価値の知覚に影響を与える。希少なものはすべて値段が高いので、私たちはしばしば、値段が高いものは希少であると考える。

すべての顧客に対して固定された標準的な価格を設定すると、組織はこれらの変化の利点を活かすことができない。もし、文化組織が利益を最大にしたいのなら、〈ダイナミック・プライシング〉[動的価格設定]の政策を開発しなくてはならない。ダイナミック・プライシングは、製品を製造するためのコストによってではなく、同じ製品に対して消費者セグメントや消費者行動、消費の時期に応じて異なった価格を設定する。組織は同じ製品を異なった顧客に向けて売るための異なった価格を前もって設定できる。このプロセスは、「セグメントされた価格設定」と呼ばれる。あるいは、組織は、取引の間にそれぞれの顧客と価格を交渉することができる。このプロセスは、「交渉による価格設定」と呼ばれる。情報テクノロジーの進化により、それぞれの消費者は示された価格とそれと比較できる製品とを即座に比較し、より多くの情報に基づいて決定をすることができる。

10.6.2 セグメントされた価格設定

組織がある消費者セグメントと別のセグメントの需要と価格の弾力性の変化を観察するなら、これらの変化の背後にある消費者の選好を理解し、それに従って価格を構造化することを試みるべきである。例えば、パフォーミング・アーツの組織は、ある特定のショーについて、次の媒介変数を用いて価格を段階的に設定できる。

- 〈舞台との関係における座席の位置〉：オーケストラ［1階席］、バルコニー［上階席］、特別席 loge は大きく異なる価格で販売できる。この差異は座席の違いによる音響や見え方の質の変化に必ずしも相関していなくてもよい。
- 〈ショー［公演］の日にちと時間〉：あるショーに対する需要は、3つの要因で変化しうる。すなわち、時間帯（昼公演か夜公演）、曜日（平日か週末か）、そして、年間のどの時期か（シーズンの別、学校の休暇）である。価格帯は、これらの変化を反映することができるだろう。

次に、組織は、それぞれの価格のカテゴリーに対して在庫［チケット］を区分して座席を割り当てることができるだろう。これにより、それぞれの顧客は予算や時間の制約に応じて最もよく適合するチケットを買うことができる。組織は、このようにして入場者数と収入を向上させることができるだろう。

組織は、過去の販売を分析した後で、シーズンの開始前に、需要によりよく適合させるために、それぞれのカテゴリーごとの座席の割当や価格を変えることができる。例えば、1階席の前方10列がその後ろの10列よりもよく売れているとすれば、団体は前方の10列の座席の価格を上げるか、あるカテゴリーの座席を別のカテゴリーに移動させることができるだろう。

団体は、価格設定を購入日に基づいて行うことで、顧客が早期に購入するように仕向けることもできる。これらの早期の販売はキャッシュ・フローを向上させるだろう。

この価格設定のアプローチは、すべての価格を均一にする伝統的なやり方とはまったく隔たったやり方である。

10.6.3 イールド・マネジメント

つい最近まで、〈シーズン中に〉それぞれのカテゴリーの座席数や価格を変えることは難しかったし、不可能だとさえ思えた。これが今ではできるようになった。

情報テクノロジーとオンライン流通が進化し、前述のように、大規模なデータベースに消費者情報を蓄積することができるようになり、さらに、強力な数学的ツールでデータを操作できるようになったために、新しい、科学的な価格設定技術が出現した。これを、「イールド・マネジメント」(または、「レベニュー・マネジメント」[収益マネジメント]、あるいは「リアルタイム・プライシング」)と言う。

フランスのソフトウェア会社Optims[29]は次のように述べている。

> 「この技術は、市場のマイクロ・セグメントごとの需要行動のリアルタイムでのモデリングと予測に基づいて、製品やサービスの販売によって生み出される利益を最適化するために、最良の価格設定政策を計算する。差別化された価格設定とそれぞれの価格カテゴリーごとの販売在庫の体系的なコントロールによって、供給と需要の比較の問題に対する優れた解決法を提案する。すべてのプレイヤーは、このコンセプトを使うことから便益を得る。生産者にとっては売上高と収益が増大し、最終消費者は同じ質のサービスがより安い価格で得られる。」

この価格設定のメソッドは、航空産業向けに開発されて、これまでに観光やホテルのような他の産業にも広がった。それらは、以下のような特徴を共有している。

- 製品の製造能力が決まっているのにも関わらず、サービス需要は変動する
- 変動費が低い
- 期限を過ぎると在庫が無価値になる(売れ残ったサービスは保存できない)
- サービスは製造され消費される日にち以前に予約を通じて販売されうる
- 需要と価格の弾力性は消費者セグメントごとに異なるため、セグメントごとの

価格設定が必要となる

特にパフォーミング・アーツの分野においては、多くの文化組織がこのモデルに適合し、この価格設定技術を使うことができる。「イールド・マネジメント」を実行するには、注意深い計画が必要であり、消費者が価格の変化に対して否定的に反応しないような状況を確実にしなければならない。

10.6.4　交渉による価格設定

理論的には、供給と需要により価格が決定され、可能な最も高い価格でそれぞれの製品が売られる時に最大の利益が得られる。価格の構造が前もって設定されているときには、この点は達成されない。このゴールを体系的に達成するため、それぞれの顧客のリザーブ価格（すなわち、顧客がその特定のサービスに対して支払う意思がある最大の価格）に到達するよう、事業体はそれぞれの製品の価格をそれぞれの顧客と交渉しなければならない。

文化的製品の交渉による価格設定は、古い時代に遡る。世界の2大オークションハウスであるクリスティーズとサザビーズは、このメソッドを2世紀以上も前から取り入れている。パフォーミング・アーツにおいては、「ダフ屋」がその技術を習得している。しかしながら、最近まで、交渉による価格設定はほとんどの文化的製品について利益が出るようには利用され得なかった。交渉による価格設定は、希少で高額な品目に限られ、転売市場またはグレーな[違法に近い]市場に追いやられていたからである。

だが、インターネットが新しい時代を開いた。オンラインでのオークション販売は指数関数的に増大している。どの文化組織も、今ではその在庫を売るために、その分野の世界的なリーダーであるeBayのようなオークションサイトを使うことができる。あるいは、オークション用のソフトウェアを自分たちのウェブサイトに装着することもできる。これは、スポーツの分野ではすでによく見られるやり方だが、文化やアートにも拡張することができる。

10.6.5　応用：シカゴ交響楽団（シカゴ、アメリカ）

歴史的にみて、パフォーミング・アーツの組織は、集客がうまくいかない場合に対応したり、ボックス・オフィスの成功をうまく利用して顧客にとっての価値と適合させたりするための装備を十分に持ってはいなかった。通常は、ひとつのシーズンが始まるときに価格帯ごとの価格設定を決め、次のシーズンの開始時にそれを見直すというやり方である。だが、すべての顧客に対して固定された標準的な価格設定をすると、需要の変化をうまく活かすことができない。同じ文化的製品でも、需要と価格の弾力性は、消費者のセグメントによって様々である。製品に対する需要の変化は、時間的な差異（日、週、月）によっても違いがある。最後に、価格そのものが価値の知覚に影響する。これを改善するために、世界の先導的なオーケストラの1つであるシカゴ交響楽団は、ダイナミック・プライシングの政策を開発し、同じ製品に対して、（製品を生産するためのコストに応じてではなく）消費者セグメントや消費者行動、消費の時期に応じて異なる価格設定を行った。

シカゴ交響楽団は、消費者行動を理解し、予測して、それに対応するために自ら収集した豊富な消費者データを利用している。それから、価格もそれに応じて構成している。過去の販売を分析した後、シーズンが始まる前に、需要によりよく適合させるために、それぞれの座席カテゴリーの座席の割り当てを変えるか価格を変更することを決定できる。例えば、オーケストラ席［1階客席］の前方10列がその次の10列よりも売れ行きがよい場合には、前方の10列の席の値段を上げるか、座席の何列かをあるカテゴリーから別のカテゴリーに移動することができる。

だが、シカゴ交響楽団はさらにその先へ行く。それぞれのカテゴリーの価格を〈シーズン中に〉変更することもある。同楽団は、市場のマイクロ・セグメントごとのリアルタイムでのモデリングと需要行動の予測に基づいて、収益を最適化するための最良の価格構造を計算している。前に議論したように、この価格設定のメソッドは、「イールド・マネジメント」と呼ばれている。

「私たちは、すべてのコンサートの売上について定期的に精査し、需要の大きなコンサートについては収益拡大の機会としてそれを強調します」とマーケティングと販売分析部門のマネージャーであるメラニー・カルニンスMelanie Kalninsは説明する[30]。

「私たちは、それぞれの価格のカテゴリーごとの売上枚数と売れ行きのペースを見てそれを以前のトレンドと比較します。そして、最も速いペースでよく売れているカテゴリーの価格を上げていきます。シーズンの初期には、準備段階の好調な売れ行きがずっと続くのかどうかについて確約が必要なので、より慎重になる傾向があります。しかし、シーズンが進むにつれて、期待の高い「熱い」コンサートは売れ続けるという確信を得て、最大30％まで価格を上げます。2005/2006シーズンでは、（200以上のコンサートのうち）74のコンサートで価格を上げ、収益を大きく向上させました。」

10.7 関係性マーケティング

10.7.1 原理

それぞれの顧客に関するこの深い知識と、顧客の嗜好や選好を理解し将来の取引を予測する能力が、マーケティングの機能を深いところで変容させている。実際、それは伝統的なマス・マーケティング――その第1の目標は1人1人の消費者に向けて同じ合理的説明とメッセージを使用し不特定の消費者に対して製品を売ることである――の終わりを告げている。それは、関係性マーケティングの新しい時代の始まりを告げるものでもある。関係性マーケティングとは、組織とそれぞれの顧客の関係性を深めるように、そして、顧客のニーズや関心に直接適合する情報を提供し、オープンなコミュニケーションを促進することによって、顧客のロイヤルティ、相互交流、長期間にわたる関わりを育むようにデザインされたマーケティングの形式である[31]。

この「1対1」[32]のカスタマイズされた関係性は、それ自体が組織にとっての富の源泉である。組織は消費者のプロファイルに合わせてサービスを誂え、顧客が望む時にサービスを提供し、そのオファーを顧客に批評させることで顧客のロイヤルティを構築する。

ウェブによって、消費者は特定の条件をオンラインで直接団体に伝えることができる。実際、顧客が彼の選好を入力することによって付け加える価値は、関係性をより豊かにし、カスタマイズされた製品やサービスをより価値のあるものにする。

顧客データの統合を行うと、そのことで顧客との間でのシームレスな[継ぎ目のない]相互交流が大いに進展する。「今日では、コールセンターのオペレーターは、指先1つでどの顧客個人の記録でも即座に得ることができます」とロイヤル・アルバート・ホール（ロンドン）のサラ・ウッズは説明する。「私たちのボックス・オフィスは、ワンストップ・ショップと呼ばれる役割をしています。ひとつの電話で、顧客はチケット、駐車場、ケータリングの要望、建物内のツアーを含むホールにおける経験全部を予約できるのです。ボックス・オフィスのオペレーターは顧客を1つのスクリーンで一覧して把握しており、そこには業務に関わる顧客の全体の関係性が詳細にわたって示されています。そして、オペレーターは、特別に誂えた、より詳しい情報に基づいたサービスをオファーするためにこの情報を利用します。」

しかし、このタイプの顧客関係マネジメント（CRM）は、ソフトウェアとハードウェアの大きな投資、現在進行形の情報収集プロセス、オファーを特別に誂える能力を必要とする。利益を上げるためには、購入の可能性の高い顧客を優先することも要求される。文化組織にとっては、これらのすべてが常に可能であるわけではないし、望ましいことでもない。

さらに、顧客関係マネジメントのテクノロジーの実行は、そのうちの大きな割合（おそらく半数以上）が惨めな失敗に終わっている。顧客関係マネジメントを実行する上でのいくつかの問題はテクノロジーに関わることであるが、失敗の大多数は他の要因から始まっている。その要因とは、支援のビジョンがないこと、包括的な顧客戦略がないこと、新しいテクノロジーの能力を経営実践やビジネス・プロセスに繋げられないこと、スタッフの教育や訓練が不適切なこと、そして、顧客に焦点を当てた戦略によりふさわしいある種の成功基準への注意の不足が上げられる[33]。

10.7.2　トータル・エクスペリエンス

独創性に富んだ『経験経済』という著作において、ジョセフ・パインJoseph Pineとジェームズ・ギルモアJames Gilmoreは顧客サービスを向上させようとするときに、どの会社もパフォーミング・アーツに注目してそこからヒントを得るように勧めている。「仕事は劇場（演劇）だ」と彼らは書いている。「被雇用者が顧客の前で仕事をするとき、そこでは演劇という行為が起こる。どのアクションも、舞台上演のようなトータル・エクスペリエンス［全体的な体験］に寄与している。ビジネスのパフォーマンス［業績］はブロードウェイでよくみられる特徴的なパフォーマンス［演技］と競わなくてはならない。劇場をモデルとすれば、ありふれた仕事でさえも、記憶に残るようなやり方で顧客を魅了する。」[34]

定期会員がメンバーシップを継続しないよくある理由はアートの質に満足していないことだが、「オーディエンス・アビューズ」というケースも多くある。すなわち、顧客に対する横柄な態度、融通の利かないチケット交換の方針、シーズンの演目が発表されないこと、直前でのスケジュール変更、チケットの間違い、などが挙げられる。

新作劇や新しい展覧会に対するオーディエンスの反応は統制できない。だが、上記に述べたことについては統制が〈「可能」〉である。そこで、経営者は、スタッフを訓練して、顧客に対して親切に対応し、質問には素早く答えることを保証するなどの手を打つことができる。

いくつかのイノベーティブ［革新的］なアート組織では、単に劇を鑑賞するという経験を超えて、顧客の体験を「シナリオ化」することを始めている。例えば、カリフォルニアのパサディナ・プレイハウスでは、顧客体験マネージャーを雇用している。彼のミッションは、定期会員の体験のどの側面についても、完全かつ公正で、統一され、値段が適切でアートとしても面白いという体験を確実にすることである。劇場では、柔軟で革新的なチケット交換方針を採用している。もし、パトロンがパフォーマンスを楽しめないなら、パトロンは休憩時間中にボックス・オフィスに行って同じシーズン中の他のショーのチケットへの交換を要求することができる。

「私たちは、ゲストが入って来るその瞬間に彼らをハッピーにしなければならないのです」とステッペンウルフ・シアター・カンパニー（シカゴ）のデイビッド・ホーカンソンは言う。

「例えば、新しい定期会員が最初に来場するとき、座席に歓迎のカードを置いてお迎えします。私たちは彼らに、「これは今までと違う体験だ。私が入ってくると誰かが挨拶をしてくれた」、と思ってもらわなくてはなりません。私たちは、ボックス・オフィスや劇場のフロントの人たち、駐車場のスタッフにも、常に以下のように伝えています。「あなた方が劇場の第一印象なのです。あなた方がすることすべて、あなた方の様子、あなた方があの人をどう扱うか、など……あなたがたは、舞台上の俳優よりも、その夜のポジティブな感覚を作り上げるためのもっと強力な力を持っています。そして、あなたが電話やボックス・オフィスの窓口でしくじれば、あるいは、適切な情報を持っていなくて悪い印象を与えたとしたら、舞台上の俳優たちの演技も台無しにするのです。あなたたちが良い仕事をしなければ、俳優たちにチャンスはありません。」」

「私たちは、ゲストに彼らにとっての私たちとの体験が商品の売り買い以上のものだと考えて欲しいのです。ゲストが友だちと会ってなぜステッペンウルフに行くのかと尋ねられたとしたら、自分は劇場のオーナーだという感覚で彼らが話せるようにぜひしたいのです。仮に、最近見た劇が気に入らなかったとしても。私たちは、彼らの私たちとの一連の体験全体を良いものにしていくことによって、彼らとの関係性を常に深めようとしています。これまでにも増して、顧客の一連の体験はチケットを買うときにオンラインで始まり、見たばかりの劇に関するコメントを顧客が私たちのブログに投稿するときに、その体験はオンラインで終わります。私たちのウェブサイトは最初と最後の接点なのです。」

10.7.3 応用：メトロポリタン・オペラ（ニューヨーク、アメリカ）

メトロポリタン・オペラ（MET）は、毎年30作品のオペラを240公演上演し、チケットは年間80万枚が販売され、4,000人収容の客席を持ち、年間の運営経費が2億2000万ドル（おおよそ、アメリカの2番手以下のオペラ団体を5つ合わせた規模に相当する）を超える、パフォーミング・アーツの分野における巨人である[35]。

1990年代半ばまで、METでは、その芸術的達成、技術的な素晴らしさ、観客の称賛にも関わらず（あるいは、それゆえに）、マーケティングやボックス・オフィスのマネジメント、顧客との関係にはほとんど注意が払われなかった。「マーケティングの努力をほとんどしなくても通常92％から93％の席が売れていたので、ついそのままになっていたのです」と営業アシスタントマネージャーのステュアート・ピアースStewart Pearceは認める[36]。「私たちMETは、他の団体のようにはオーディエンスにとって近寄りやすくはなかったのですが、チケットがよく売れていたので、それでもなんとかなったのです。」

「ボックス・オフィスは、自動化さえされていませんでした。」前ビジネス・アシスタント・マネージャーであるスミータ・シャロンSmeeta Sharonは振り返る[37]。「顧客がチケットを注文した後、実際に席が取れているかの確認は来ませんでした。何日かあるいは何週間か後になって顧客が郵送でチケットを受け取ったら注文の確認がなされますが、時には公演が終わった後だったことさえありました。金銭取引を簡単で効率的な方法で記録することさえしていませんでした。」

顧客満足については、METは何も見えていない状態で運営していた。「私たちは、顧客の声を把握し、不満を集めるメカニズムを持っていませんでした」とシャロンは付け加える。「顧客が私たちをどう思っているか、まったくわかりませんでした。何かを測ることがなければ、知ることも変えることもできません。」

何かがなされなければならなかった。「そのときには、予算のバランスが取れていてすべてうまく行っているように見えていたとしても、顧客との関係を向上させるために、長期的な取り組みを行うことが必要でした」とピアースは言う。「93%のチケットが売れていたので、増大する費用に対処するための未活用の座席数があまりなかったのです。以前にはそうしていたように、毎年6%か7%ずつチケット価格を上げ続けていくことができませんでした。そこで、もっとスマートでコストの面で効率的なマーケティングを行い、チケット売上を活用してファンドレイジングが増大するようにしなくてはなりませんでした。」

だが、どうやって不満を持っているパトロンを寄付者に変えられるのだろうか。「例えば、私たちが顧客に対して無礼だったのであれば、顧客はどうしてよけいにお金をくれたりするでしょう」、とシャロンは問いかける。「オペラが好きな顧客は、好きだからという理由でチケットを買い続けるでしょう。ですが、もちろん、彼らはファンドレイジング・キャンペーンに寄付はしません。私たちは、顧客を喜ばせ、顧客に支援を求めるときに、彼らが私たちとの素晴らしい体験を思い出してくれるようにしなければならなかったのです。そこで、私は顧客からの手紙をひとつひとつ読むことから始めました。そして、顧客の体験が喜ばしいものではないことがしばしばあることに気づきました。」

だが、どこから始めればよいだろう。「私たちはボックス・オフィスやマーケティング、そしてディベロップメント［助成収入獲得を開発する機能］のすべての業務を見直しました」とシャロンは振り返る。「私たちは、ボトルネック［問題点］と労力の重複を取り除こうと試みました」。顧客と団体の間の唯一のインターフェイスとなるための、カスタマー・ケア［顧客ケア部］と呼ばれる顧客中心の別の部門が作られた。同部門は、顧客のどのような取引でも取り扱うことができるフルサービス・エージェント［専任担当者］を再編成することになった。逆に、METの全部門は顧客にコンタクトするにはカスタマー・ケアを経由することになった。

「もし、マーケティング部門が利害関係者［顧客］に対して過剰に働きかけようとし、それがファンドレイジングの努力と衝突するなら、そのとき「いや、あなたたちはあまりにも多くの郵便を送り、あまりにも多くの電話をかけて利害関係者を煩わせています」と言うのがカスタマー・ケアの仕事です」とシャロンは説明する。

十分に効率的であるために、カスタマー・ケアの被雇用者は、パトロンの情報のすべてに即座にアクセスできる必要があった。だが、利用できるデータはひどく断片化されていて、様々なシステムの中に収納されていた。「私たちは3種類の別のデータベースを持っていました」とシャロンは言う。「チケッティングのデータベース、定期会員のデータベース、そして寄付者のデータベースです。それにみんなが個人のコンピューターの中に、エクセルのスプレッドシートを多数保存していました。いかなるデータの抽出や調整にも手作業による膨大な労力が必要でした。これらのデータベースを繋げることは常に問題です。私たちは、私たちの機能すべてについて、単一のデータベースを使って単一のプラットフォームから操作する必要があったのです。」

METは、既存のシステムでは、チケッティング、ファンドレイジング、マーケティングの機能を単一のプラットフォームで統合することができず、150万人の顧客記録と取引の量を誰もうまく扱えないとすぐに気づいた。METは、自前のまったく新しいシステムを開発しなくてはならなかった。

この革命的な新しいソフトウェアはテシトゥーラTessituraと呼ばれる。テシトゥーラは単一の情報データベースを用いるので、それを利用する組織がその利害関係者との間で行うすべてのコンタクトを記録し、追跡し、管理することで、組織がターゲットのはっきりした経費効率のよいマーケティングとファンドレイジングのアピールを実行することや、すべてのチケットと会員メンバーの取引を扱い、詳細かつ柔軟な業績リポートを提供することを可能にする。マーケティングとファンドレイジングのターゲティングは、システム中のどのような基準、属性、データポイントに基づくことも可能である。すべてのデータは、完全に同期されて保持されている。

「テシトゥーラは、ほぼすべてのMETのパトロンについての有用な情報を教えてくれます」と前ゼネラル・マネージャーのジョセフ・ヴォルプJoseph Volpeは言う。「居住のパターンからチケット購買のパターンまで、チャリティー寄付の履歴をはじめとして私たちが決めることができることならどんな出費の習慣についてでも。データベースには150万人の名前があり、その中で30万人から40万人くらいの人たちが実際に活動しています。それは、われわれの膨大な顧客が実際にはどういう人たちであるかを見つけるのに不可欠のツールです。METの電話受付者があなたの名前や電話番号を聞いた瞬間、私たちはあなたが誰であるかがわかるのです。」[38]

このシステムのもたらす主要な便益は、顧客関係マネージャーがリアルタイムでそれぞれの利害関係者の履歴、選好、機関［MET］との取引のすべてを知ることができる能力を持つことである。「テシトゥーラによって、あなたは顧客についての事柄を把握することができます」とシャロンは説明する。「もしもオーケストラ・ピットの演台の明かりが強すぎてオペラを見るときの邪魔になったと電話で不満を告げると、それが顧客に関連する事柄として記録されるでしょう。そして、シーズンの最後に、客席での出来事としてのすべての顧客に関連する事柄についての報告を行うとき、その記録はどのくらい多くの人が演台の明かりや換気の悪さや座席の悪さについて不満を言ったかを示すものとなるでしょう。そうすれば、劇場の支配人にこれらの問題点を解決するように頼むことができます。顧客がファンドレイジングのためのディナーの席で誰か好きでない人の隣に座ってしまい、そのことをスタッフの誰かにたまたま話したとしたら、翌日あなたの記録にそのことを加え、今後はその人物の隣にあなたの席を設けないようにするのが彼らの仕事です。テシトゥーラは顧客とのひとつひとつの接点を把握することを可能にします。」

ウェブ上でリアルタイムでチケットを販売するアプリのおかげで、オンラインでチケットを買う際にパトロンが自分自身でデータ入力を行うので、このシステムはデータ入力を劇的に減らし取引の時間や経費を減少させている。同システムは、マーケティング素材のターゲットをより適切に定めることによってダイレクトメールの費用を削減するのを助け、顧客サービスに関する事柄すべてについて素早く回答することによって顧客満足度を向上させる。

テシトゥーラはシドニー・オペラ・ハウスや、ロイヤル・アルバート・ホール、カナダのストラトフォード・フェスティバル、ステッペンウルフ・シアターカンパニー、シカゴ交響楽団を含む多くのアート組織に採用されている。

要約

情報テクノロジー革命（とりわけ、インターネット、データベース・システム、コンピューター分析の組み合わせ）がアートに対するマーケティングの機能を変容させ、以前なら、より規模が大きく豊かな産業のみに限られていたレベルの洗練をもたらした。それは、マーケティング・ミックスのほとんどすべての面に影響を与え、アート製品やその価格、プロモーション、流通戦略の概念そのものを変えた。団体にとっては、効率性の向上が約束され、顧客にとってはより良いサービスが約束される。

この章では、情報テクノロジーのマーケティング・プロセスへの統合によってもたらされた最も顕著な革新のいくつかの点について、探求し、説明した。

・ eマーケティング（すなわち、ダイレクト・マーケティングの目的のためにインターネットを利用すること）により、伝統的な広告に比べてより正確なターゲティングが可能になる。また、郵便や電話によるマーケティングよりもコスト効率がよい。

・ オンライン流通は、しばしば、伝統的な「レンガとモルタル」の店舗［従来型の実店舗］による流通よりも迅速で費用もかからない。オンライン流通により、サービスが向上し、統制も効き、顧客データの採取も向上する。

・ 顧客の特定が情報テクノロジーによって即座にできるようになり、顧客が組織に連絡をするとすぐに、オンラインでの直接取引の際に集められたすべての情報が利用可能になる。そのことで、顧客が何を必要としており、どのような価値を体現しているのかがわかる。

・ 顧客のモデリングとは、時間の経過による顧客の行動の変化を将来の行動の鍵と見なすことである。組織は、それぞれの顧客の消費パターンを分析し、顧客との最初の取引から顧客の離脱に至るまでの組織と顧客との関係性の進展をたどるために、収集したすべてのデータを利用する。

・ 販売予測は、情報テクノロジー革命により、大きく向上した。いまや過去のすべての販売を分析し、ある催しの導入期間の予約のレベルをリアルタイムでたどることができる。団体は、記録に残された販売データと予約データを掛け合わせることで、将来の予約需要を何度も計算し直し、継続的に予測を更新することができる。

・ ダイナミック·プライシング［動的価格設定］は、同じ製品に対して、製品を生産するのにかかったコストによってではなく、それぞれの消費者セグメントや消費者行動、消費の時期などによって異なった価格を設定する。

それぞれの顧客に関するこの深い知識 ── 顧客の嗜好や選好を本当に理解し、将来の取引を予測する能力 ── が、マーケティングの機能を変容させている。実際、それは伝統的なマス·マーケティング ── その第1の目標はひとりひとりの消費者に向けて同じ合理的説明とメッセージを使用し不特定の消費者に対して製品を売ることである ── の終わりを告げている。それはまた、販売を増加させるために、組織とそれぞれの顧客の関係性を強めることをその第1の目標とする関係性マーケティングの時代の始まりを告げるものである。

注

1. Rapp, S. 1990. *The Great Marketing Turnaround*. Upper Saddle River, NJ: Prentice Hall, p. 50. ［= S. ラップ / T. コリンズ『個人回帰のマーケティング：究極の「顧客満足」戦略』（江口馨訳）、ダイヤモンド社、1992年］
2. Kotler, P., and G. Armstrong. 2005. Marketing: *An Introduction*. New York: Prentice Hall, p. 459. ［日本では以下が出版されている。原著『MARKETING: An Introduction』第4版の翻訳 = フィリップ・コトラー / ゲイリー・アームストロング『コトラーのマーケティング入門』（恩藏直人監修 / 月谷真紀訳）、丸善出版、2014年（ピアソン・エデュケーション 1999年刊の再刊）］
3. 詳しくは、以下を参照。P. Ravanas. 2006. “Born to Be Wise: The Steppenwolf Theatre Company Mixes Freedom with Management Savvy.” *International Journal of Arts Management* 8(3), 64–73.
4. Singer Kaissar, A. 2005. *Theatre Subscriptionsina Changing World* (www.artsmarketing.com), May, p. 2.
5. 著者とのインタビュー、2005年12月9日。
6. 著者とのインタビュー、2007年2月15日。
7. ブログは、ユーザーによって生成されるウェブサイトで、ユーザーが入力した記事がジャーナルのスタイルで新しいものから順に表示されているもの。
8. 著者とのインタビュー、2006年8月7日。
9. Madlberger, M., and A. Sester. 2005. *The Last Mile in an Electronic Commerce Business*. Vienna:

Vienna University of Economics and Business Administration: www.wu-wien.ac.at.
10. Carr, E. 2005. *Websites for Culture*. New York: Patron Publishing, p. 13.
11. Krug, S. 2000. *Don't Make Me Think*. Berkeley, CA: New Riders, p. 11.
12. 著者とのインタビュー、2006年8月7日。
13. Peppers, D., and M. Rogers. 2004. *Managing Customer Relationships*. Hoboken, NJ: John Wiley, p. 114.
14. Ibid., p. 110.
15. Ibid., p. 113.
16. Ibid., p. 94.
17. 著者とのインタビュー、2006年8月7日。
18. Mosaic について、詳しくは以下を参照。http://www.experianmarketingsolutions.co.uk.
19. Peppers and Rogers, *Managing Customer Relationships*, op. cit., p. 117.
20. 著者とのインタビュー、2006年8月8日。
21. Makridakis, S. 1990. *Forecasting, Planning and Strategy for the 21st Century*. New York: Free Press, p. 66.
22. Ibid.
23. Lehmann, D., and R. Winer. 2005. *Analysis for Marketing Planning,* 6th ed. New York: McGraw-Hill, p. 179.
24. Ibid., p. 194.
25. Ibid., p. 180.
26. Ibid., p. 181.
27. 詳しくは、以下を参照。Ravanas, "Born to Be Wise" 前掲論文。
28. 著者とのインタビュー、2007年2月15日。
29. Optims について、詳しくは以下を参照。www.optims.com.
30. 著者とのインタビュー、2006年8月8日。
31. Berry, L. 1983. *Relationship Marketing*. Chicago: American Marketing Association, p. 146.
32. Peppers, D., and M. Rogers. 1993. *The One to One Future*. New York: Currency, p. 5.
33. Ibid., p. 192.
34. Pine, J., and J. Gilmore. 1999. *The Experience Economy*. Boston: HBS Press, pp. 104–108. [= B.J.2パイン、J.H ギルモア『経験経済：エクスペリエンス・エコノミー』（電通「経験経済」研究会訳）、ユー・エム・ディー・エス研究所、2000年]
35. 詳しくは、以下を参照。P. Ravanas. 2007. "A Quiet Revolution: The Metropolitan Opera Reinvents Client Relations Management." *International Journal of Arts Management* 9(3), 78–87.
36. 著者とのインタビュー、2006年9月28日。
37. 著者とのインタビュー、2006年8月7日。
38. Volpe, J. 2006. *The Toughest Show on Earth*. New York: Knopf, pp. 262–263.

Chapter 11

Internationalization

第11章
国際化

目 標

- 文化芸術産業のマーケティングにおけるいくつかの国際的なトレンドを理解する
- 国際的な活動におけるマーケット・リサーチの重要性を理解する
- 国際的な活動における「リスク対統制」の諸要素についての理解を進める
- 国際的なマーケティングに関する主要な論点への包括的な理解を進める

イントロダクション

産業、企業、ライフスタイル、消費者の嗜好は、国際的かつグローバルになっている。文化的製品と文化産業もそのトレンドの例外ではない。経済的な理由から、または他の文化に対してオープンであることから、あるいは単にその基底にある好奇心のゆえに、文化産業の国際化とグローバル化は現実である。

消費者は他の文化やその芸術的な表出を発見したいと欲しており、文化の生産者は製品を国際的に販売し、彼らの文化を輸出したいと欲している。この章では、文化的製品の輸出が可能になる多くの方法を取り上げ、輸出という行動が実際に起こりうる前に考慮されなくてはならない多くの要因について触れる。

最初に、様々な文化産業における国際的およびグローバルなトレンドを探求する。それから、国際的な活動へのインセンティブと障壁を見る。最後に、ターゲット・マーケットを評価することの重要性を復習し、国際化の文脈においてマーケティング・ミックスを再び取り上げる。

11.1　国際化とグローバル化のトレンド

私たちは、居間にいて地元の地方テレビネットワークやCNN、Euronews、BBC、あるいはAl Jazeeraが用意する最新ニュースを見ることで、日常的に地球上の他の場所と接している。ほぼ同じ24時間の間に、世界中で映画ファンは同じハリウッドの大作映画を視聴し、子どもたちは同じハリー・ポッターの本を読み、ティーンエイジャーは同じラップ・アーティストの音楽を聴いている。新たなテクノロジーのおかげで、地球上のいくつかの国では、メトロポリタン・オペラのライブを見に行くことができる。そして、疑いなく、地球全体が、YouTubeで最新の同じビデオ・クリップを見ている。一方、様々な国の博物館が共同して、世界中の博物館を巡回して公開される国際展を開催する。芸術家、俳優、歌手、音楽家、作家は地球を活動の舞台と見ている。

人々は電話であれ、オンラインであれ、デジタル技術でコミュニケーションしている。コミュニケーション・テクノロジーは日々進化し、このプロセスは毎分単位で容易になっている。文化的製品の輸出入は、様々な国々において商業的なバランスの重要な一部になっている。

産業、企業、嗜好、行動は、より国際的になり、よりグローバル化している。文化的製品、芸術的製品ではこの現象が大変よく見られる。経済的な理由から、また好奇心や他に対してオープンな心性を持つという理由から、文化的製品や芸術的製品の国際化やグローバル化は現実である。消費者は他の文化を発見したいと思っているが、その主要な駆動力は、これらの産業に参加し活動している者たちが彼らの力量や能力を開発し、彼ら自身の文化を他の人々に知ってもらおうとすることである。彼らは、自分たちの文化を**輸出**したがっている。

この国際化やグローバル化のプロセスは、新しいものではまったくない。それは、古くからのプロセスであり、互いにつながっているということのひとつの表れである。

『Bound Together』[1]という書籍の中で、ナヤン・チャンダ Nayan Chanda は、歴史を通して様々な国際的な探検があったことを思い起こさせる。最初に貿易商がいた。彼らの主要な目標は利益を得ることだった。その代表的なものは、有名なシルクロードを通じてオリエントからヨーロッパに香料を輸入することだった。次には、先住の人々を様々なヨーロッパの宗教に改宗させることをミッションとしていた宣教師たち、新しい土地を発見しようとした探検家たち、そして最後に、新領土を征服する目的を持った軍人たちがいた。これらの様々のグループは今日でも存在している。そして、今では、通信や輸送の分野の進歩によって、彼らの存在は以前よりもずっと目立つようになっている。それぞれのカテゴリーに、敗者と勝者がいる。私たちは、現在、人々が相互につながっているという状態とグローバルな相互依存が拡大中であることを目撃している。

関係性は〈多国籍 multinational〉でありうる。企業は多数の国で活動を行い、その製品と実践をそれぞれに国に合わせるように調整しており、非常に多くの国についての豊富な知識を持っている。また、関係性は〈国際的 international〉でありうる。そのような場合には、とりわけ大きなビジネスの事柄であれば、組織、事業体、あるいはグループがいくつかの国で支社を持ち、取引を行い、社員を置く。最後に、関係性は、〈グローバル global〉でありうる。全世界が 1 つの存在であるかのように、どこでも強固な一貫性を持って運営する。グローバル企業は、理解すべきたった1つの大きな価値が何であるかをすべて知っており、それを実践している。

組織が上述のどのタイプの国際的活動に関わるのかについて決める際は、それぞれの土地[国あるいは領域]ごとに、種々の統制不可能な変数の意味するところを考慮しなければならない。

それぞれの土地に対して、競争のレベルや使われているテクノロジー、経済的、文化的、政治的、そして法的なコンテクスト、地理学、インフラストラクチャー、そして最後に、いまある流通構造を分析しなければならない。また、その土地の多様な公的機関について多くの知識を拡大し、さらには、関税や消費税など財務的な関連事項についても考慮しなければならない。

これらの国際的活動は、文化的芸術的製品およびサービスの交換や、より広いアクセスを可能にするという利点がある。流通チャネルはより速く、より近づきやすくなっている。文化的製品の質は向上し、オーディエンスはかつてないほどますます多様化している。そして最後に、文化はより民主化しつつある。

しかし、不利な点もある。文化芸術は土地全体でより単一になってきている。世界がたったひとつだけのグローバル文化に収斂してしまう恐れがある。また、ひとつの経済的視点が支配的になって、文化的製品の質が損なわれてしまう危険性がある。アメリカの支配による脅威がほとんどの土地での現実である。アメリカは強い経済をもち、強い国際的な存在感を持つ。アメリカの製品はどこにでもある。アメリカはその国内市場も非常に強く、人口も非常に多い。ここ数十年にわたってグローバリゼーションを実践してきているので、グローバリゼーションにも非常に習熟している。

・[文化市場への]アクセスの面では、どのような統制が存在しているのか。組織は、外貨制限の例のような、輸入の制限やクオータ[数量割当]制度の適用についてリサーチを行う必要がある。

・ある土地や市場について、より多くの知識を得るための最も良い方法は、トレードフェア、フェスティバル、あるいは国際的なマーケット[見本市]に参加することである。文化的製品のタイプごとに、それぞれ専用のイベントがある。(第11章〔11.3〕の国際的なマーケットとフェアを参照のこと)

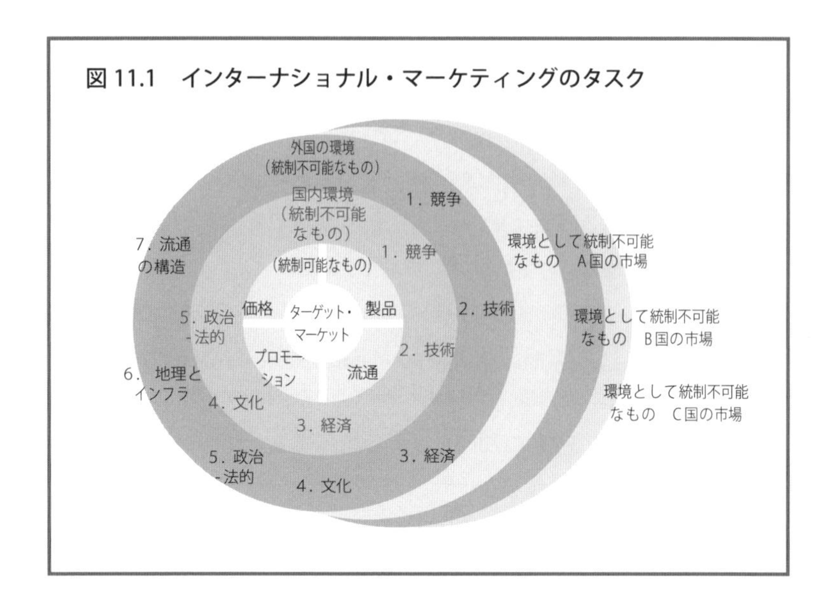

図11.1　インターナショナル・マーケティングのタスク

11.2　国際化：インセンティブと障壁

私たちは、文化芸術産業を保護するために政府によって設けられたすべての**参入障壁**、その多様なメカニズムについて明確な理解を広げなければならない。利用できる補助金についての考慮とともに、自分の製品や自分の財産の利用に関する権利侵害のリスクを考慮することも重要である。

航空宇宙産業からデジタル・テクノロジーまで、ほとんどの産業では、国際化を推奨するインセンティブがある。文化芸術産業も例外ではない。インセンティブとしては、国内市場の飽和や、追加的な、あるいは異なる資源へのアクセスが含まれる。

団体にとっての**ローカル市場または国内市場が飽和**していると、そのことは、団体が他のどこにでも成長を求めようとする強力なインセンティブとなる。成長の可能性が限られている際には、外国の市場を征服しようとする魅力には抗うことができない。成長途上の市場にアクセスすることや新たなる市場を開発しようとする意志や欲求は、企業戦略の重要な部分になりうる。

輸出活動によって、企業は国内市場のために企画開発された既存の芸術的製品の利益率を増大させることができる。団体は、規模の経済や製造能力の余力を活用することができる。

追加的な資金調達への接近が、国際化のもう1つの強力なインセンティブである。国際的なコラボレーションや共同生産は、プロジェクトの財務リスクを軽減し、さらにコストを分担するための効率的なツールになっている。それは外国の市場で追加的な資金源にアクセスするための方法である。団体は、国際的なコラボレーションをすることで、そうでなければ利用できない外国政府の補助金にアクセスできる。規模の小さな企業がより規模の大きな競合他社と同様の規模の経済を得ることができるようにするために、大きなプロジェクトにおいてパートナーシップを組むのも効率的な方法である。

それに加えて、国際的なコラボレーションは、**技術的**および**経営上**の、あるいは**マーケティングの専門知識**を得て、企業がイノベーション・サイクルを加速することを可能にする方法でもありうる。独立の映画製作会社であるワーキング・タイトル映画社 Working Title Films は、最初にポリグラム社 Polygram Film Entertainment と、そして次にユニバーサル映画社 Universal Picturesとの連合を形成することによって資金を確保し、国際的流通にアクセスすることができた[2]。

メジャーなプロジェクトにおいては、それに関わるパートナー会社の有する専門知識が最重要の要因でありうる。なぜなら、企業は個別には彼らが設定したすべてのことを達成できないかもしれないからである。プロジェクトの進行の間に起こる知識の移転は、短期・中期において企業に恩恵をもたらすかもしれない。これらの専門知識の修得は国際協働を通じてのみ可能だろう。

国際化の理由として他に挙げられるものは、物理的、物質的、そして人的な**資源へのアクセス**だろう。例えば、コラボレーションによって映画の特定のシーンの撮影に欠くべからざる特別な場所にアクセスできるようになる。そうしたやり方をしなければ通常は非常にコスト高になるか、単純に不可能だろう。また、コラボレーションによって、特定の俳優やシナリオ作家、音楽家などと近づくことが可能になる場合もある。

他方、国の文化市場を保護するために障壁が導入されることもあるかもしれない。これらの中には、規制や法によって流通ネットワークへのアクセスを制限することとともに、外国人の所有権や著作権の所有に対する統制を含むことがあるだろう。

政府の**補助金**は、様々な形式をとる。財政措置、低金利、保険の適用、あるいは返金不要の寄付などである。しばしば、ある国の文化産業はその国でもっとも多く補助金を受けている産業である。政府の補助は、製作や経営、外国への流通を支援する形式でもたらされることもある。これらの補助の形式は、非常に強力な保護方式だと言える。例えば、カナダでは、文化や芸術産業はテレフィルム・カナダやカナダ・カウンシル、ケベック州のSODEC［ケベック文化産業促進公社］などの政府組織を通じて支援を受けており、このことがカナダの文化的製品に高い競争力を与えている。アメリカでは、文化産業への援助は財政措置や寄付の形でなされる。他の例は、外国のプログラムの放送を限定して、ドキュメンタリーや長編映画のような外国の製品［番組］の放送時間に制限を設けることだろう。

特定の**商慣行**は、保護主義の別の形である。例として、地元のエージェントの独占的な利用や、地元の労働組合の組合員への限定、さらには、外貨の使用までもが制限されることがある。

最後に、**知的財産権保護の欠如**および著作権侵害の受容は、国際化への障壁だろう。著作権侵害は様々な形式をとる。一例としては、ホテルやバー、レストラン、博物館、その他すべての公共の場所や放送における上映において、映画、音楽レコーディング、テレビ番組を非正規に上映したり販売を行ったりすることである。著作権侵害は書籍やDVD、音楽レコーディングの不法な複製も含む。

11.3　国際的活動に関わる前に考えておくべき要因

団体は、国際的活動に関わる決定をする前に、国際的なコンテクストを評価しなければならない。

・潜在市場での競争のレベルと質はどのようなものか。この評価は、大使館や領事館の担当官との議論から始めることができる。
・この新市場における新しい競争者としてのあなたにとって、状況はどういうものか。
・競合他団体によってどのような代替の製品やサービスが提供されているか。
・政府が設定している障壁は何か。

・競合他団体が行なっている実践は何か。
・ステークホルダー［利害関係者］は信頼できるか。
・輸送が困難である可能性があるか。
・役所の官僚制のレベル——書類作成の必要性など。

マーケティング･リサーチは、新たな市場を分析して前に進むために利用できるツールである。マーケティング･リサーチは、健全なマーケティングの決定をするためにデータの収集と分析を行うことと定義される。すべての土地にとって、リサーチの過程とメソッドは同じだろう。しかし、インターナショナル･マーケティングは2つの要因によって複雑になっている。すなわち、情報が文化的境界を越えなければならず、外国の市場ではリサーチに使われるツールがしばしば異なるからである。

外国市場のために必要なリサーチの範囲は国内市場のそれよりも大きい。特定の状況によって、集めるべき情報には3つのタイプがある。その3つとは、その国と市場に関する一般的な情報、特定の市場の社会的、経済的、産業的トレンドや消費者トレンドを予測し、将来の市場ニーズを決定するために必要な情報、そして、製品、プロモーション、流通、価格に関する決定を行うために必要な詳細情報である。2次データは既存のデータであり、現在の目的のために生み出されたものではない。これらは、内部または外部の情報源から組織または産業に向けて収集されうる。いくつかの土地では、データが信頼できるものかどうかを判断することが課題になることがある。

ここで遭遇する主要な困難は、データが正確でタイムリーなものかどうか、歴史的なトレンドの正確さ、市場間の比較ができる能力についてであろう。

この他に1次データを収集する際に遭遇する課題は、多様な市場における教育のレベル、すなわち、リサーチにおけるその地方の言語と回答者の理解と参加の能力、そして、回答者の態度がオープンである度合いなどである。いくつかの文化においては、参加者はなかなか自分の意見を表明しないことがあるからである。

通常は、1次データの収集を手助けするエージェンシー［代理店］を雇用することが推奨される。また、政府の援助が利用できるかもしれない。例えば、その地方の政府にはしばしばトレード・コミッショナー［通商担当委員］がいる。最後に、1次データは、その土地の住民の母集団から抽出した代表標本によって集められたものであることが不可欠である。

団体は、パートナーシップを利用して外国に輸出することを決定する前に、予想されるリスクと課題を分析するべきである。そのような評価をしておくと企業は賢明な選択ができ、費用が嵩む失敗を回避できる。そして、究極的にはあらゆる潜在的なビジネス機会を十分に活用できることになる。

市場の潜在的可能性

第1のステップは、外国市場の潜在的可能性を評価することである。図書館とインターネットは情報を得るための良い源である。また、政府［国］は要望のある市場に関連する統計を公表しているだろう。ほとんどの国では、文化産業に関するオンライン・データを掲示している。例えば、ヨーロッパ36カ国とヨーロッパ委員会（EC）を代表するヨーロッパ・オーディオ・ビジュアル調査委員会はヨーロッパのオーディオ・ビジュアル産業に関する情報を提供している（www.obs.coe.int/index.html.en）。多くの業界誌が文化・芸術産業の情報とトレンドについて公表している（『バラエティ』www.variety.com;、『ハリウッド・リポーター』www.hollywoodreporter.com、『ビルボード』www.billboard.com）。

関心を持つ国の一般的な経済状況（購買力、通貨の強さ、等）を精査することもやはり有用である。週刊『エコノミスト』は大変よい情報源である（www.economist.com）。人口統計学的なトレンドは、市場の潜在的可能性を評価するためのもうひとつの有力な指標である。問題とされている製品やサービスによっては、地方または都市のトレンド、人口の増大、予想寿命、年齢密度などを精査することも有効でありうる。

アクセス

ターゲットとなる国が輸入の制限あるいはクオータ［割当］制などの参入障壁を持っているかを判断することも重要である。外貨を制限するだけでも市場へのアクセスが難しくなる。

著作権侵害または許可のない知的財産権の使用による困難がありうる場合は

そのことも考慮するべきである。

最後に、その国の補助金について考慮すべきである。ターゲットとなる国が国内市場に補助金を出しているなら、外国の団体がその市場で競争するのはより一層難しい。

アクセスとは、ターゲットとする土地の地理学に関することでもある。気候、その国の道路インフラの整備状況、そして、様々な人口グループへのアクセスが考慮されなければならない。流通チャネルの存在は根本的な事柄である。例えば、流通チャネルがない地域に本を輸出することは非常に費用がかかる提案だろう。

競争

競争環境の強度と質に関する評価が行われるべきである。大使館や領事館の代表者と議論することは良い出発点でありうる。

現在、競合他団体によってどの製品が提供されているか、または将来どの製品が提供されそうかについての評価を見極めるべきである。代替製品についても考慮すべきである。ターゲット・マーケットがすでに飽和しているなら、成功の可能性に疑問を持つかもしれない。

資金調達手法やマーケット・シェアといった競合他団体の強みを見極めなければならない。

製品の適応

企業が輸出しようと望む製品やサービスは、消費者の期待に応えることができなければならない。製品を様々な市場に適応させることが必要なら、関連するコストがいくらかかるかを査定するべきである。輸送と配送管理のコスト、輸入制限を考慮しなければならないだろう。

その国の文化についての知識も同じように極めて重要である。例えば、アラブ諸国に製品を輸出する企業は、その国の放送業者や劇場が製品に課しているいかなる制限についても知っているべきである。ある種の映像やシーンは、異なる文化にとってはショッキングな場合があるため、編集を加える必要があるかもしれない。

販売後のサービスや相談

販売の後に製品がフォローアップを必要とするならば、そのことも考慮に入れておかなければならない。例えば、テレビ番組のフォーマット[番組を構成する形式や進行方式などの枠組み]が販売される場合、制作のフォローアップが必要である。コンサルティング・サービスを提供するために、様々な場所に出かける必要があるかもしれない。販売後の製品やサービスのイメージや評判に対するクオリティ・コントロール、あるいはコントロールの訓練が重要な場合がある。プロモーションがどのように行われるのか、あるいは、製品がどこで販売されるのかというような問いが考慮されなければならない。

国際的なマーケットとフェア

国際的な産業のあり方について知識を得るための良い方法は、国際的なマーケット[見本市]やフェスティバルに参加することである。そのようなイベントはほとんどのタイプの文化的製品について行われている。例えば、音楽のMIDEM、映画のカンヌ映画祭、テレビ番組のMIP=TV、あるいはMIPCOM(http://www.miptv.com/)、書籍出版のフランクフルト・ブックフェアなどである。

カナダでは、産業のリーダーたちは、バンフ・テレビジョン・フェスティバルのために毎年アルバータ州バンフで会合を開く。これは、オーディオ・ビジュアル分野の意思決定者のための特別な集いである。主にはカナダからの参加者だが、国外から参加する人たちもいる(http://www.banff2004.com/)。

特定された土地への訪問

関心を持った国を訪れて地元の産業界を代表する人たちに会うのは良い戦略である。これにはある程度コストがかかるが、訪問がよく計画されたものであれば、成功の可能性を増大させる貴重な情報が生み出せるだろう。

11.4 マーケティング・ミックスを再訪する

製品やサービス

企業が輸出しようとする製品やサービスは消費者の期待に応える可能性を持つものでなければならない。このことから、製品を**適応させる**か**標準化する**かという大きな決断をしなければならない。

言語や文化的価値、嗜好が異なったり、ときには法律上の必要などの理由で、適応［改変］させることが必要な場合があるかもしれない。団体は、ターゲット・マーケットの消費者や市場の行動を十分に理解することが重要である。例えば、アメリカの4大テレビネットワーク（CBS、NBC、ABC、FOX）は、吹き替えや字幕付きの映画やテレビ番組を放送することはない。したがって、外国語の映画を上記のネットワークのどこかに売ろうとするのはすべて時間とお金の無駄であろう。外国の映画がアメリカ市場に売られる場合は、通常、アメリカの俳優を使って適応させられ製作される。アメリカ国内に外国映画の市場は〈存在している〉が、それは映画祭やいくつかの大都市の名画上映館［原文ではレパートリー・シネマ］に限られている。

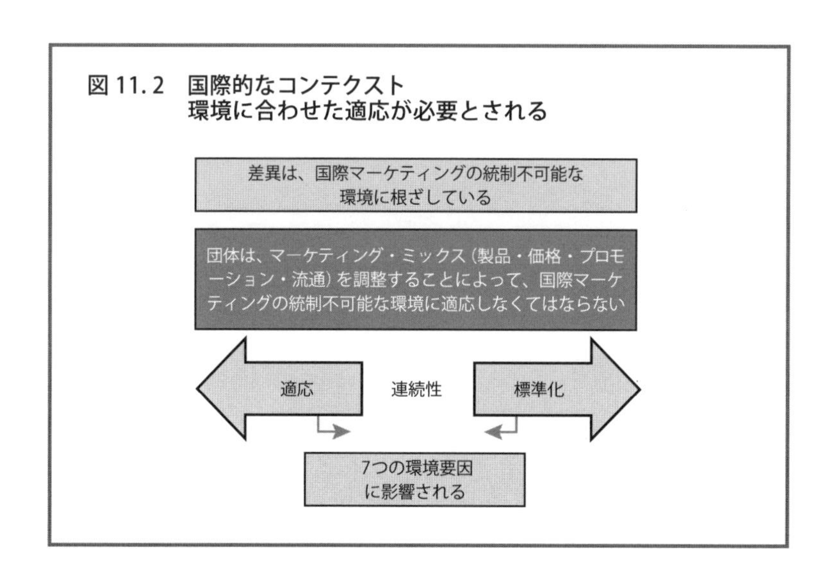

図 11.2　国際的なコンテクスト
環境に合わせた適応が必要とされる

その国の文化を理解することは非常に重要である。例えば、アジアの国々に製品を輸出しようとするなら、企業は劇場、出版社、国営放送局が製品に課している制約について知っているべきである。異なる文化にとって、あるイメージ、場面、話題がショッキングなものと考えられるため、編集が必要とされるかもしれない。

アメリカのアカデミー賞を受賞したフランス・カナダ合作映画『The Barbarian Invasions』[邦題は『みなさん、さようなら』]は、その内容の一部がローカルすぎると考えられたために国際市場向けに再編集された。カナダの医療システム、ケーブル・システム、メディアの集中など、全部で11分のシーンがカットされた。この映画の共同製作者であるシネマジネール社、ピラミッド・プロダクションズ社と監督ドゥニ・アルカンは全員国際市場に向けて映画を適応させることに賛同した。だが、カナダ国内では両方のバージョンが見られる。

企業は、国際市場に向けて製品を適応させるとき、質を移し変えること――国内市場での知覚価値と同じ知覚価値を輸出すること――に集中しなければならない。企業は、製品の**実際の使用**についても考慮しなければならない。2002年の『エコノミスト』の記事は、日本で売られているJ. K. ローリング J. K. Rowlingのハリー・ポッター・シリーズの1/5は英語版であると伝えている。同書は子どもに読まれているだけでなく、英語の技能を向上させたいと願う大人が読んでいるのである[3]。

輸出される製品あるいはサービスはライセンスでもあるかもしれない。ライセンスとは、書物を違う言語で出版することや、すでにあるコンセプトからテレビ番組を製作すること、すでにある映画や書物から長編映画を製作することを認めることであり、さらにはそれらの関連商品を作ることなどについてそれらを認めることである。アメリカのテレビショー『生存者たち』はヨーロッパの番組の翻案であり、映画『スリーメン&ベビー』はフランス映画の『赤ちゃんに乾杯!』[原題は『3人の男とバシネットTrois hommes et un couffin』]の翻案である。また、小説をもとにしている長編映画は無数にある。例えば、アカデミー賞候補となった映画『贖罪』は、イアン・マキューアン Ian McEwanの同名の小説を基にしている。

企業は、特定の外国市場に向けて新製品を開発することを決定するかもしれない。この決定には大きな追加コストがかかるだけではなく、リスクも抱えることになる。というのは、標準化された製品を輸出することの利点のひとつはコストが安いことだからである。

次に、**ブランド戦略**の課題がある。企業はブランドについての意思決定をしなければならない。名前を適応させたり変更したりしてもよいし、新しい名前を作ってもよい。これらの決定は、様々な考察を伴い、結論も様々だろう。この決定はブランドの評判によって、また、製品を適応させなければならない必要があるかどうかによって影響されるだろう。

ハーレクイン・エンタープライズ社は1950年代前半に設立されたカナダの出版社である。ひと月におよそ110タイトルの小説を、27の言語で、6大陸にまたがる95の国際市場で出版している。同社は1,300人の作家を擁し、2004年には、1億3千万冊の本を販売した。

ハーレクインは、出版業界におけるブランド戦略の専門社と考えられており、読者の嗜好にグローバルに応える多くのブランドを開発している。同社は、伝統的なもの、サスペンス調のもの、霊感を与えるものなど一連のロマンチックなストーリー展開を、それぞれのテーマに結びつけられた多様な選択の幅を持つブランドとして読者に提供している。そのブランドとは、ハーレクイン・ブックス、ミラ・ブックス、レッド・ドレス・インク、ルナ・ブックス、HQNブックス、スティープルヒル・ブックス、スティープルヒル・カフェなどである。2003年には、12のハーレクインのタイトルが〈ニューヨーク・タイムズ〉のベストセラー・リストに掲載された。

音楽業界においては、アーティストの名前がブランドになることがある。セリーヌ・ディオンは世界的に有名だが、彼女は自分のブランドを管理し、長年にわたるキャリアの進展とともにポジショニングを再定義した。まずは年齢により、彼女がティーンエイジャーから成熟した女性へと成長するにつれて、次に、最初はフランス語でしか歌っていなかった彼女が英語でのキャリアを積み、レパートリーが変わったことを受けて、ポジショニングを再定義することになったのである。いまや彼女は世界中でもっぱらセリーヌとして知られており、実際、多くの国で消費者は彼女のことをカナダ人ではなくアメリカの歌手と思っている。

もし、製品の販売の後にフォローアップが必要であれば、そのことを計画しなければならない。例えば、テレビ番組のフォーマットが売れると、その後の番組制作のフォローアップが通常は必要である。そのような場合には、コンサルティング・サービスを提供するために様々な場所に出かける必要があるだろう。

コミュニケーションとプロモーションの決定

国内市場におけるのと同じように、外国市場でも企業はどのコミュニケーション・ツールを使うかを決めなくてはならない。製品そのものの場合もそうであったように、メッセージも市場に適応させることがあるし、標準化する場合もありうる。最初に考えるべきことのひとつは**言語**についてである。団体は、どの翻訳も正確であることを確実にしておかなくてはならない。また、メッセージとして受け入れ可能なものかどうかについて、政府による規制があるかもしれない。

国内市場で使われているメディアは不適切または不十分かもしれない。ターゲットとする国における**メディアの構造**についての完全な知識や、様々なレベルでのメディアへの浸透が不可欠である。

競合他団体の行動は常に市場情報の良い源泉となる。この点で、インターネット、**広報**、そして口コミなどのすべてが有利に活用されうる。新たなコミュニケーションのトレンドが出てきたら、どれも評価を行うべきである。例えば、市場によっては、プロダクト・プレースメント[映画やテレビ・ドラマなどの作品の中に特定の商品やサービスなどを登場させる広告手法のこと]が非常に大きな効果を上げることがありうる。

他の重要な決定として、国際市場または地元市場での広告代理店の選択がある。この選択は、代理店の質と評判を始めとして、団体がどの程度統制を効かせたいかということや、団体のメッセージの国際的なコーディネーションを監督する代理店の能力までを含む、多くの基準に基づくことになるだろう。

団体は、いくつかの課題について対応する必要がある。その課題とは、[その国の市場に]適応させたものであれ、そうでないものであれ、どのようなメッセージを発するか、メディアの選択、また、それぞれの土地での売上や収益の予測に照らして土地ごとの予算を決めることである。

価格設定の問題

価格設定の問題は、まずはコストの問題として対応する必要があるだろう。製品やコミュニケーション・ツールを[市場に]適応させれば、当初のコストが増大するだろう。輸送費用、輸入制限、そして、どのようなものであれ情報資料を準備するためのコストは、すべて考慮に入れるべきである。

考慮しなければならない要因は、団体の目標によって様々である。主要な目標は、市場に浸透することなのか。期待される利益はどのようなものか。それとともに外国の需要にも対処しなければならない。予測需要はどのようなものか。団体は、どの程度の速さで投資やコストを回収することを望むのか。

団体は、競合製品と代替製品に目を向けなければならないだろう。その土地の経済状況も価格決定の要因である。団体は、その国の政府の補助金が利用できるかどうかを調べなければならない。これにより、財務リスクが軽減され、取り組み全体がより面白いものになるだろう。

流通あるいは輸出のプロセス

対応すべき最後の、そして最も重要な側面は流通である。企業は、流通にどのように関与したいと希望するのか。製品を輸出したり、企業を国際化したりするために利用できる様々な方法としてどのようなものがあるのか。何を輸出すべきか。製品そのものか、単純に製品の使用を開拓するためのライセンスなのか。

流通のプロセスは、企業がまったくそれに関与せず、リスクが小さく統制もしないやり方もあれば、その反対に企業が全面的に関与して、リスクは大きいが完全な統制を行うやり方もあり、様々である。このようなプロセスは、活動の成長の一部でもある。そのステップ[段階]は次のように特定することができる。

- 輸出しようとする欲求がない。需要があってもそれに応えることさえもしない。
- 需要には応えるが、求めることはしない。
- 輸出の可能性を探る。
- 1つか2つの国の市場に試行的に輸出する。
- 少数の市場に対して輸出の経験がある。
- ある一定の基準を設けた上で輸出の発展を追求する。
- グローバル市場を評価する。国内市場と外国市場は同様の関心の対象である。

国際化にあたっては、次の手段を探求する。

- 間接的な輸出

・直接的な輸出
  – 代理店の利用
  – 流通業者の利用
  – 国内の流通部門の創設
  – 外国の流通事務所の創設

間接的な輸出では、企業はプロセスに関与しない。団体の主要な活動は、地元か国内的なものにとどまる。製品は土地内で購入され、どこか他の土地へ再販売される。間接的な輸出は、例えば、手作りの宝飾品のように、ローカルな市場に向けて作られ、著作権が要因とならないときに限って可能である。

企業が関与しようとするときには、まずは流通のための活動のすべてを外部の団体に対して下請契約することを考えるだろう。この段階では、企業は中間業者の役割に関する知識を獲得しなければならない。中間業者は、表11.1に示されるように、企業のためにニーズと目標に応じて様々な役割を担う。

流通業者は、様々な企業から提供される多くの同じような製品を売ることを専門としている。流通業者はマーケティング活動の責任を担い、通常は、売上高の一定割合を受け取って活動し、プロモーションやマーケティングのコストがあればそれをすべて控除する。製品に特別な魅力があるのであれば、流通業者は保証されていようといまいと前払いをすることに合意するだろう。流通業者は、多くの市場と直接取引することもあるかもしれないし、特定の地域市場については他の流通業者を使うこともある。流通業者の力は、それが扱っている製品の質と多

表 11.1　様々なオプションを理解する商業の仲介者を指定するときの用語

用語	定義
中間業者	製造業者と最終消費者の市場の間をつなぐ仲介者
商業代理人または代理手続き者	法的な手続きによって製造業者を代理する仲介者すべて
流通業者	流通業者という語は、販売、在庫の維持、事前信用供与などを含む多くの流通機能を行う仲介者を一般的に指し示すあいまいな用語である。この用語は、より普通には産業マーケットで用いられることが多いが、卸売業者のことを指すこともある。

様性がもとになっている。

流通業者は多くの製品を、したがって多くの顧客を代表しているので、製品を代表する度合いはいくらかは薄まってしまうだろう。また、生産者は流通業者を使うことによって、国際市場について学び、国際的な顧客と直接のつながりを作っていく可能性に手を出さないままである。しかし、生産者が直接自分で販売を行うのに比べると、流通業者を使うことはかなりのコストの節約になる。

企業は、**代理店**を1社または数社使おうと希望するかもしれない。代理店とは、ある単独の土地あるいは複数の土地で働く独立した代理者である。代理店は、その企業だけの仕事を受けるのではなく、複数の顧客を代表し、その構造は最小である。

通常、代理店は総売上の中の一定割合を受け取り、発生するマーケティング費用については負担しない。代理店は中間業者あるいはコンサルタントとして活動するのであり、収益を保証するわけでも、前金を支払うわけでもない。

次に、企業は**国内の流通部門**を作ることを決定するかもしれない。これには、非常にコストがかかることがある。団体は、販売員を雇用し、独自の市場分析を行い、独自の国際的なつながりを作り上げる必要がある。これらの活動のコストを正当化するためには、生産と販売の量が十分大きいものでなければならないだろう。

団体は、ダイレクト・ディストリビューションによって、流通する製品に対してより大きな統制を加えることができる。流通コストを除去し、国際的なつながりの拡大を促す。もし、企業の戦略が国際化することであるのなら、ダイレクト・ディストリビューションによって国際市場に関する知識を得て、確かな接点を育て、強い関係性を作ることができる。

流通部門は、結果として外国の土地に置かれることになるかもしれない。**外国の流通事務所**を置くと、企業は重要な市場における存在感を保持することができ、産業内の競争力を大きく高めるだろう。

企業は、おそらく、これら様々の流通方式すべての**混合**を選択することがあるだろう。土地ごとに、例えば南米では流通業者を選び、アメリカでは代理人を雇用し、特に強い関係を築きたいと望む土地に対しては直接に流通を行うことができる。

資金調達と支払方法

- **信用状**
  - 製品の配送前
- **現金支払**
  - 事前支払、クレジット払い不可の場合
- **委託販売**（生産者にとってリスクが最大となる）
  - 流通業者に入金があった後の支払い
- **オープンアカウント**
  - ほぼ条件のしばりがない。信用に基づいた長期の関係の場合

デジタル流通

特にインターネット・サービスの増殖に伴って、DVDやCD、本の流通システムは重大な岐路に立っている。それは機会にも課題にもなっている。消費者は音楽や本や映画をオンラインで入手する。これにより、これまで小売業者にとっての陳列スペースのコストが高かったために消費者の手に入らなかった製品が入手可能になった。バーンズ・アンド・ノーブル書店チェーンの平均的な小売店舗では、13万タイトルを扱っていた。だが、オンライン書店のアマゾンの売上の半分以上は、その売上上位の13万タイトル以外の書籍に対してのものである[4]。

オンライン販売の規模は毎年増えている。クリス・アンダーソンChris Andersonは、著書『ロングテール』の中で[5]、生産者と消費者の双方にとっての利点を含めて、この現象を詳しく説明した。メディアとエンタテインメント産業にとってのこの経済モデルでは、財の選択に制限がなくなる。消費者は、オンライン・カタログを調査し、もう店舗では入手できないかもしれない製品を探し出す。超大スターでさえもこの流通のモード［遂行様式］を選択した。例えば、ポール・マッカートニーは、彼の音楽がインターネット上で販売できるように、EMIレコードを取りやめてiTunesに契約を切り替えた。

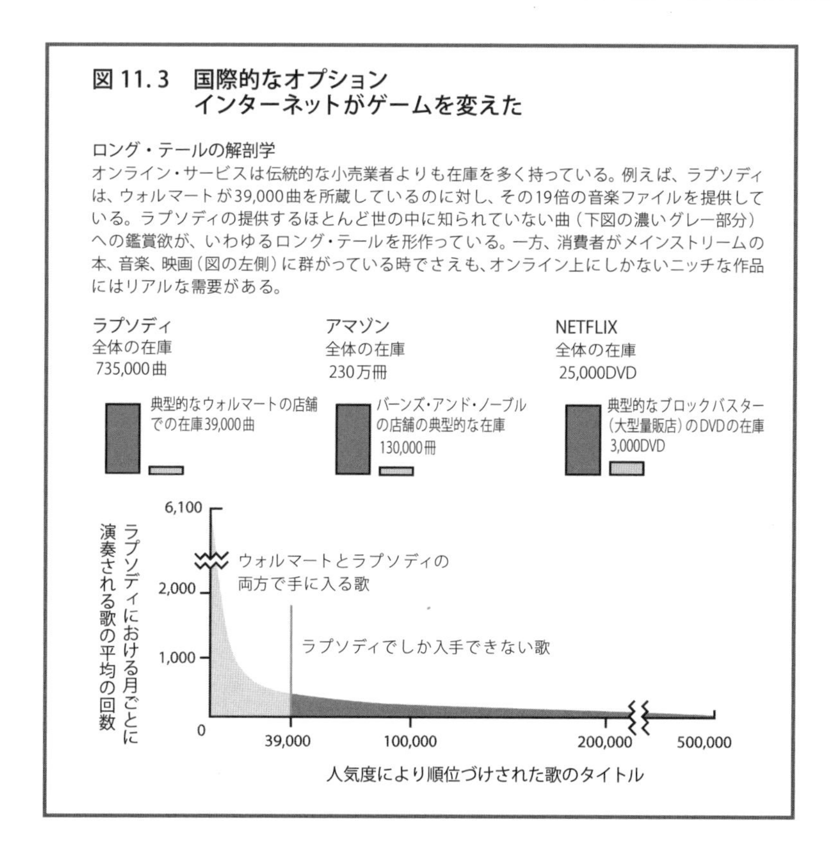

流通の規則

流通や中間業者の利用について、覚えておくべき要素は以下の通りである。

・流通業者にあなたを選ばせるのではなく、あなたが流通業者を選びなさい。

・単に少数の取引先とコンタクトがあるだけの流通業者ではなく、市場を開発することができる流通業者を選びなさい。

・長期の関係を作り上げなさい。

・資金、マーケティングのアイデア、マネジメントのスタッフを使ってプロセスを支援しなさい。

・マーケティング戦略に関する統制を維持しなさい。

・流通業者があなたに財務情報と市場情報を必ず提供するよう確認しなさい。

・流通業者間につながりを作りなさい。

11.5 連合：ジョイント・ベンチャーから直接投資まで

パートナーシップを組む機会は多くある。パートナーシップは口頭での合意やネットワーク中の会員のように簡単なものでもありうる。あるいは、ライセンスの合意、フランチャイズ、下請契約のような契約による連合Alliancesという形をとるかもしれない。それ以外に、マイノリティ投資家連合（一定の割合の所有への参加、共同製作）を作ることもできる。または、最終的に、ジョイント・ベンチャー［合弁事業］（50：50の出資比率か、コンソーシアム）もありうる。

コラボレーション：共同製作からジョイント・ベンチャーまで

文化産業は、現在ではかつてよりもますます盛んに共同製作を国際化の手段として利用している。このタイプのコラボレーションにより、様々な国のパートナーが資金的にだけでなく創作に関しても所定のプロジェクトに関与することができる。

テレビや映画の製作では、たとえ多数派のパートナーでなくても、どちらの国でも共同製作作品がその国の作品として認められるよう、多くの国が2カ国間の交渉を行っている。

なぜ、共同製作を行うのか。プロデューサーが共同製作を選ぶのには多くの理由がある。その理由は以下の通りである。

- 〈新たな市場へのアクセス〉：国際共同製作は、それがなければアクセスできない市場へのアクセスを提供する。
- 〈政府の保護〉：国によって政府が加える制限があるので、国際的なコラボレーションを通してのみ市場や資源へのアクセスが可能になる。
- 〈財務リスクをシェアする〉：共同製作は、メジャーなプロジェクトにおいてリスクの分担を可能にする
- 〈規模の経済〉：大規模なプロジェクトでは、コラボレーションは製作の様々な面で「規模の経済」をもたらし、パートナーが産業内で競うことを可能にする。
- 〈ノウハウの移転〉：共同製作により、パートナー間での知識やスキルの交換が促される。

共同製作について、少額出資か多額出資かのどちらを選ぶべきか。この決定は企業の資源と目標によるだろう。

長編映画は、この製作のやり方［共同製作］を長年にわたって利用してきた。『ロード・オブ・ザ・リング』のような大作映画の多くは共同製作である。同じように、多くのドキュメンタリー作品が、例えば英国とカナダ、あるいは英国とアメリカ合衆国との共同製作である。出版業界においては、共同出版は単位あたりの生産コストを低減させる。博物館はいまや複数の博物館を巡回する展覧会を共同製作している。ミュージカル『ノートルダム・ド・パリ』はフランスとカナダの間の共同製作作品である。

しかし、共同製作には**不利な点**もある。

共同製作では、プロジェクトがより複雑なものになるため、通常、コーディネーションのコストが高くつく。共同製作によって内容の統制が一定程度失われ、文化の特異性も失われる。外国のパートナーは状況をうまく利用しようとして、パートナーではなく競争者になるかもしれない。さらには、パートナーシップをうまく操っていくことは簡単ではない。一方のパートナーの目標は、他方の目標と一致しないかもしれない。

経験によれば、いくつかの要因がパートナーシップの成功に寄与していることを示している。

最も主に考慮すべきことは**パートナーの選択**である。パートナーの選択とプロジェクトの目標とが首尾一貫していることが不可欠である。団体は、そのシーンに登場した最初の候補者とは決してパートナーを組むべきではない。

パートナー間の関係は、プロジェクトの雰囲気に影響し、究極的にはその成功を大きく左右する。パートナー同士は、補完的な資産とシナジーを持っているべきである。もしも、パートナーが規模において異なっている場合でも、少なくとも目標は両立するものでなければならない。パートナー同士は似たような企業文化を持ち、彼らの関係性は柔軟で、責任を持って関わるものであり、信頼に基づいているべきである。

プロジェクト・リーダーまたはマネージャーは、経験が豊かで、異なる文化に対してオープンであり、大荒れの環境下において、多くの異なる仕事を引き受けなくてはならない。プロジェクト・リーダーは、言わば、コミュニケーションの専門家または外交官として、互いの間に信頼の風土を育て、双方のパートナーの目標に合致させなければならない。

チームのメンバーは、半構造化された複雑な環境の中で自律的に働くことができなければならない。彼らの仕事は非反復的なものである。彼らはチームで働き、仲間とペースを合わせ、プロセスと構造に焦点を当てなければならない。彼らは、直感と、曖昧さに対する寛容と、高度の自信を持っていなければならない。

最初から、将来の不同意や混乱を避けるために、明確かつ正確で**詳細な契約**があるべきである。契約書には、様々な役割と責任を特定し、紛争の際の解決策に関わる条項を入れておくべきである。

外国への直接投資

これは、最もリスクが高いがその代わりに最もよく統制がきく活動である。その目標は、ある土地や外国の団体に対する長期の関心を高めることである。

企業が投資を行うためのインセンティブは、マーケティングの要因、規制、機会に関連しているに違いない。規制は政府によって課されているかもしれないし、企業は活動を拡大するために投資を必要とするかもしれない。機会については、将来有望な市場へのアクセスから特定のノウハウの輸出・統制に到るまで多くのものがある。

外国への直接投資は、割安な熟練の労働力を利用してコストを削減する方法でもありうる。さらには、ある特定の土地や企業の投資風土は、成長の面から最適であるとも言える。

しかしながら、どのような投資であれ、事前に注意深く分析しなければならない。もし、機会が多くあるのであれば、リスクもそれと同じだろう。

結論

これらの活動を通じて、統制と業績測定に注意の焦点を当てるべきである。目標は明確で定量化され、それらを基準として、結果が定期的に検証されるべきである。

国際市場は複雑だが、今日この時代にそれを避けて通ることができる団体はほとんどない。団体は、まず、様々なビジネスの機会に関する知識を十分に持ち、その後に製品の適応や標準化に関する一連の決断を下すべきである。

これらの決断は、軽く考えてはならない。なぜなら、選択がよくなければ団体にとって国際的にのみならず、国内的にも深刻な影響を及ぼすからである。

要約

国際的なマーケティングは複雑な活動であり、注意深い計画と統制を必要とする。企業は国際的なトレンドとそれに伴う様々なリスクと機会に関する認知を広げていかなくてはならない。マーケット・リサーチが非常に重要である。団体は製品を市場に合わせて適応させるか標準化するかについて決断しなくてはならない。それぞれの市場に最も適切に対応するためには、双方のやり方の混合になりそうである。活動が進むに従い、団体は単純に輸出することから先に進んで、ジョイント・ベンチャーや外国直接投資を考慮することになるだろう。どの選択も強みと欠点があるので、注意深く考慮されなければならない。

注

1. Chanda, N. 2007. *Bound Together: How Traders, Preachers, Adventurers and Warriors Shaped Globalization.* New Haven, CT, and London: Yale University Press. [＝ナヤン・チャンダ『グローバリゼーション人類5万年のドラマ（上・下）』（友田錫/滝上広水訳）、NTT出版、2009年]
2. Brunet, J., and G. Gornostaeva. 2006. "Working Title Films, Independent Producer: Internationalization of the Film Industry." *International Journal of Arts Management* 9(1), 60–69.
3. "Potter's Japanese Adventure." 2002. *The Economist*, February 14.
4. Anderson, C. 2004. "The Long Tail." *Wired* 12(10). [＝『ロングテール：「売れない商品」を宝の山に変える新戦略』（篠森ゆりこ訳）、早川書房、2006年]
5. 同上。
6. "Cirque du Soleil." 2000. *Maclean's* 113(36), 45.
7. Peterson, T. 2002. "Cirque du Soleil's Expanding Big Top." *Business Week Online*.
8. http://www.cirquedusoleil.com/CirqueDuSoleil/compnay/socialaction/default.htm.
9. 同上。
10. 同上。
11. "Cirque du Soleil," op. cit., 45.
12. Waxer, C. 2005. "Life's a Balancing Act for Cirque du Soleil's Human Resources Troupe." *Workforce Management* 84(1), 52.

結論

この本で紹介したマーケティング・モデルは、文化やアートの事業体のマネージャーに枠組みと分析のアウトラインを提供する。それは、どのマーケティング・プロセスにも含まれる様々な側面を結び合せる。もちろん、読者はこれまでに、マーケティングが厳密な科学ではなく、むしろ、科学とアートの混合であると理解しただろう。それは、認識されたモデルを使って問題点が徹底的に分析される点で科学であり、マーケティングのコンセプトと戦略が教科書通りか、または明快な環境条件に当てはまることが稀である点でアートである。マーケティング・マネージャーは、したがって、絶え間なく変動する状況の中で必要なすべての情報がないままに意思決定をしなければならず、自らの直感をどのように信頼するかを知らなければならない。

文化の消費者に関する私たちの知識はいまだに極めて限定的なものである。他の購買状況における消費者行動を説明するために開発されたモデルは、文化的製品の購買を含むすべての購買状況に関連する現象を理解させるという意味においてのみ有効である。文化の消費者に特有の行動に関するリサーチは今後も継続しなければならない。なぜなら、この情報は、マーケティング・マネージャーが団体の芸術的ミッションを支援するための助けになるだろうからである。当然、文化マーケティングにおいてさらなるリサーチが必要である。ちょうど、伝統的なマーケティングがその独自のモデルを発展させることで他の科学から進化してきたように、文化マーケティングは、関連する伝統的なコンセプトを借り、一方では、独自の知識体系を獲得し続けなければならない。

アートや文化の事業体でのマーケティングのキャリアを考えている人は誰でも、他の優れたマーケターと同じ資質を持たなければならない。直感、想像力、共感力、分析のスキル、そして、資料を要約し、不確かさと向き合う能力である。理想的なマーケティング・マネージャーは、文化的製品を理解し、説明することができ、そして、とりわけ、リスクをとることを楽しみ、わずかな予算で奇跡を起こすことを楽しむことができるだろう。最後に、アーティストと同じように、マーケティング・マネージャーには成功するための才能が必要である——ツールなら後から得られるかもしれないが、才能はそうではない。

次ページの最後の表は、この本で触れた主要なコンセプトを含めて、文化とアートのマーケティング・モデルを要約しているものである。私たちは読者に、このモデルを文化領域における自らのマーケティング・キャリアのスタート地点と考えてもらいたい。

文化とアートのためのマーケティングモデル

事業体

団体
ミッション
目標
資源
・人的
・財務的
・技術的
イメージ
競争優位
マーケティング計画
組織
戦略
・企業（競争／開発）戦略
・マーケティング戦略
統制
・サイクル
・マーケティング監査

製品
芸術的製品
スピンオフ製品
カスタマーサービス経験
便益
次元
・象徴的
・技術的
・状況
複雑性
ライフサイクル
マーケティング計画
新製品開発
・R&D
・リスク
系列と範囲
ブランド

マーケティング・インフォメーション・システム

内部データ
2次データ
・公的
・民間
1次データ
・探索型リサーチ、実態記述型リサーチ、因果型リサーチ
・14のステップ

その他のマーケティング・ミックス

価格
$ – 関連する経費
– とき – リスク
– 費やす労力
スキミング戦略 – ペネトレーション戦略

流通
チャネル – 物流 – ロケーション［立地］
集中的流通戦略 – 選択的流通戦略 – 排他的流通戦略

コミュニケーション
ツール
・広告
・人的販売
・PR
・セールス・プロモーション
各ツールのそれぞれの役割
コミュニケーション計画
プッシュ戦略 – プル戦略

市場

消費者
需要
行動
セグメンテーション – ポジショニング
差別化 – 非差別化 – 集中

民間セクター
アートのパトロン
財団
スポンサー

政府
連邦
州
市町村

パートナー
流通の中間業者
共同生産者
流通パートナー
メディア

とき

団体の特異性

競争
レジャー産業
分断化
グローバリゼーション

マクロ環境
・経済的
・政治的・法的
・人口統計学的
・文化的

訳者あとがき

フランソワ・コルベール教授は、著者プロフィールにあるように、アーツ・マネジメントに関する世界的な研究者ネットワークのリーダーであり、この分野の最重要人物の一人である。このMarketing Culture and the Artsは、1993年に初版が発行され、世界中で広く読まれているロングセラーである。その後、2001年に第2版が、2007年、2012年、2018年にはそれぞれ第3、4、5版が発刊されている。

コルベール教授は、1991年、アーツ・マネジメント導入期の日本に専門家講師として招聘され、「芸術と経営」という演題で講演を行っている。ちょうど1980年代から1990年代にかけての日本では、文化経済学も文化政策も企業メセナも現在の状況につながる黎明期に当たっていた。それから30年ほどの年月が経過し、日本でも文化経済学会〈日本〉や日本文化政策学会、日本アートマネジメント学会等が創設されてそれぞれに成果が積み重ねられている。この間、とりわけ文化政策や企業メセナ活動などを中心に文化創造や文化支援に関する書籍が数多く発刊されているが、気がついてみれば、マーケティングの視点から文化経営を捉えた研究書や解説本の類は非常に数が少ないのが現状である。この点からも、アーツ・マネジメントに関する世界共通の基礎文献というべき本書の訳書刊行が待たれていたところである。尚、この訳書では原著の雰囲気も感じとれるように、大幅な意訳にはせず原文が透けて見えるくらいの忠実な翻訳にしている。

訳書の刊行にあたっては、美学やアート、デザインなどの分野のみならず、国際文化比較や文化政策などの分野でも多くの実績を持つ美学出版の黒田結花さんにひとかたならぬお世話になった。今回の出版をお引き受けいただいたことに心より感謝申し上げたい。

2020年以来の新型コロナウイルス感染症（COVID-19）の襲撃によって大きな打撃を受けた文化産業やアート業界が未来に向けて新しい経営業態を確立していくためにも、沈着かつアートへの愛に溢れた実践的理論書である本書の役割が期待されるところである。コロナ後の文化事業や文化経営の力強い復活を期待したい。

2021年6月

曽田修司
中尾知彦

索引

ス

ヘ

ホ

マ

ミ

ム

メ

モ

執筆者･訳者紹介

【編著者】

フランソワ･コルベール François Colbert (C. M., M.B.A., M.Sc.)

HEC（モントリオール商科大学）のマーケティングの正教授。カーメル&レミ･マルクー・アーツ･マネジメント講座を主宰するとともに、国際アーツ･マネジメント修士課程の責任者。また、「インターナショナル･ジャーナル･オブ･アーツ･マネジメント」の創設者兼編集責任者である。40年以上にわたって芸術文化領域での活動に積極的に携わり、カナダ･アーツ･カウンシルなど数多くの文化組織の理事を歴任。これまでにアーツ･マネジメントに関連する200近い著作があり、2002年にはアーツ･マネジメント分野の発展への多大な業績と比類のない貢献に対してカナダ勲章が授与された。2005年カナダ王立協会フェロー、2012年ユネスコ（国連教育科学文化機関）の文化マネジメント担当の長に任命された。

フィリップ･ラヴァナス Philippe Ravanas (D.E.S.C.A.F., M.B.A)

シカゴ･コロンビア･カレッジ教授、ビジネス&アントレプレナーシップ学部名誉議長。フランス生まれ。マーケティングの専門家であり、30年にわたって文化産業とヨーロッパ、北アメリカ、中国、ロシアのアカデミアの架け橋を築いてきた。HECおよび中国中央戯劇学院の訪問教授であり、世界中で広く講義を行う。また、『インターナショナル･ジャーナル･オブ･アーツ･マネジメント』の共同編集者であり、『ジャーナル･オブ･カルチュラル･エコノミクス』に寄稿している。パリのウォルト･ディズニー･カンパニーとロンドンのクリスティーズ･オークション･ハウスで働いていた経験がある。国連貿易開発会議、世界貿易機関（WTO）、ヨーロッパ議会、ナショナル･ジオグラフィック協会、アマゾン、RCA、テクニカラー、コロンビア･スポーツウェア、ACニールセン、ゼネラル･エレクトリック、東芝に対してコンサルティング･サービスを提供。シカゴのセカンド･シティ･シアター、サンフランシスコ･シェイクスピア･フェスティバル、ボストンのレベルズほか、多くの文化機関のマーケティング計画の作成を指導した。

【著者】

ジョアンヌ･ブリュネット Johanne Brunet

英国ウォーリック大学でM.B.A., Ph.D.（産業･ビジネス学）を取得。HEC（モントリオール商科大学）教授（マーケティング）。文化産業の国際マーケティングを専門としている。

マリアキアラ･レストゥッチア Mariachiara Restuccia

英国サセックス大学ビジネス･マネジメント･アンド･エコノミクス･スクール、ビジネス･アンド･マネジメント学部マーケティング講師。博士。

J･デニス･リッチ J. Dennis Rich

AEMM名誉議長（退任）。シカゴ･コロンビア･カレッジ、エンタテインメント&メディア･マネジメント学部パフォーミング･アーツ学科。

ヤニック･セント･ジェームズ Yannik St. James

カナダ･クイーンズ大学で博士号を取得。HECのマーケティング准教授。消費者行動とブランド･マネジメントの専門家。

【訳者】

曽田修司（そた しゅうじ）［第1・4・5・8・10・11章翻訳］
跡見学園女子大学マネジメント学部教授（2002年〜）。東京大学文学部国文学専修課程卒業。1980年より東宝株式会社演劇部宣伝企画室、同社宣伝プロデューサー。1990年より国際舞台芸術交流センター（PARC）の事務局次長として、東京国際舞台芸術フェスティバル（1995年／1997年）、「芸術見本市」（東京）等の運営統括業務に携わる。2010年より社団法人国際演劇協会日本センター（2013年公益社団法人に移行）理事。2016年HEC（モントリオール商科大学）訪問研究員。文化経済学会〈日本〉会員、日本文化政策学会会員。

中尾知彦（なかお ともひこ）［第2・3・6・7・9章翻訳］
慶應義塾大学文学部美学美術史学専攻卒業。シンシナティ大学音楽院大学院修了ならびに同大学経営大学院修了（シンシナティ大学特別奨学生、国際ロータリー財団奨学生、文化庁芸術家在外研修員〔新進芸術家海外研修制度〕）。1996–97年野村国際文化財団の助成を受け、英国・マンチェスターのハレ管弦楽団等で研修。群馬交響楽団、東京シティ・フィルハーモニック管弦楽団、静岡文化芸術大学文化政策学部准教授を経て、現在慶應義塾大学文学部准教授。専門はアーツ・マネジメント。文化経済学会〈日本〉理事。日本アートマネジメント学会関東部会役員。

文化とアートのマーケティング

2021年8月30日　初版第1刷発行

編著者 —— フランソワ・コルベール / フィリップ・ラヴァナス
訳　者 —— 曽田修司 / 中尾知彦

発行所 —— 美学出版合同会社
〒113−0033 東京都文京区本郷2−16−10 ヒルトップ壱岐坂701
Tel. 03（5937）5466　Fax. 03（5937）5469

装　丁 —— 右澤康之

印刷・製本 —— 創栄図書印刷株式会社

ISBN978−4−902078−67−1 C0070